JN123496

日　本　国　際　経　済　学　会　編

国際経済　第71巻

連鎖する世界経済における開発
―貿易・労働・金融の諸側面から―

日本国際経済学会研究年報

2020

目　　次

会報

共通論題

グローバル・バリューチェーンにおける途上国の生産機能の高度化*

中央大学商学部　伊藤　恵子**

要旨

本稿は，グローバル・バリューチェーン（GVC）の進展の中，途上国がより高度な工程を担うようになってきたのかどうかを論じる。多くの途上国がGVCへの参加度を高め，特にアジア諸国ではGVC内でより高付加価値の工程を担うケースが増えてきた。しかし，事務・管理機能や物流・マーケティング機能へのシフトは見られても，研究開発機能への特化が進んだケースは中国，韓国，台湾など東アジアの一部の国に限られている。

キーワード：グローバル・バリュー・チェーン，生産機能高度化，途上国，イノベーション，第4次産業革命

1. はじめに

1990年代以降の情報通信技術（ICT）の進歩や貿易自由化の進展は，一つの財の生産工程を分割して各国に配置し，最適立地の最適生産による生産コ

* 本稿は2019年9月28日・29日に開催された日本国際経済学会第78回全国大会の共通論題「連鎖する世界経済における開発—貿易・労働・金融の諸側面から—」における報告内容に基づいている。セッションでは，討論者を務めてくださった慶應義塾大学の木村福成教授はじめ参加者の皆さまから貴重なご意見をいただいた。ここに記して，感謝の意を表したい。また，本稿の一部は，JSPS科研費17KK0072，19K01658の助成を受けた研究をもとに作成されている。

** E-mail: keiko-i@tamacc.chuo-u.ac.jp

ストの大幅削減を可能にした。世界各国は国境を越えた工程間生産分業に参画することによって，グローバルな価値連鎖（グローバル・バリューチェーン，以下 GVC）に組み込まれ，GVC の拡大は世界の貿易量や貿易パターンを大きく変化させてきた[1)]。

GVC の進展は，先進国と途上国，両方の経済にとってさまざまな影響を及ぼすが，特に途上国では，GVC の経済発展へのインパクトが大きな関心を集めてきた。まず，GVC への参加は途上国に成長の機会を与えた。猪俣（2019）は，「国際生産分業が進むなか，企業は，産業や製品よりもさらに細かな工程／業務という単位で自らの生産性を計り，分業システムで特化することが可能となった」という。例えば，途上国の企業が自動車の設計から部品製造，組立までを行う技術を習得するには多くの時間を要するが，自社の技術水準に見合った業務をサプライチェーンの中に見出し，そこへ注力することで世界標準の製品の製造に参画することができる。そして，生産分業を通じて先進技術の学習機会を増やしていき，成長を加速させることが可能になる。

実際，アジアの新興国や東欧諸国は，GVC への参加によって，経済成長を加速してきた。例えば台湾や中国の事例研究などから，GVC への参加を通じて成長を遂げた途上国企業の例は数多くみられる。さらに，中国は近年，先端技術分野においても技術力の向上が目覚ましく，単純労働者の供給源という役割から，次世代技術の覇権を握りうる存在として，欧米先進国から脅

---

1) GVC と類似した用語として，「グローバル・サプライチェーン」や「工程間国際分業（フラグメンテーション）」などの用語がある。筆者の知る限り，厳密な定義の違いや使い分けはない。先行研究では，文脈によって，特に国境を越えた生産工程の配置に焦点を当てる場合は「工程間分業（フラグメンテーション）」という用語が使われる傾向にある。一方，GVC は，投入・産出関係を通じた各国・各産業間のつながりや，そのつながりにおける付加価値の流れに着目する場合によく用いられる傾向がある。「グローバル・サプライチェーン」は，ある製品の企画・製造から販売までの活動を通じて複数の国の複数の企業がつながっている状態を説明する場合に用いられる傾向があると思われる。ただし，厳密に使い分けられているとは言えず，これらの用語はほぼ似たような現象を指している。本稿でも，ほぼ同義で用いている。

威とみなされるようになってきた。しかし，一方で，「中所得国のわな」という言葉が示すように，GVCに参加したその先の「階段（“income ladder”や“technology ladder”と表現される）」を上っていくことができた国は多くない。その先の階段を上るにはどうしたらよいのか，まだ明確な答えは得られていない。

加えて，近年，GVCの拡大が止まり，逆にGVCの縮小傾向すら見られるようになってきた。2000年代末のリーマン・ショック後，世界的規模で貿易縮小が起きた（“Great Trade Collapse”）と指摘されており，特に先進国を中心に輸出の伸びが鈍化した。このことがGVC拡大の終焉を意味するのかどうかを判断するのは時期尚早であろう。しかし，人工知能（AI）など新技術の登場がGVCを変容させると予想されている（Baldwin 2016）。また，米中貿易摩擦のような保護主義が拡大すれば，GVCを成長のエンジンとする経済発展モデルは行き詰ることになるかもしれない。今後直面するであろう課題に向き合うためにも，まずは，現在までのGVC進展の過程で，GVCと途上国の経済発展との間にどのような関係があったのかを整理する必要があるのではないだろうか。

本稿では，途上国のGVCにおける高度化に焦点を当てる。つまり，途上国が経済発展に伴い，GVCにおける製品や生産システム，または生産機能の高度化を実現してきたのかを考察する。途上国が，GVCに参加したその先の価値の階段を上って経済発展を続けていくことは，GVCにおける高度化と捉えられるからである。これまで先進国の多国籍企業がGVCを主導し，GVCの高度な部分を担って，GVCの恩恵をより多く享受してきた（Gereffi et al. 2005）。途上国企業にとって，単にGVCに参加するだけでなく，より多くの恩恵を得るためには，GVCの高度化を担い，主導的な企業へと成長するか，または主導企業にとって重要な連携パートナーとなる必要がある。

本稿の構成は以下のとおりである。次節では，GVCの進展と構造変化について概観する。続く第3節ではGVCにおける高度化の概念と，それを定量的に捉える指標について説明する。そして，主要国・地域におけるGVC

の参加と高度化の度合いを考察する。第4節では，第4次産業革命とGVCの将来を展望し，最後に，第5節でまとめと結論を述べる。

2. GVCの進展と停滞

第二次大戦後，世界全体の貿易額は，世界全体の生産額の上昇率を上回るスピードで拡大し，1990年代から2000年代にはさらにそのスピードを増してきた。その背景には，工程間国際分業（フラグメンテーション）の進展がある。以前は，ある完成品を製造するためのさまざまな工程の多くが一国内に立地し，原材料から加工，部品製造，組立までの過程で製造される中間財が国境を越えて貿易されることは少なかった。しかし，ICT技術の進歩や貿易コストの低下が，各工程を国境を越えて配置することを可能にした。例えば，日本で製造された化学製品が，台湾に輸出され電子部品の製造に使われる。そして台湾で製造された電子部品が中国へ輸出され，組み立てられて電子機器の完成品となって中国からアメリカへ輸出される。各国の貿易統計には，海外の輸入原材料や中間財の価値も含んだ商品価格に基づいて輸出入が記録される。そのため，工程間国際分業により，中間財が完成品に至るまでの間に複数回国境を越えると貿易額の「二重計上」の問題も深刻になる。

そこで，財の物理的な移動を記録した従来の貿易概念に代えて，製品の各生産工程において付加された価値の国際的な流れに注目した付加価値貿易の研究が盛んに行われてきた。貿易統計に計上される輸出総額には，自国で付加された価値と外国で付加された価値との両方が含まれるが，Koopman et al.（2014）は，自国と外国の付加価値をさらに分解し，貿易額の内訳を体系的に示した。図1のとおり，自国の輸出総額は，自国で生み出された付加価値の輸出（VT）と，自国源泉の中間財輸出に含まれる付加価値で最終的に自国に戻ってくる分（VS1*），外国からの輸入中間財など外国で生み出された付加価値（VS）に分けられる。さらに，付加価値輸出（VT）は，海外で需要される最終財に含まれている分（図中の1）と，海外で需要される中間財に含まれる付加価値（同2），自国から海外へ輸出され，そこから第三国へ輸出される中間財に含まれる付加価値（同3）の3つの部分から成る。VS1*は，国内で生みだされた付加価値がいったん外国に輸出され，外国で何らかの加工を施された後に最終的に国内に戻ってくるものを指す。生産工程がより細分化されて国境を越えた工程間分業が進展し，生産過程で何度も自国と外国との間を中間財が行き来するようになればなるほど，VS1*の多重計上分が拡大していく。また，VSは，輸入中間財を用いて自国で加工を加えてから外国に輸出された最終財または中間財に含まれる外国源泉の付加価値ということになる。VSは，粗輸出のうち外国源泉の付加価値としてFVAと表し，残りの（1）～(6）の部分（VT＋VS1*）は，粗輸出のうち自国源泉の付加価値としてDVAと表す。国際分業が進展するほど拡大していくのは，FVAと，外国の輸出に含まれる自国源泉の付加価値であるDVX（図の（3）～(6）の部分）である。付加価値輸出は（1）～(3）の部分で，VAXと表そう。

国際分業の進展と密接に関連するFVAとDVXに注目すると，各国のGVCへの参加度合の目安となる指標を定義することができる。輸入中間財をより多く投入することはGVCへの後方参加度（Backward Participation）を高めることと解釈し，自国の粗輸出に対する外国源泉付加価値の比率と定義される。

Backward GVC Participation = FVA/(FVA + DVA)

一方，自国で生産された中間財が，外国の輸出財生産により多く投入されることは，GVCへの前方参加度（Forward Participation）を高めることと解釈し，自国の粗輸出に対する，外国の輸出に含まれる自国源泉の付加価値の比率と定義される。

Forward GVC Participation = DVX/(FVA + DVA)

さらに，GVCにおいてより上流の産業や工程を担う場合，FVAに対してDVXが相対的に大きくなると考えられるため，上流度（Upstreamness）の指標も定義できる（Koopman et al. 2014）。

Upstreamness = ln(1 + DVX/(FVA + DVA))−ln(1 + FVA/(FVA + DVA))

以下では，主にこれらの指標を用いて，GVC における貿易パターンの変化を考察していく。

図2は世界の粗輸出額（名目値）の推移を表している。その源泉を各輸出国の自国源泉付加価値分（DVA）と外国源泉付加価値分（FVA）に分け，さらに，各輸出国を各年の所得水準（世界銀行の分類による）でグループ分けしている。図2より，まず，世界の輸出額は増加が続いているが，2000 年代の急増を経て，2010 年代は増加スピードが大幅に鈍化していることがわかる。また，2018 年の粗輸出のうち 47.8％は高所得国の自国源泉付加価値

図1　粗輸出額の内訳と付加価値輸出

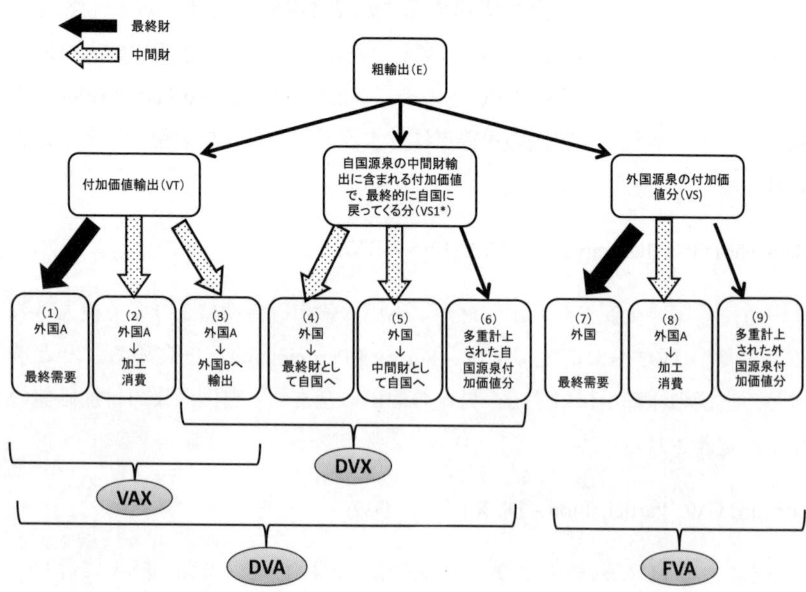

（出所）Koopman et al. (2014) Figure 1 と Aslam et al. (2017) に基づき作成。

図2　世界貿易の拡大とGVCの進展

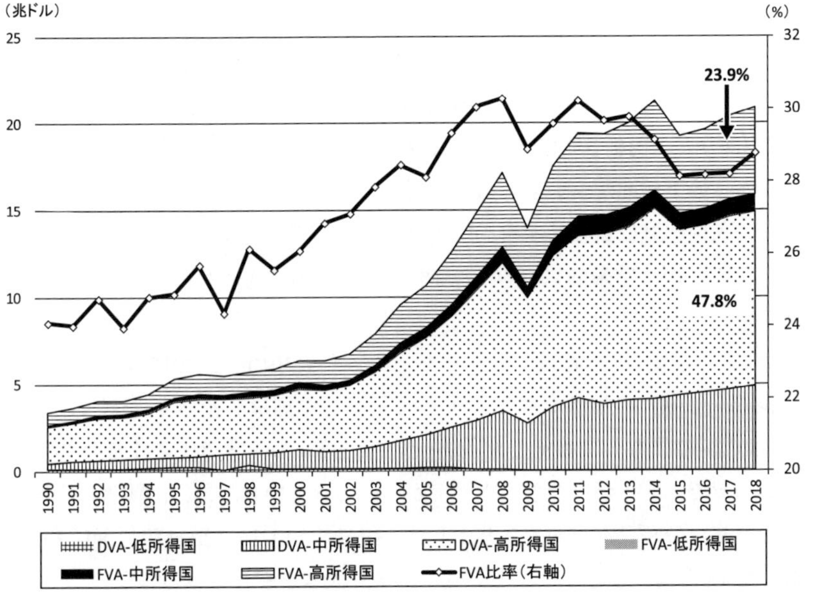

（出所）UNCTAD-Eora GVC Databaseより作成。

分（DVA），23.9%は高所得国の外国源泉付加価値分（FVA）であり，世界輸出の大部分を高所得国が担っているといえる。中所得国の自国厳選付加価値分（DVA）も顕著に増加してきたが，低所得国はDVA，FVAともにグラフ上では確認できないほど小さく，世界全体の輸出額における低所得国の占めるシェアは極めて小さい。

上に述べたように，粗輸出に占める外国源泉付加価値分（FVA）の増加は国際分業，すなわちGVCの進展を反映しているため，世界の粗輸出に対するFVAの割合（FVA比率）は，GVCの進展度合いを測る一つの目安となる。図2より，FVA比率は2000年代に急拡大し，一時は30%を超えたものの，近年はそれが低下傾向にあり，2018年時点で28.8%となっている。

FVA比率は，世界全体のBackward GVC Participationである。いうまでもなく，この比率は，各国，各産業でその水準も推移も大きく異なっており，少しブレークダウンしてみていく必要がある。図3は，各国を所得水準に基づいてグループ分けし，それぞれのBackward GVC Participationの推移を表したものである。高所得国のBackward GVC参加率は2000年代までは上昇したものの，2010年代に入ってほぼ横ばいである。一方，中所得国は2000年代から低下傾向が続いている。逆説的ではあるが，中所得国が，先進国からの輸入中間財に依存せず自国でより高度な中間財を生産する能力を獲得してきたことが，結果的にGVCを縮小させる方向に向かわせているのかもしれない。

次に，主要国・地域について，2005年，2010年，2015年の上流度（Upstreamness）の指標をみてみよう（図4）。中国は，2015年時点においてもGVCへの後方への参加度が前方への参加度よりも大きく，上流度の指標が負の値ではあるが，顕著に上流度が増してきている。一方，顕著に上流度が低下したのが日本である。しかし，ASEANやEU13（2004年以降にEU加盟した13か国）などでは，上流度にあまり大きな変化はみられない[2)]。

図3　GVC参加率の推移

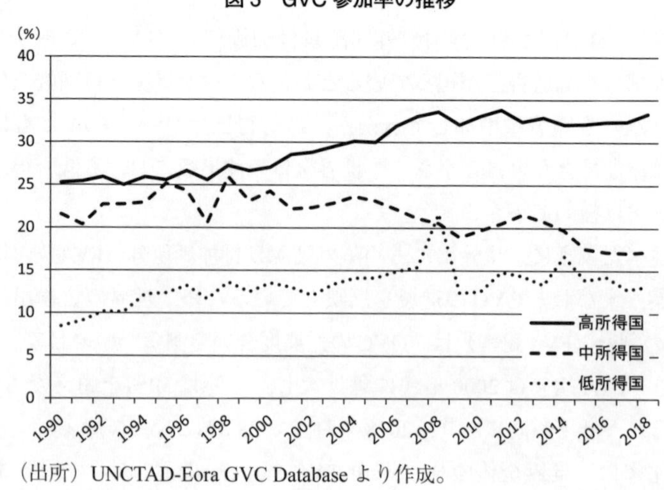

（出所）UNCTAD-Eora GVC Databaseより作成。

図4　主要国・地域における製造業の上流度

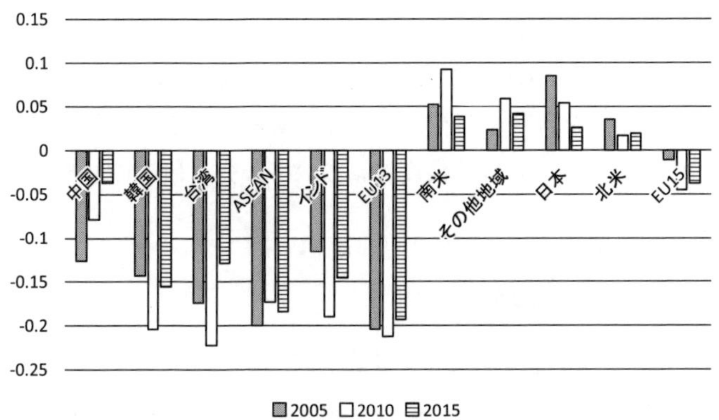

（出所）OECD TiVA2018 データベースより作成。

また，Li et al.（2019）や他の先行研究（Amador and Cabral 2017; Criscuolo and Timmis 2018 など）から，中国がアジア地域の貿易ネットワークの中心的存在で，輸出でみても輸入でみてもアジアのハブとなっていることが示されている。また，Li et al.（2019）によると，2000 年に比べて 2017 年は，特にアジア地域で新しく GVC に参加した国が多く，これらの GVC 新規参入国は，中国の重要な輸出先としてアジア地域の貿易ネットワークの中でプレゼンスを高めてきた。

これらの図表や先行研究から，中所得国が輸入中間財への依存（Backward Participation）を低下させ国内で中間財の調達が可能になってきたとともに，中間財供給者としての高所得国の重要性（Forward Participation）が相対的に低下してきたといえる。特に，中国は最終財の供給国としてのみならず，中間財の供給国・需要国としても重要性を増している。そして，多くの途上国

[2] 主要国・地域の上流度の 2005 年から 2015 年までの変化を産業別にみると，日本や北米，EU 原加盟 15 か国など先進国ではほとんどすべての産業で上流度が低下したが，中国では全産業，台湾や ASEAN では多くの産業で上流度が上昇した。特に，中国では国内源泉付加価値の相対的な増加と，外国源泉付加価値の相対的な減少を反映して，上流度が顕著に上昇している。

がGVCへの参加度を高め，特にアジアの国々はより深く，中国を中心としたGVCネットワークに関与するようになってきた。こうした事実は，中国やその他の中所得国がGVCにおける高度化を実現し，GVCを統治する先進国主導企業の優位を脅かす存在になりつつあることを示しているのだろうか。次節では，GVCにおける高度化について，先行研究の結果を踏まえて考察する。

3. GVCにおける高度化

3.1 「高度化」とサプライチェーン統治

第1節でも述べたように，GVCへの参加は途上国に成長の機会を与えたと考えられる。しかし，「中所得国のわな」に陥らず経済発展を持続させていくためには，単なるGVCへの参加にとどまらず，GVCにおいて「高度化」していくことが求められる。なぜなら，GVCにおける高度化は，サプライチェーンの統治形態とも関連し，一連の生産活動の中でより多くの利益配分を得られるかどうかを決定する要因になるからである。本節では，途上国のGVCにおける高度化について考察するが，まずは，GVCにおける「高度化」の概念とサプライチェーン統治との関係を明確にする必要がある。

Humphrey and Schmitz（2002）はサプライチェーンの高度化を3つの形態に分類している。1つは，「製品の高度化（Product Upgrading）」であり，より洗練された製品が開発され市場に出されることを指す。2つ目は，「生産システムの高度化（Process Upgrading）」でマネジメント手法の高度化等によって効率性が高まることを指す。3つ目は，「生産機能の高度化（Functional Upgrading）」で，同一のサプライチェーン上でより付加価値の高い業務・生産工程へ移行することを指す。

製品や生産システムの高度化は，GVCを主導する企業によって引き起こされることが多いが，「生産機能の高度化」はサプライヤー側の自発的な努力によって実現する場合がある（猪俣 2019）。また，生産機能の高度化は，GVC統治における主導企業との関係を変化させることにもつながる。Gereffi et al.（2005）は，取引の複雑性，取引内容のコード化の容易さ，サプライヤーの能力の3つの要因に基づいてGVCの統治形態を類型化している。例えば，サプライヤーの能力が高ければ，取引の性格に応じて，GVCがサプライヤー「従属型」から主導企業とサプライヤーの「相互依存型」，さらに「市場型」へと変化する。より高度な生産機能を担うことはすなわち，より付加価値の高い工程を担うことであり，そのような工程は取引内容のコード化が難しい場合が多い。取引内容のコード化が難しい場合，サプライヤーの能力が低ければ，主導企業は内製化を進める。結果的に，途上国のサプライヤーに外注されるのは低付加価値工程のみとなってしまうのではないかと懸念される。しかし，サプライヤーの能力が高ければ，高付加価値工程を受注することが可能となり，主導企業と相互依存的な関係を構築できるようになる。

このように，GVCの主導企業による支配力を弱め，途上国のサプライヤーが一連の生産活動からより多くの利益配分を得るためには，生産機能の高度化の実現が重要になってくる。

3.2 生産機能の高度化の定量的評価

生産機能の高度化とは，同一のサプライチェーン上でより付加価値の高い業務・生産工程へ移行することであり，例えばiPhoneの事例研究などのように個別製品の部品や工程に着目して分析できる。産業全体または一国全体での高度化を定量的に捉えるのは簡単ではないが，国際産業連関表を活用して，産業や国レベルでGVCにおける高度化を分析する研究も増えている。これらの研究においては，輸出財に含まれる国内源泉付加価値分（図1のDVA）を「高度化」の指標と解釈するものが多い。ただし，国内源泉付加価値分の大きさには，「生産機能」の高度化だけではなく，生産システムや製品の高度化も反映される。他にもいくつかの指標を用いて分析されており，主な先行研究を整理すると表1のとおりである。表1に挙げられている研究の中には，必ずしも「高度化」に焦点を当てた分析ではないものも含まれるが，傾向としては，国内源泉付加価値の変化や，それに体化された雇用に注

表1　GVCにおける「高度化」の指標

「高度化」指標	分析対象	分析単位	文献
輸出における国内源泉付加価値（DVA）	世界各国	国レベル	UNCTAD (2013)
	世界各国	国レベル	Kummritz et al. (2017)
	中国	産業レベル	Koopman et al. (2012)
	中国	企業レベル	Kee and Tang (2016)
輸出品目の質	中国	品目レベル	Van Assche and Van Biesebroeck (2018)
	世界主要地域とアフリカ諸国	品目レベル	Foster-McGregor et al. (2015)
製造業付加価値（MVA）対GDP比	世界各国	国レベル	Sampath and Vallejo (2018)
GVCにおけるサービスの付加価値割合	東アジア・東南アジア諸国	国・産業レベル	Baldwin et al. (2014)
イノベーション実現の確率	アフリカ諸国	企業レベル	Foster-McGregor et al. (2015)
雇用，賃金，職種，スキル構成の変化	世界主要地域とアフリカ諸国	国・産業レベル	Foster-McGregor et al. (2015)
	欧州諸国	国・産業レベル	Timmer et al. (2013)
	世界主要諸国	国・産業レベル	Los et al. (2013)
	世界主要諸国	国・産業レベル	Timmer et al. (2018)
	世界主要諸国	国・産業レベル	Kiyota et al. (2017)
	アジア諸国	国・産業レベル	De Vries et al. (2019)
完成財の生産に投入された国内源泉付加価値	欧州諸国	国・産業レベル	Timmer et al. (2013)
	世界主要諸国	国・産業レベル	Kiyota et al. (2017)

目するものが多い。

ただし，前節のGVC Participation（GVC参加率）の定義からもわかるように，GVCへの後方参加度合いが高くなることは，輸入中間財の利用が増えることであり，そのことは国内源泉付加価値の割合を減らすことになる。UNCTAD（2013）が示しているように，GVCへ参加した当初は，参加の度合いが上がるにつれて輸入中間財の利用が増え，国内源泉付加価値の割合は小さくなっていく。その後，生産工程内での生産性や質の向上を通じて国内源泉付加価値を増加させていき，さらに付加価値の高い高度な生産工程を担うことにより，国内源泉付加価値を増やしていくと考えられる。

UNCTAD（2013）は発展途上国125か国の1990年から20年間のGVC参加率と国内源泉付加価値割合を分析している。多くのケースではGVC参加率が上昇した一方で国内源泉付加価値割合の低下傾向がみられたという。しかし，中国，マレーシア，フィリピン，シンガポール，タイなどの東アジア諸国ではGVC参加率と国内源泉付加価値割合が共に上昇する傾向がみられた。これは，東アジア諸国のGVCにおける高度化の結果と捉えられるのだろうか。

GVC参加率と国内源泉付加価値割合の変化の方向は，各国の産業構造や初期時点の経済発展段階，多国籍企業の進出数や進出形態などさまざまな要因によって異なる経路をとるだろう[3)]。つまり，国レベルのGVC参加率と国内源泉付加価値割合の変化の経路を追うだけでは，なかなか各国のGVCにおける高度化を評価するのは難しい。

そこで，特定の国を対象として，産業レベル，企業レベルで分析したり，国内源泉付加価値以外のさまざまな高度化指標も用いて，GVCにおける高度化が起きているのかどうかを検証していくことが重要である。例えば，中国の産業連関表を利用したKoopman et al.（2012）の分析や中国企業の貿易データを利用したKee and Tang（2016）は，中国の輸出に占める国内源泉付

3) Kummritz et al.（2017）は国別の国内源泉付加価値について，インフラや貿易円滑化，規制などの政策も決定要因となることを示している。

加価値の割合がWTO加盟後の2002年から2007年までの期間に上昇したことを示している[4)]。しかし，国内源泉付加価値の割合は産業によって大きな差異があることや，外資系企業と国内企業，また加工貿易企業と非加工貿易企業との間にも大きな差異があることを示している。

また，国内源泉付加価値以外の指標として，品目別貿易データから計測した，輸出財の質の向上や品目構成の高度化（Sophistication index），新品目の輸出（Product discovery）なども用いられる。Van Assche and Van Biesebroeck（2018）は，2000～2013年の中国の貿易データを分析し，加工貿易部門において，輸出品の質向上（単価で計測）や輸出品目構成の高度化（1人当たりGDP水準が高い国が多く輸出している品目ほど，高度な品目と定義して計測）が起きたことを示している。そして，加工貿易部門において，以前より中国国内での工程範囲が拡大し，単なる組立工程のみならず，より幅広い工程を担うようになった（機能の高度化が起きた）という。

このように，中国や東アジア諸国では，いくつかの先行研究において，GVCにおける高度化を示唆するような結果が示されている。さらに，アフリカ諸国に注目したFoster-McGregor et al.（2015）は，各国間の差異はあるもののアフリカ諸国においても，高度化を示唆する結果を見出している。Foster-McGregor et al.（2015）では，輸出市場におけるシェアの増加と輸出品の単価の上昇で計測した経済的高度化（Economic Upgrading），雇用の増加と賃金の上昇で計測した社会的高度化（Social Upgrading），輸出財の質の向上や品目構成の高度化（Sophistication index），新品目の輸出（Product discovery）などさまざまな指標を用いて，アジアやアフリカを含む多くの途上国で経済・社会・品目の高度化が起きたことを確認している。しかし，アジアに比べるとアフリカの高度化の度合いは低く，また，アフリカの中でも，高度化を達成している国は限られていると考察している。

---

4) 内閣府（2019）も，主に日本やドイツ，アメリカの国内源泉付加価値推移と比較しつつ，中国輸出の高付加価値化を論じている。

3.3 雇用で測った高度化

さまざまな指標を用いてGVCにおける高度化の分析が行われてきたが，3.1節で説明した「生産機能の高度化」を厳密に定量的に捉えるのは難しい。たしかに，国内源泉付加価値の増加は国内の基盤産業の発展を反映する面もあるが，一方で，国内源泉付加価値割合が大きいことは必ずしも「高度化」を意味しない。例えば，生産機能の高度化とは直接的に関係がないところで産業構造変化が起き，天然資源や原材料など上流産業のシェアが相対的に大きくなれば，国内源泉付加価値の割合は上昇する。こうした問題意識から，職種や労働者のスキル水準の情報を利用して，より厳密に「生産機能の高度化」を測ろうという試みも進んでいる。

Timmer et al.（2018）は，各国のセンサスデータ等を用いて，詳細な職種別労働者の情報を入手し，それと国際産業連関表を利用して，機能別の特化指数を計測している。彼らは，職種を，1）研究開発（R&D），2）経営，3）マーケティング，4）製造加工の4つの生産機能と関連づけた上で，各国の輸出財の生産に投入された各機能別国内労働者の所得を推計している。そして，顕示比較優位指数と同様な考え方で，各機能別国内労働者所得を用いて各国の各機能別特化指数を定義し，計測している。特化指数が1を超えているかどうかで，他国と比べてより特化が進んでいるかどうかを評価する。彼らの分析によると，1999年から2011年の間に機能特化パターンが顕著に変化した国は少なかった。また，中国，メキシコなどは，製造加工機能の特化係数のみが1を超え，他の機能の特化係数は1を下回る状態が続いており，製造加工機能に強く特化する状態が続いているという。

Timmer et al.（2018）の国別分析では，中所得国で明確にR&D機能への特化が進んだケースはほとんどみられない。しかし，中国の地域レベルの分析では，北京市，上海市，江蘇省，浙江省，福建省のR&D機能特化指数は1を超えており，一部の地域ではR&D機能への特化が欧州の高所得の小国と同水準にまで進んでいることを示している。

一方，De Vries et al.（2019）は，アジア11か国について，製造業の最終財の生産のために国内で投入された労働者数（GVC workersと定義）を推計している。各国労働者の職種データから，5つの生産機能（R&D，製造加工，物流・マーケティング，事務・管理，その他支援業務・サービス）別に投入された労働者数を推計し，2000年から2011年までの変化を分析している。各機能別の労働投入シェアの変化をみると，各国共通の傾向として，製造加工機能に投入された労働者のシェアは大きく縮小している。事務・管理機能に投入された労働者のシェアは日本，マレーシア，韓国，タイで大きく増加しており，物流・マーケティング機能に投入された労働者のシェアはフィリピン，韓国，台湾，タイ，ベトナムで大きく増加した。R&D機能に投入された労働者のシェアの増加は，インドネシア，日本，中国，韓国，台湾で見られ，特に韓国，台湾はその変化が顕著であった[5)]。その他の国でR&D機能労働者のシェアの増加はほとんどみられず，こうした業務の多様化・高度化のパターンやスピードは国によって大きく異なっているといえる。

中国については，製造加工工程の生産規模拡大に伴い多くの生産労働者の雇用創出があったが，同時に，R&D工程の雇用創出も大きく，2000年代に中国が急速にGVCにおける高度化を成し遂げてきたことが示唆される。

3.4 イノベーションとGVC

国内源泉付加価値や輸出品目の質や構成などの推移からは，少なくとも東アジア諸国についてはGVCへの参加を深めつつ，GVCにおける高度化も進んできているといえそうである。しかし，アジア諸国でも，上のDe Vries et al.（2019）らの分析結果が示すように，R&D機能へのシフトが見られる国は限定的である。本節では，R&D機能へのシフトに着目し，GVCへの参加がイノベーション活動を推進する傾向があるのかどうかを検討してみよう。

---

5) Timmer et al.（2018）の分析でも，インドネシアのR&D機能特化係数は1999年の0.47から2011年の1.07へと大幅に上昇している。他国の動きと比べて異常に大きな上昇とも思われるが，実際にR&D機能への特化が進んだのか，または統計データ上の問題なのか，さらに検証する必要がありそうである。

Lee et al.（2018）は，いくつかの事例研究と国別データを用いた統計分析を組み合わせて，自国内での研究開発ネットワークの深化・拡大が，GVCにおける高度化に重要であると主張する。韓国，台湾では，GVCへの参加当初は外国源泉の付加価値が増えたが，国内の研究開発（自国企業どうしの特許引用件数で計測）の活発化とともに自国源泉の付加価値が増えた。つまり，GVCへの参加当初は外国の主導企業への依存を増やすことによってGVC参加度を高めたが，その後は国内企業が研究開発を積極的に行い，かつ国内企業間の知識ネットワークを確立していくことで自国の技術力を高めていくことが必要であるという。しかし，ブラジルなど南米諸国ではそのようなパターンが明確に確認できないという。

De Marchi et al.（2018）は，途上国におけるイノベーションとGVCに関連する先行研究を収集し，メタ分析とクラスター分析によって，研究結果の傾向を整理している。彼女らは，途上国のサプライヤーの多くがGVCに参加しているものの，GVCの主導企業や他のGVC参加企業から得ている知識や技術情報はあまり多くないと結論づけている。GVC内では狭い業務範囲に限定された知識の移転はあるものの，研究開発に関連した活動はGVCの外で行われる傾向があるという。

図5は，米国特許庁（USPTO）への各国（発明者の国による分類）の特許登録出願数を表したものである。登録数が比較的多い国（2001年～2005年に出願された特許の年平均登録数が300件超）について，2001年～2005年の年平均登録数が多い順に並べてある。上位2か国（アメリカ，日本）とそれ以外の国々との間には極めて大きな差があるが，ドイツなど欧州諸国については欧州特許庁（EPO）への出願・登録数が多い。USPTOへの登録数だけが必ずしも技術水準を示すとはいえないことには留意が必要であり，さらに特許だけがイノベーション水準を表す指標ではないことにも注意しなければならない。図5から，近年韓国の特許登録数はドイツとほぼ同数にまで増加しており，台湾の特許登録数も顕著に増加している。また，中国の特許登録数は，フランス，イギリス，カナダを超える水準にまで急増している。

図5　米国特許庁への年平均特許登録数（発明者国・登録年ベース）

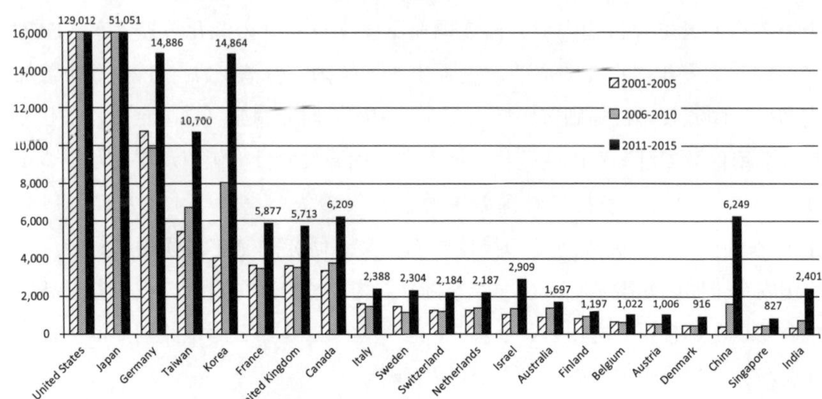

（注）図の数値は，2011～2015年の年平均特許登録数。
（出所）OECD.Statより集計。

図5に含まれていない国の中には，メキシコや東南アジア，東欧諸国など，GVCへの参加を拡大し，経済成長につなげてきた国々がある。これら諸国も特許登録数の増加がみられるもののその水準は図5の国々と比べるとまだ格段に少ない。

これらの結果は，GVC内で担う工程の範囲が拡大したり，輸出品の品質や品目構成が変化し，国内源泉付加価値を拡大することに成功した中所得国は多いものの，ほとんどの国は先端技術を獲得する段階にまで到達できていないことを示唆する。UNCTAD（2013）も議論しているように，GVCにおける高度化を進めていくには，それぞれの段階に応じた政策的支援も必要であり，生産機能の高度化を実現するには，科学技術政策や知的財産制度など，イノベーションを推進するシステムの整備・構築が必要である。しかし，これまでのところ，イノベーションによってGVCにおける生産機能の高度化に向かっているのは少数の国に限られている。

4. 第4次産業革命とGVCの将来

以上の考察から，多くの途上国はGVCに参加することによって，成長の機会を得たと言ってよいであろう。特に，韓国，台湾，中国などの東アジア諸国は先端的技術分野においても世界トップ水準の国々の仲間入りを果たした。しかし，2010年代以降，GVCの拡大は鈍化し，さらに第4次産業革命とも言われるデジタル・通信技術の加速度的進歩や近年の保護主義の台頭などによって，今後はGVCが縮小していく可能性がある。

Rodrik（2018）は，GVCの停滞と技術の進歩は，特に途上国にとって負の影響をもたらすと予想している。彼らの分析によると，輸出1単位による雇用創出は，時間を通じて小さくなってきている。先進国については，単純労働集約的な工程が縮小し，より高スキル労働を投入する工程への特化が進むので，結果的に輸出1単位によって創出される雇用は少なくなっても不思議ではない。しかし，途上国でも，GVCへの参加は労働投入よりもむしろ資本投入の増加につながり，雇用創出力は弱まっているという。先進国，途上国ともに，資本や高スキル労働者への報酬が増える一方で，低スキル労働者への報酬が減少している。

今後，さらなる技術進歩によって，労働者のスキルや資本がより重要となり，単純労働への需要が減少することが予想される。途上国の単純労働者が担っていた仕事が先進国のAIやロボットに置き換えられ，途上国の単純労働者の仕事を奪うことになるかもしれない。つまり，途上国が安い労働コストという優位性を活かせなくなる可能性がある。新技術のもとでも途上国がGVCに参加し続けるには，人的資本に投資し，AIやロボットを活用するスキルのある労働者を育成しなければならないだろう。しかし，先進国企業が開発したAIやロボットを使用した工程を担うだけであれば，依然として先進国の主導企業に従属する関係からは脱することができない。Rodrik（2016）は，先進国・途上国問わず世界のほとんどの国・地域で経済構造のサービス化が進み，製造業雇用のシェアが減少傾向であることを示している。現在の先進国やアジア諸国は，工業化によって経済発展を遂げた後にサービス経済へ移行したが，南米やアフリカ諸国では，十分な経済発展を遂げる前に脱工業化が始まっているという。こうした状況から，猪俣（2019）も指摘するように，安価で豊富な単純労働者を活用した中国型の経済発展モデルは，今後他の低開発国には適用できなくなっていく可能性が高い。

しかし，新技術の活用は先進国の雇用創出を増やすわけでもない。実際，2010年代に入り，米国，日本，英国などで製造業の国内回帰の傾向がみられるが，国内雇用創出効果は限定的との見方もある（明日山2018）。また，Baldwin（2016）は，デジタル・通信技術がさらに進歩し，離れた地点にいる研究者どうしがあたかも対面のようにスムーズにコミュニケーションができるようになれば，研究者やエンジニアが先進国のある地点に集積する必要がなくなると指摘する。知識労働者の集積地としての先進国の優位性が失われ，複雑なコミュニケーションを必要とする付加価値の高い工程や業務のオフショアリング可能性が高まる。そのとき，途上国の一部の知識労働者にとっては，途上国にいながらにしてGVCにおける高付加価値工程に参画する可能性が出てくる。

技術進歩により，これまでGVCに参加していなかった労働者や企業に新しい機会が与えられる可能性もあるが，そのためには，GVCに関与するすべての企業や労働者，顧客等の情報がGVC内で共有され，新規参加企業に提供される必要があろう。しかし一方で，情報の適切な管理も重要であり，情報を収集し管理する能力のある企業が，新たなGVC主導企業となるかもしれない。今後は生産機能の高度化だけでなく情報収集・管理能力の向上も求められ，途上国企業にとって，GVCにおける高度化がよりハードルの高いものになるともいえる。新しい技術の進歩に対して，制度や規制が追い付かない状況は先進国でも深刻な問題となっているが，途上国が世界経済システムに参加し成長機会を得るためには，途上国も交えた情報管理や規制，知的財産権制度の議論が必要だろう。しかし，現在，WTOが弱体化し，また，世界主要国の指導者らが結束して強いリーダーシップを発揮することなく自国第一主義に走るなど，極めて憂慮すべき状況にある。

5. まとめ

本稿では，1990年代以降のGVCの進展と，途上国のGVCにおける高度化について論じてきた。多くの途上国がGVCへの参加度を高めてきたが，近年は，中所得国を中心に，輸入中間財への依存度が相対的に低下し（Backward GVC Participationの低下），中間財供給者としての役割を高めている（Forward GVC Participationの上昇）。特にアジア地域においては中国との中間財貿易を通じてGVCへ関与する国が顕著に増え，中国がアジア地域におけるGVCネットワークのハブとなっている。

しかし，これらの途上国がGVCにおいて，「生産機能の高度化」を果たし，より付加価値の高い工程を担うことができるようになったかというと，必ずしもそうとは言えない国が多い。「高度化」を厳密に定量的に捉えるのは難しいが，「生産機能の高度化」はGVCにおいてより高付加価値の工程を担うことであり，国内源泉付加価値の割合が増えると考えられる。そこで，国内源泉付加価値の変化をみると，東アジアや東南アジア諸国ではGVCへの参加率を高めつつ，国内源泉付加価値の割合も高めたケースがみられた。しかし，世界の他の途上国については，GVCへの参加率は高めつつも，国内源泉付加価値の低下がみられたケースが多かったという。さらに，職種別労働者の情報に基づく研究によると，中所得国で明確に製造加工機能からR&D機能への特化が進んだケースは，東アジアの一部の国のみであった。これまでのところ，イノベーションによってGVCにおける生産機能の高度化に向かっているのは少数の国に限られている。

大半の途上国が先端的な技術水準に到達していない状況で，第4次産業革命といわれるデジタル・通信技術の進歩が加速すれば，途上国は安価で豊富な単純労働者を活用してGVC内で労働集約的な低付加価値工程を担うことすら難しくなると予想される。途上国の単純労働者が担っていた仕事が，先進国のAIやロボットに置き換えられ，途上国の労働者を利用する必要性が薄れていくと考えられるからだ。今後は，安い単純労働者を活用した中国型の経済発展モデルは適用できなくなっていく可能性が高く，途上国がGVCに参加し続けるには，人的資本に投資し，AIやロボットを活用するスキルのある労働者を育成しなければならないだろう。ただし，先進国と途上国の現状の技術格差・教育水準格差を考慮すると，途上国の多くの労働者がそうしたスキルを獲得するには巨額の人的投資と長い時間がかかりそうである。

デジタル化がGVCに与える影響については，まだ十分に研究が進んでいるとはいえない。今後，活発に研究され，さまざまな実態や問題，影響が明らかになることが待たれるが，新技術の下での情報公開・管理の仕組みやルール作りには各国の指導者や政策担当者らによる国際的な協力や連携が不可欠だ。各国の指導者に自国第一主義を改めさせ，先進国・途上国を含めた世界経済システムの中で各国が共存共栄を目指す方向に向かわせるために，説得的かつ科学的根拠のある研究成果を蓄積していく必要がある。

参考文献

明日山陽子（2018），「マクロデータからみる日米欧企業の国内回帰」ジェトロセンサー：地域分析レポート，2018年1月18日，日本貿易振興機構.

猪俣哲史（2019），『グローバル・バリューチェーン：新・南北問題へのまなざし』日本経済新聞出版社.

内閣府（2019），『世界経済の潮流　2018年II　中国輸出の高度化と米中貿易摩擦』3月，内閣府政策統括官（経済財政分析担当）.

Amador, J. and S. Cabral (2017), Networks of Value Added Trade, *World Economy* 40(7): 1291–1313.

Aslam, A., N. Novta and F. Rodrigues-Bastos (2017), Calculating Trade in Value Added, *IMF Working Paper* WP/17/178, International Monetary Fund.

Baldwin, R. (2016), *The Great Convergence: Information Technology and the New Globalization*, Cambridge, MA.: The Belknap Press of Harvard University Press.

Baldwin, R., T. Ito and H. Sato (2014), Portrait of Factory Asia: Production Network in Asia and Its Implication for Growth-the ‘Smile Curve’, *Joint Research Program Series* No. 159, Institute of Developing Economies, JETRO.

Criscuolo, C. and J. Timmis (2018), GVCs and Centrality: Mapping Key Hubs, Spokes and the Periphery, *OECD Productivity Working Papers* No. 12, February, OECD Publishing.

De Marchi, V., E. Giuliani and R. Rabellotti (2018), Do Global Value Chains Offer Developing Countries Learning and Innovation Opportunities?, *The European Journal of Development Research* 30(3): 389–407.

De Vries, G., Q. Chen, R. Hasan and Z. Li (2019), Do Asian Countries Upgrade in Global Value Chains? A Novel Approach and Empirical Evidence, *Asian Economic Journal* 33(1): 13–37.

Foster-McGregor, N., F. Kaulich and R. Stehrer (2015), Global Value Chains in Africa, Working Paper, Maastricht: UNU-MERIT.

Gereffi, G., J. Humphrey and T. Sturgeon (2005), The Governance of Global Value Chains, *Review of International Political Economy* 12(1): 78–104.

Humphrey, J. and H. Schmitz (2002), How does Insertion in Global Value Chains Affect Upgrading in Industrial Clusters?, *Regional Studies* 36(9): 1017–1027.

Kee, H.L. and H. Tang (2016), Domestic Value Added in Exports: Theory and Firm Evidence from China, *American Economic Review* 106(6): 1402–1436.

Kiyota, K., K. Oikawa and K. Yoshida (2017), The Global Value Chains and the Competitiveness of Asian Countries, *Asian Economic Papers* 16(3): 257–281.

Koopman, R., Z. Wang and S.-J. Wei (2012), Estimating Domestic Content in Exports When Processing Trade Is Pervasive, *Journal of Development Economics* 99(1): 178–189.

Koopman, R., Z. Wang and S.-J. Wei (2014), Tracing Value-Added and Double Counting in Gross Exports, *American Economic Review* 104(2): 459–494.

Kummritz, V., D. Taglioni and D. Winkler (2017), Economic Upgrading through Global Value Chain Participation: Which Policies Increase the Value Added Gains?, *Policy Research Working Paper* 8007, March, World Bank.

Lee, K., M. Szapiro and Z. Mao (2018), From Global Value Chains (GVC) to Innovation Systems for Local Value Chains and Knowledge Creation, *The European Journal of Development Research* 30(3): 424–441.

Li, X., B. Meng and Z. Wang (2019), Recent Patterns of Global Production and GVC Participation, in *Global Value Chain Development Report 2019: Technological Innovation, Supply Chain Trade, and Workers in a Globalized World*, Chapter 1, pp. 9–43, World Trade Organization.

Los, B. and M.P. Timmer, G.J. de Vries (2013), The Demand for Skills 1995–2008: A Global Supply Chain Perspective, *OECD Economics Department Working Papers* No. 1141, Organisation for Economic Co-operation and Development.

Rodrik, D. (2016), Premature Deindustrialization, *Journal of Economic Growth* 21(1): 1–33.

Rodrik, D. (2018), New Technologies, Global Value Chains, and the Developing Economies, *Pathways for Prosperity Commission Background Paper Series* No. 1, Oxford, United Kingdom.

Sampath, P.G. and B. Vallejo (2018), Trade, Global Value Chains and Upgrading: What, When

and How?, *The European Journal of Development Research* 30(3): 481–504.
Timmer, M.P., B. Los, R. Sterher and G.J. de Vries (2013), Fragmentation, Incomes and Jobs: An Analysis of European Competitiveness, *Economic Policy* 28(76): 613–661.
Timmer, M.P., S. Miroudot and G.J. de Vries (2018), "Functional Specialization in Trade," *Journal of Economic Geography* 19: 1–30.
UNCTAD (2013), *World Investment Report 2013: Global Value Chains: Investment and Trade for Development*, New York and Geneva: United Nations.
Van Assche, A. and J. Van Biesebroeck (2018), Functional Upgrading in China's Export Processing Sector, *China Economic Review* 47: 245–262.

Summary

Functional Upgrading by Developing Countries in Global Value Chains

Keiko Ito (Chuo University)

This paper describes whether developing countries have become increasingly involved in the high value-added functions of the Global Value Chains (GVCs). Over the last few decades, an increasing number of developing countries have joined GVCs. In particular, Asian countries are becoming more responsible for the high value-added processes in the GVCs, shifting to office / management functions and logistics / marketing functions. However, cases where specialization in research and development (R&D) functions has advanced are limited to some East Asian countries such as China, South Korea, and Taiwan.

◇コメント◇

慶應義塾大学　**木村　福成**

伊藤恵子氏によるすばらしいサーベイ論文である。付加価値貿易データを用いたGVC分析を中心に，途上国のGVCにおける高度化に焦点を当てながら，関連論文をサーベイし，ここまでわかっていること，これから研究を深めていくべきことを整理している。データ分析を丁寧に見てそこから問題を抽出していく伊藤氏独特の堅実なアプローチは，いつものことながら大変勉強になる。

以下，伊藤論文の論評というよりはむしろ，本論文に刺激を受けて，今後の研究や政策論において重要になってくるであろういくつかの論点を挙げていきたい。

第1は，GVCにおける高度化とは何か，またそれはどのようにデータに基づき検証できるかという問題である。伊藤論文は，高度化の定義に関しては，Humphrey and Schmitz（2002）の三種の高度化（product，process，functional）を引き，その中で特に途上国の「生産機能の高度化（functional upgrading）」について検討すると断っている。そして，そのための指標としてしばしば用いられる「輸出財に体化された国内源泉付加価値（DVA）」の上昇が必ずしも「高度化」を意味しないとしている。

これは極めて重要な指摘である。途上国の政策決定者はしばしば，スマイルカーブの話に触発され，GVCの中で自国の位置を「高度化」するため，DVA・輸出比率を高めることを政策目標としようとする。もちろんDVAを大きくすることは良いことであるが，対輸出比率を上げることはまた別の意味を持ちうる。DVA・輸出比率の大きさはいくつかの要因によって決まってくる。たとえば，貿易開放度が高まったり国際的生産ネットワークへの参加の度合いが強まれば，同比率は低下する。一方，産業集積が形成されて中間財の現地調達が増えたり「高度化」が進めば，同比率は上昇する。また，そもそも経済規模の大きな国や天然資源豊富国は同比率が低い。高いDVA・輸出比率を政策目標としてしまうと，一昔前の貿易障壁を伴う輸入代替型工業化戦略を採用することになりかねない。

DVA/輸出比率にどのような情報を加味して「高度化」を評価すべきかを考える上で論文中の表1は有用である。これまでの実証研究においては，「高度化」を検出する直接的・間接的指標として，輸出財の品質や品目構成，サービス投入，労働投入の内訳，R&D機能へのシフトなどが並行して用いられてきたことがわかる。

第2に，付加価値貿易データを用いてGVCを把握する際には，異なるタイプの国際分業を同時に捉えてしまっていることに注意しなければならない。国際的生産ネットワークあるいは第2のアンバンドリングは，生産工程・タスクを単位とする生産のフラグメンテーションと生産ブロック間のサービス・リンク・コストに強く依存するという意味で，伝統的な産業単位の国際分業に基づく産業間貿易あるいは第1のアンバンドリングとは本質的に異なる（Jones and Kierzkowski 1990; Ando and Kimura 2005; Baldwin 2016）。付加価値貿易データを用いてマクロに足し上げた指標を計算してしまうと，そこにはゆっくりとした原材料・完成品貿易も含まれることになる。

第3に，開発戦略論としては，研究開発や人的資源開発に加え，産業集積形成も重要である。国際生産ネットワークに参加すると言っても，100％輸入100％輸出の輸出加工区をやっているだけでは，DVAは増えていかない。外資系企業も地場系企業も含め産業集積が形成され，その中で企業間の垂直的分業が起きてくることで，初めてDVAは大きくなっていく。貿易障壁に頼った輸入代替型工業化ではなく，開放的な貿易・投資関連政策の下で産業集積が形成されていくのであれば，大変結構なことである。実際，地場系企業が生産ネットワークに参加していく際には，産業集積内の比較的近距離の取引という形をとるのが一般的である（Kimura and Ando 2005）。また，東南アジアのケースでは，外資系企業との取引が，地場系企業が技術情報を入手するための重要なチャンネルとなっていることがわかっている（Kimura et al. 2016）。これは特にプロセス・イノベーションの段階で重要である。

効率のよい産業集積の形成には，高速道路網，コンテナヤードを持つ港湾，空港など大型輸送インフラや電力，水供給などのインフラ・サービスが必要であり，そのためには大きな物理的投資が必要になる。また，途上国政府が冒しがちな失敗は，「高度化」を急ぐあまり，誘致する直接投資の対象分野を狭いハイテク分野に絞りすぎ，分厚い付加価値を生む垂直的分業の形成を妨げてしまうことである。当面，安い労働力が強みとなっているとしてもそれを許容し，市場メカニズムに逆らわずにDVAを大きくしていくことが求められる。

第4に，将来を見据えて大きな議論をしよう。伊藤氏は本文中，「2010年代以降，GVCの拡大は鈍化し，さらに第4次産業革命とも言われるデジタル・通信技術の加速度的進歩や近年の保護主義の台頭によって，今後はGVCが縮小していく可能性がある」としている。確かにそうかも知れない。しかし，もう少し途上国に希望を与えるような方向付けはできないだろうか。

ここでは，負の方向に働く可能性のあるものとして，2010年代のGVCの成長鈍化，保護主義の台頭，デジタル技術が挙げられている。今このタイミングで議論するのであれば，これにコロナウィルス・ショックも加えるべきであろう。GVCの将来，途上国の開発戦略の行方を考えるには，これらの4つの要素がどのように働いていくのかを検討しなければならない。

まず2010年代のGVC成長鈍化については確かに，世界金融危機によるtrade collapse（2008–2009年）が起き，それに続いて2011年から2016年にかけて世界の国際貿易の成長率がGDP成長率を下回るslow tradeの時期があった。これをもってGVCが世界の成長を牽引する時代は終わったとの論調も強かった。しかし，貿易品目を分けて注意深く見ると，slow tradeの時期でも，東アジアの国際的生産ネットワーク内で行われる貿易はかなりしっかりと成長していたことがわかる（Obashi and Kimura 2018）。少なくとも東アジアに関してはまだあきらめるのは早いと言えるかも知れない。

保護主義の台頭は頭が痛い。このところコロナ騒ぎでニュースが聞こえてこないが，米中貿易戦争その他で導入された関税等の貿易障壁のほとんどは課されたままとなっており，保護主義の問題が解決されたわけでは全くない。コロナ対策として，医療関係品にとどまらず，食料その他にも輸出規制等を課す動きが広がっている。こういう時にこそ自由な貿易・投資の大切さを再確認し，またメガFTAsの重要性を再確認するなどの努力が必要である。

デジタル技術の国際分業へのインパクトについての実証研究，政策論も喫緊の課題である。人工知能やロボットに代表される情報技術（IT）とインターネット，スマートフォンのような通信技術（CT）とでは，先進国・途上国間の国際分業に与える影響は異なってくる。ITは確かに機械（たとえばロボット）による労働の代替という側面を有しており，国際分業の余地を縮小させる可能性がある。しかし，どのような労働が代替的で，どんな労働が補完的に用いられるのかについては，さらなる研究が必要である。また，途上国ではロボットの導入が難しいと決めつけることもできないかも知れない。CTの方は，距離の克服を容易にするわけであるから，分業をむしろ促進する。未定稿ながらObashi and Kimura（2019）は，業種別産業用ロボット導入のデータを用い，少なくとも東アジアにおいては途上国側におけるロボット導入とCT導入（越境サービスのサービス貿易における比率）が製造業の生産ネットワーク内の貿易に正の相関を有するとの結果を得ている。

そして，我々が今格闘中のコロナウィルス・ショックは，容易なV字型回復を許さず，大きな構造変化をもたらすであろう。それはGVCをめぐる2010年代のさまざまな動きを加速する方向に働く可能性が高い。建設的な経済学研究が求められている。

参考文献

Ando, M. and F. Kimura (2005), “The Formation of International Production and Distribution Networks in East Asia.” In T. Ito and A.K. Rose, eds., *International Trade in East Asia (NBER-East Asia Seminar on Economics, Volume 14)*, The University of Chicago Press: 177–213.

Baldwin, R. (2016), *The Great Convergence: Information Technology and the New Globalization.* Cambridge, MA: The Belknap Press of Harvard University Press.

Jones, R.W. and H. Kierzkowski (1990), "The Role of Services in Production and International Trade: A Theoretical Framework." In R.W. Jones and A.O. Krueger, eds., *The Political Economy of International Trade: Essays in Honor of Robert E. Baldwin*, Basil Blackwell: 31–48.

Kimura, F. and M. Ando (2005), "Two-dimensional Fragmentation in East Asia: Conceptual Framework and Empirics." *International Review of Economics and Finance (special issue on "Outsourcing and Fragmentation: Blessing or Threat" edited by Henryk Kierzkowski)*, 14, Issue 3: 317–348.

Kimura, F., T. Machikita and Y. Ueki (2016), "Technology Transfer in ASEAN Countries: Some Evidence from Buyer-Provided Training Network Data." *Economic Change and Restructuring*, 49 No.2: 195–219.

Obashi, A. and F. Kimura (2018), "Are Production Networks Passé? Not Yet." *Asian Economic Papers*, 17: 86–107.

Obashi, A. and F. Kimura (2019), "New Developments in International Production Networks: Impact of Digital Technologies." Mimeo.

共通論題

持続可能性認証と国際貿易：パーム油の事例 *

日本貿易振興機構アジア経済研究所　道田　悦代 **

要旨

持続可能性認証は市場メカニズムを通じて，環境破壊などの外部不経済を内部化し，公共財の提供を促す仕組みである。持続可能性認証が国際貿易に与える影響は，先進国の認証需要と生産者の認証供給に影響を受けており，政府の規制が貿易に与えるメカニズムと異なっている。本論では先行研究レビューを行い，認証と貿易の相互関係の検討課題を議論する。またパーム油持続可能性認証 RSPO を事例に，影響のメカニズムについて例示する。

キーワード：持続可能性認証，パーム油，RSPO，規制，国際貿易

1. はじめに

持続可能性認証は，農産物や食品，製品が社会や環境にかかわる基準を遵守して生産されていることを示す方法として 1990 年代頃から欧米を中心に策定され，利用が広がっている（Fulponi 2006; Hatanaka et al. 2005）。持続可能性認証は市場メカニズムを通じて，国境を越えた環境破壊や人権問題などの外部不経済を内部化し，公共財の提供を促す仕組みである。外部不経済の内部化は主に政府の役割とされてきたが，持続可能性認証基準の策定は主に

---

* 本研究は JSPS 科研費 18K01591，19K12468 の支援を受けたものです。

** E-mail: Etsuyo_Michida@ide.go.jp

民間部門が担っており，NGOs，生産者，消費財企業，小売企業など複数の主体が協力している。認証財に対する需要は，企業や消費者が認証財を購入することで発生する。また認証財の供給は，策定された基準に調達や生産方法を適合させた企業が認証を取得し，認証財を販売することで行われる。多くの持続可能性認証は，第三者認証機関による生産者が基準と適合しているかの審査を通じて行うため，企業が自社の取組みを自己申告することに比べて客観性が保てる利点がある。持続可能性認証の例を挙げると，保護価値の高い森林を維持しながら生産された林産物であることを確認するForest Stewardship Council，生物多様性の保護に関するRain Forest Alliance，社会環境の基準を満たすことを確保するRound Table on Responsible Soy，熱帯林保全や地球温暖化に配慮したパーム油であることを示すRound Table on Sustainable Palm Oil（RSPO），水産資源に配慮しながら捕獲された魚であることを示すMarine Stewardship Councilなどがある。本論では扱わないが，2000年頃からは，政府が策定する公的な持続可能性認証も現れ始めた（Humphrey and Michida 2020; Michida and Nabeshima 2017; Schouten and Bitzer 2015）。近年，持続可能性認証の数は増加しており，WTOと国連により設立されたInternational Trade Centerの持続可能性認証のデータベースには2020年時点で世界で263種類の持続可能性認証が登録されている[1)]。

企業が持続可能性認証を利用する背景には，グローバル化の進展で財の生産工程が世界各地に拡散していることがある（Ando and Kimura 2005）。生産と消費のグローバル化はタスクの貿易による生産性向上をもたらしたが，新たなリスクも顕在化している。1995年にナイキのパキスタン工場で発覚した児童労働や，2011年のアップルの中国工場の環境汚染，2013年のバングラデシュの繊維工場のビル崩壊で多数の死者が出た事例のように，規制が緩い発展途上国に立地する工場で社会・環境問題が発生し，このようなサプライヤーを使う企業がNGOや国際社会から批判されるなどの事例が発生して

1) International Trade Centerが持続可能性認証データベースを公開している。Sustainability Map https://www.sustainabilitymap.org/home (accessed on March 23, 2020)

いる。サプライチェーン上の持続可能性にかかわる問題は，企業のブランド価値を棄損したり，新たな規制の導入の契機になり，遵守のための追加的な費用が発生する可能性を高める（Vogel 2008）。このため，企業が直接かかわる生産活動のみでなく，把握が困難な海外のサプライヤーを含むサプライチェーン全体の外部不経済を管理し，持続可能性を高める対応を迫られている。管理の一つの方法として使われているのが持続可能性認証である。企業がサプライヤーに取引要件として認証の取得を課すことで，自主的ではあるが取引上の強制力が生じる。持続可能性認証は，サプライチェーン上の企業がそれぞれ認証を取得することで，生産工程の原料調達・生産・加工・輸送・小売りから消費までのトレーサビリティを確保することが可能となり，一定の透明性が確保される（Christmann and Taylor 2001; DeTienne and Lewis 2005）。

持続可能性認証の利用の背景には，持続可能な生産活動を後押しする国際社会の動きもみられる。2015年国連サミットで策定され，2030年までに達成を目指す持続可能な開発目標SDGsへの取組が国際的に求められているほか，国際資本の使われ方に関する透明性を高めるためESG投資も注目されており，対象企業を選定するうえでも持続可能性への取組の有無が企業の投資判断材料として利用されて重視されるようになっている（Siew 2015）。このため，ブランド価値の棄損を防ぐという消極的な目的だけでなく，積極的に持続可能な取組みを行い企業価値を高めようとする動機をもつ企業のなかにも，認証を利用するところがみられる（Schaltegger and Burritt 2018）。このように企業価値を守る，また高めるために持続可能性認証を用いる動きはとりわけ，欧米を中心とした消費財市場でブランド力のある大手小売企業等が主導して行われている（Coe et al. 2008; Ponte and Gibbon 2005）。

持続可能性認証を利用する企業の取組みは，政府の規制とは違い自主的だが，企業間取引では一定の強制力をもつため民間規制（Private Regulations）とも呼ばれる。政府規制の対象が国境内に限られるなか，民間部門が持続可能性認証を用いて，複数の国をまたがるサプライチェーンの管理や，森林など国境を越えて賦存する公共財に関与する方法を提供するのが民間認証であり，欧米を中心に広がっている（Henson 2008）。さらに持続可能性認証は欧州や日本の再生可能エネルギー政策にも取り入れられており（Scarlat and Dallemand 2011），民間が策定した仕組みを政策の一部として利用する機会が増えている。しかし，この状況を別の角度から見ると，民間認証団体が策定した持続可能性認証と国際貿易の増加は，民間団体が国境を越えた生産者の生産方法，森林などの国際公共財の管理，そして企業やサプライチェーンの競争条件や国際的な統治に影響を与えていることを意味する。とりわけ持続可能性認証の影響が大きい農産物を先進国に輸出し，経済発展を依存している発展途上国の生産者や政府は，欧州等の民間部門が策定した持続可能性認証の動向に影響を受けている。しかし，持続可能性認証が国際公共財に果たす役割が政府の規制を代替できるのか，可能な場合にどのような条件が必要なのか，民間認証と公的規制がどのように相互に補完するのがよいのかなどは十分に明らかになっていない（Vogel 2010）。

認証と国際貿易に関する既存研究では，認証や規制が非関税障壁として国際貿易に与える影響，先進国で需要される認証が貿易を通じて生産者に与える影響，認証と消費市場との関係がそれぞれ考察されてきた。しかし，持続可能性認証財の取引が消費市場主導で行われるなか，先進国の認証の需要が国際貿易を通じて，どのように生産者と生産国の持続可能性に影響を与えるのかについて全体像についてもさらに解明していく必要がある。持続可能性認証は，政治学，社会学，経済学で考察が進んでいる。経済学ではデータの制約もあり持続可能性認証の研究は多くはないが，公的な規制やスタンダードと国際貿易の研究の蓄積は豊富だ。しかし，持続可能性認証の議論に公的な規制の議論がどのように役立つかはあまり議論されてこなかった。本論は，学問領域横断的に既存研究をレビューし，持続可能性認証の国際貿易と，貿易のフローに影響を与える認証財の需給，すなわち認証財を供給する生産者に与える影響と消費市場における認証財の需要の構造について検討する。そして，認証財の市場メカニズムを通じた需給の構造から，認証が貿易や生産者に与える影響のメカニズムが政府規制のそれとは異なることを議論する。持続可能性認証は，様々な産業で策定されているが，とりわけ食品や農産物などを中心とした産業で増加している（Giovannucci and Ponte 2005; Henson and Humphrey 2010; Henson and Reardon 2005）[2]。このことを踏まえ，農産物の認証事例であるパーム油持続可能性認証RSPOを取り上げ，国際貿易を通じた消費国，生産国の生産者や持続可能性の影響について例示する。

第2節では，規制と国際貿易の研究をレビューしたのち，民間の持続可能性認証の国際貿易が規制と異なる点について議論を行う。とりわけ，規制と異なり，認証は市場メカニズムを通じて取引されることから，第3節，第4節で認証の供給と需要の影響について考察する。第5節ではパーム油持続可能性認証を事例として取り上げ，第6節でまとめを行う。

2. 持続可能性認証と国際貿易の先行研究

持続可能性認証財は多くが貿易を通じて取引されている。サプライチェーンは発展途上国にも広がり調達が行われているが，欧米や先進国の企業が持続可能性認証を推進していること，先進国市場で価格プレミアムを得やすいという理由から，認証財の多くは欧米各国や先進国で需要されている (Fulponi 2006; 中川 2017)。民間認証が貿易に与える影響が，貿易阻害的か促進的か，についてはまだコンセンサスが得られる段階ではないが，いくつか先行研究がみられる。Ehrich and Mangelsdorf（2018）は食品民間認証の監査を受けた87か国の企業データを用いて，二国間貿易に与える影響を検証している。そして認証が先進国間の特定の食品の貿易を促進する効果はみられたが，途上国の貿易量の増加には寄与していないと結論づけた。Schuster and Maertens（2015）は，チリのアスパラガス農家のデータを用いて，認証の種類を問わず認証取得が貿易に与える影響を実証し，認証に貿易促進効果

[2] 国際機関であるInternational Trade Centerによれば，現在データベース化されている持続可能性認証だけでも80セクターを対象に180か国230種類の認証がある。http://www.intracen.org/itc/market-info-tools/voluntary-standards/standardsmap/

はみられないと示している。Melo et al.（2014）は，チリの果物輸出を事例に，輸入国の公的な規制と民間認証の両方を含む指標を作成して貿易に与える影響を実証している。そして，規制と認証基準をあわせた指標の厳格化が輸出に負の影響を与えることを示している。

認証と貿易に関する文献は限られるが，公的な規制と貿易の関係などを検討した先行研究，特に農産物規制が貿易に与える影響に関する実証研究の蓄積は多い。そしてこれらの既存研究から規制と貿易の相互関係は複雑で，影響は国や産業，企業規模ごとに異なることが明らかになっている（Beghin et al. 2015)。異なる輸出地域についての研究では，Otsuki et al.（2001）は欧州連合（EU）の食品安全規制がアフリカから対EUの輸出に与える影響を検討し，規制の厳格化がアフリカの輸出を減少させると結論づけたが，Chevassus-Lozza et al.（2008）のEUの食品安全規制がEU加盟前の欧州各国から対EU輸出に与える影響の分析では，規制が輸出増加につながることを示している。Drogué and DeMaria（2012）は輸入国と輸出国間の規制の類似性に注目し，規制が似ているほど貿易を増やす効果があるとした。企業属性を考慮した研究ではAnders and Caswell（2009）のアメリカの食品安全規制の影響を受ける33企業のデータを用いた研究では，規制は生産者の規模が小さい生産者に貿易制限的であるが，規模が大きい生産者の貿易を増やす効果があったと報告している。Ferro et al.（2015）は，規制に適応した企業とそうでない企業を分けて，規制に対応した企業に対する貿易への影響は大きくないとした。

規制と貿易の実証研究を民間認証の理解に役立てる場合，役立つ点と注意すべき点がある。規制と民間認証が企業に与える影響を検討したMelo et al.（2014）が採ったアプローチが民間認証の影響を知る上で参考になる。企業にとって，公的な規制と民間の認証は，要件を満たすために企業が投入財の変更や新規投資を含む生産活動の調整を必要とするという意味において同様の役割を果たす。このため，この研究では，規制と認証をあわせて生産者にとっての実質的な非関税障壁が貿易に与える影響を考察している。しかし認証が企業に与える影響を検討する上で注意すべき点もある。一国一制度の規制とは異なり，認証の場合，同一国の同一産品に複数種類の認証が要求される場合があること，また一度導入されると安定的な施行が行われる規制と違い，民間認証取得の要求は市場や顧客により変化しうる。このため，企業が民間認証を取得するか，どの認証を取得するかに関する判断が行われる点は，規制の場合と異なることを考慮する必要があろう。特定の認証財の情報だけをみると，貿易量への影響が，当該認証を取得できなかったことによるものか，別の認証を取得したことによるものかの判別がつかない。このため，取得可能な認証が複数ある場合はSchuster and Maertens（2015）がとったアプローチのように，個別の認証に焦点をあてる以外に，民間認証全体を考察することで影響を推し量ることができよう。国ごとの規制の類似性を扱った研究はそのまま参照することはできず，民間認証では別のアプローチが必要となる。

持続可能性認証に関する経済理論の構築に関しても，規制の場合とは異なることに注意したい。公的な規制を決定するメカニズムは理論的に検討されている。政治経済学の枠組みで理論的に最適な規制水準を決定するモデルを用いて検討を行っているのがSwinnen and Vandemoortele（2011）である。規制が国内産業保護のための貿易制限措置として導入されているのではないかという疑問に対し，生産者と消費者双方の厚生を考慮して規制の水準を決定する場合，それぞれの経済主体の影響力の度合いによって，規制が生産者にとって必ずしも利益をもたらすとは限らないことを示している。Bagwell and Staiger（2001）は一般均衡モデルを使って，規制水準が社会厚生を最大化するよう決定されれば，関税が低下すれば，国が規制を厳しくすることにより市場アクセスの水準を調整することを示し，貿易制限措置として規制が利用されるメカニズムを示した。一方Swinnen（2016）は，規制が貿易制限的にも促進的にもなると議論した上で，政治経済学の要素を加えて消費者や生産者のロビー活動を加味すると，規制の最適な水準は経済モデルの結果と異なると議論している。

規制と民間認証の基準の設定の方法は異なっている。民間の持続可能性認証は政府による規制とは違い，国の社会厚生を最大化することが目的ではなく，基準の目的は策定する主体によって異なっている。例えば，生産者や企業が基準を策定する動機は，自社のサプライチェーンで環境や労働等の問題が指摘されるブランド棄損のリスク管理であるし，NGOsが策定にかかわる場合は国際公共財である森林保護等を生産国で推進するなどの動機をもつ（Bartley 2007）。また，同種の財に複数の民間認証が導入される場合，相互の競争・補完関係が発生することも指摘されている（Judge-Lord et al. 2019）。このため，民間認証が社会や経済にどのような帰結をもたらすのかについて，規制と貿易の理論はそのままはあてはめることができない。各民間認証がどの主体の厚生や利益を最大化しているのかなど，貿易と民間認証の関係については，別途理論構築が必要であろう。

3. 認証財の生産者への影響

認証は，財の生産にかかわるサプライチェーン間の差別化の手段としても使われており（Oosterveer 2015），生産者の競争条件にも影響を与えている（Dallas et al. 2019）。生産者が認証を取得することで市場へのアクセスが向上し，付加価値が高められる可能性があるが，認証を取得しないことで非関税障壁になる可能性もある（Beghin et al. 2015）。認証が生産者に与える影響のなかでも，発展途上国の生産者に対する影響を議論した研究（Henson and Humphrey 2010），とりわけ小規模生産者が認証を取得できず，輸出市場から排除される事例が報告されている（Reardon et al. 2009; Tran et al. 2013）。理由として挙げられるのが，小規模生産者にとって認証費用が高いこと（Trienekens and Zuurbier 2008），基準が生産者の実情に合わないこと，小規模生産者のサプライチェーンが複雑でトレーサビリティの確保が難しいことなどが指摘されている（Tran et al. 2013）。Handschuch et al.（2013）はチリ農家のデータを用いて，農家が認証を取得すれば所得の増加につながるが，小規模農家では認証取得をあまり行っていないと結論づけている。前に挙げた

Anders and Caswell（2009）は，先進国，途上国にかかわらず，小規模生産者の貿易量に負の影響がある一方，大規模生産者には正の影響があるという。そして，貿易を通じて取引される認証財が，異なる特性の生産者間の所得分配を変化させていると結論づけている。認証取得を行う契機についての研究もある。Arimura et al.（2011）はISO14001認証を取得した企業が，環境管理をサプライヤーに求めることで認証が広がっていく効果を実証している。このようにサプライヤーとの協働などを通じて認証を取得すれば恩恵を受けられるが，そのような機会がない小規模生産者を中心に認証が非関税障壁となる可能性がある。また，中長期での認証の影響を考察する場合には，認証基準の変化についても注意を払う必要がある。民間認証は科学的な検証を強く求められる規制と比べて改定の頻度が高い。また基準は社会の要請を反映して，厳格化する傾向にある。認証の変化と生産地への影響については，認証が厳しくなるにつれて認証を取得する生産者が減少し，認証制度がより厳格な基準を求めると生産地での取得率が下がるという実効性のトレード・オフも起こっている（Kalfagianni and Pattberg 2013）。

持続可能性認証の取得が社会・環境改善につながるかどうかについては，環境管理の認証であるISO14001認証を取得したアメリカ企業の環境パフォーマンスが向上したことが実証研究において示されているほか（Potoski and Prakash 2005），ウガンダの小規模農家で認証取得による所得の向上で栄養状態が改善したことが実証されており（Chiputwa and Qaim 2016），認証が社会や環境に正の影響を与える効果を示す研究がだされている。しかし，持続可能性認証の実効性に対してはNGO等が多くの問題点を指摘していることもあり，注意が必要であろう。

4. 持続可能性認証財の需要側の要因

持続可能性認証財は多くが欧米や先進国で需要されている。持続可能性に配慮する小売業者，消費者の存在が持続可能性認証の需要に影響を与えている。持続可能性認証とそのラベルは，財の生産工程に関する情報を消費者に提供することで，情報の非対称性を減らす役割があると考えられる。イギリスと日本で持続可能性認証ラベルが消費者行動に与える影響について実証研究を行った2つの研究では，ラベルが消費者の購買行動に影響を与えたと結論づけられている（Jaffry et al. 2004; Uchida et al. 2014）。しかし，情報が提供されても，それが購買に結びつかない場合もある。欧州複数国の消費者を対象に持続可能性課題の認知度と実際の認証財の購買行動について実証研究を行った研究では，消費者の持続可能性課題の認知度が高くても，消費者自身の購入行動と持続可能性の関連の認知がされていなければ，認証財の購買にはあまり結びついていないと結論づけている（Grunert et al. 2014）。

また欧州で持続可能性認証の需要者として大きな役割を担っているのが，寡占市場を形成している小売業者である。小売業者は持続可能性認証を用いて財の差別化をはかっており，その方法として持続可能性認証が用いられている（Fulponi 2006）。このため，認証財は小売業者が選択して販売しており，それらの小売業者の顧客である消費者が認証財を消費しているともいえる。一方，規制と異なる点として，民間認証は同じ財を対象に複数の認証が策定されることがある（Reardon et al. 1999）。このため，特定の認証財への需要を考察する場合には，代替する認証財との関係も考慮する必要があるだろう。

近年は持続可能性認証を要求する政策の影響も受けるため，認証財の需要は，経済のみならず，政治や法制度の影響を受けている。欧州政府は，規制を補完する目的で持続可能性認証を利用している（O'Rourke 2003）[3]。日本も再生可能エネルギーの固定買取制度対象のバイオマスについて持続可能性を担保する方法として民間認証を要求している。同様の事例は貿易協定にもみられる。欧州や米国は，貿易協定のなかで環境，社会，人権の項目を挿入しているが，その実施は，企業が自主的に持続可能性を担保する民間認証を利用して確認しようとしている（Aaronson and Zimmerman 2007）。このように，認証財に対する需要は，政策の影響も受けているが，持続可能性認証を

[3] WTOで民間認証がどのように取り扱われているのかについては内記（2015）を参照。

規制の実施手段として用いる場合の貿易に対する影響について，筆者が知る限りではまだ検証は行われていない。

また需要については別の観点の検討も必要であろう。多くの既存研究では欧米をはじめとする先進国が持続可能性認証財の市場として研究が行われている。しかし，経済規模が拡大する新興国市場が消費市場として拡大すると，持続可能性認証がグローバルな外部性の課題に果たす役割の検討も欠かせない。2000年代に入り，中国やインドをはじめとする新興国市場の経済規模が相対的に大きくなり，先進国を上回っている。Adolph et al.（2017）は，中国向け輸出が大きいアフリカ各国では，欧米と異なり労働基準に関する要求を行わない輸出先市場の影響で，国内の労働基準が引き下がっていると結論づけている。このほか，持続可能性認証が対象とする森林保護や地球温暖化等，国際公共財にかかわる課題は，一部の対象生産者が認証を取得して持続可能な生産活動をするだけでは十分ではなく，より広範囲の生産者が取組んでいく必要がある。現在は先進国市場が持続可能性認証財の需要の中心であるが，発展途上国の市場の拡大にともない，途上国市場にどのように受け入れられるのかが重要になる。Guarin and Knorringa（2014）は，新興国の消費者の所得が上昇しても，欧米の消費者と同様に持続可能性認証を受け入れるとは限らないと議論している。

5. パーム油持続可能性認証 RSPO の事例

本節では，パーム油持続可能性認証 RSPO を事例に，認証財の消費が貿易を通じて生産国に与える影響について検討する。パーム油生産は，熱帯地方を国土に含む途上国で行われることが多く，これらの国々でのパーム油農園拡大は生産国の経済発展に資する一方，森林破壊を引き起こすことが懸念されてきた。とりわけ，生産量の8割を占めるインドネシア，マレーシアでは森林保護の規制は強化されてきたとはいえ，十分執行されない状況も見受けられる（Oosterveer 2015）。また森林破壊以外にも，農場における労働や人権，土地の権利など社会課題なども指摘されている。先進国でのパーム油消費が途上国の社会や環境に負の影響を及ぼすことを抑制するため，欧州を中心とした加工会社，消費財生産者，小売，商社，銀行や投資家，環境・社会問題のNGOs，そして生産者を含む主体が加わり，2004年に持続可能なパーム油認証であるRSPO認証が設立された。パーム油を対象にする持続可能性認証には，International Sustainability of Carbon Certificationなど，他に複数の民間持続可能性認証が策定されているが，RSPOは中でも大きな市場シェアをもつ。2018年時点でRSPO認証油は世界のパーム油生産量全体の約2割[4]を占めており，国際貿易を通じた消費市場，生産者への影響は無視できない。パーム油最大の生産国であるインドネシアとマレーシアが，国内でのバイオ燃料向け利用拡大などを推進しているが，パーム油の貿易依存度は高い。2017年パーム油生産量のうちマレーシアで83%，インドネシアは79%が輸出されている（BPS 2018; MPOB 2017）。

民間認証の先行研究で取り上げられているように，RSPOにおいても小規模生産者に与える影響が課題となっている。世界のパーム農家のうち4割が小規模農家とされるが，RSPO認証油1360万トンのうち小規模農家[5]が生産する認証油は6%程度にとどまっており（RSPO 2018），民間認証の普及が大規模生産者中心ですすむ一方，小規模生産者が取り残されていることを示している。RSPOの設立当初は，認証対象を主に大規模農園にしており，後に小規模農家の認証を増やす取組みを始めたが，小規模農家の認証普及が進まないことが背景にある（Pichler 2013）。RSPO認証油の市場規模が大きくなるにつれてRSPO認証の影響力が大きくなっているが，小規模農家への影響について制度設計が当初あまり検討されていなかったこと（von Geibler 2013），小規模農家にとって，情報や資本，組織的なサポートの不足が認証取得の障害となっていることが理由として挙げられている（Brandi et al. 2015）。また2019年，RSPO認証油のうち認証油として供給したのが，この

---

4) RSPOホームページによると2019年のRSPO認証油の生産量は1540万トンで，世界のパーム油生産量の19%にあたる。

5) RSPO（2018）はSchemed and independent small holdersを足し合わせた数量。

うち48%と需要が低迷しており（RSPO 2019），農家の認証コストを補うはずの価格プレミアムが縮小していることも課題となっている（Humphrey and Michida 2020）。さらにRSPOの環境保全の有効性が十分ではないとも議論されており（Ruysschaert and Salles 2014），RSPOの民間規制としての有効性と限界について議論もある。

需要面をみると，欧州の食品向けに消費されたパーム油のうち79%がRSPO認証油と報告されている（RSPO 2018）。RSPO認証油に対する消費者の需要は，消費者が認証に関する情報をどのように認知するかも影響を与える。また認証油の需要には政策も影響を与える。EUは現在再生可能エネルギー指令（RED）において，輸送用のバイオ燃料にパーム油や他のバイオマスを利用する際は，RSPOを含む民間持続可能性認証を取得するなどして，持続可能であることを証明することを求めている。しかし，改定された再生可能エネルギー指令II[6]では2030年までにパーム油のエネルギー利用を段階的に停止することが決まっており，バイオ燃料向けの認証油の需要もなくなっていく計画である。このように民間認証であるRSPOの普及はEUエネルギー・環境政策と結びついてきた。政策に民間認証を利用するのは欧州だけではない。日本の東京オリンピック・パラリンピックの持続可能な調達コードでも，RSPOがパーム油の持続可能性認証として認められているほか（道田 2019），経済産業省資源エネルギー庁が実施するFIT政策でも再生可能エネルギー源として調達するバイオマス輸入の際の要件としてRSPO認証が求められており，地方自治体を含む政府の利用が始まっている。このように政策が認証油の需要に与える影響は増している。

インドネシアとマレーシアのパーム油輸出先をみると，途上国のインド，中国，パキスタン，そして先進国では欧州とアメリカが主要輸出先となっている（表1）。とりわけ大きいのが中国とインドをはじめとする発展途上国市場である。しかし発展途上国市場では認証油の需要はほとんどない。RSPO認証油の需要は，中国では輸入量全体の1.1%，インドでは0.09%（表2）

[6] EU Delegated Act, ARES (2019) 762855-08/02/20により補足されている。

表1　2017年インドネシア・マレーシアのパーム油（HS1511）輸出先

（単位：100万米ドル）

インドネシア			マレーシア		
輸出先	金額	シェア	輸出先	金額	シェア
世界	20720	100.00	世界	10510	100.00
インド	4966	23.97	インド	1345	12.80
EU	3094	14.93	EU	1383	13.16
中国	2652	12.80	中国	896	8.53
パキスタン	1475	7.12	パキスタン	549	5.23
USA	939	4.53	フィリピン	507	4.83
エジプト	844	4.07	トルコ	446	4.24
バングラディシュ	837	4.04	ベトナム	416	3.96
マレーシア	682	3.29	イラン	337	3.21
ミャンマー	485	2.34	USA	317	3.01

出所：UN Comtradeから筆者作成。

注：パーム油輸出としてHSコード1511, 151321, 151329の合計を利用。

表2　2017年中国とインドのRSPOメンバーのパーム油とパーム認証油調達量

（単位：トン）

	中国	インド
マレーシアとインドネシアからのパーム油輸入量(a)HS 1511	5,076,985	8,979,175
RSPO加盟企業のパーム油輸入量(b)	420,600	2,512,493
RSPO加盟企業のRSPO認証油量(c)	56,314	7,901
RSPO加盟企業のパーム油輸入量が国全体のパーム油輸入量に占める割合(b)÷(a)×100	8.3%	27.98%
RSPO加盟企業のパーム油輸入量に占める認証油の割合(c)÷(b)×100	13.4%	0.3%
RSPO認証油が国全体のパーム油輸入量に占める割合(c)÷(a)×100	1.1%	0.09%

出所：RSPOホームページとUN Comtradeから筆者作成。

となっている。中国・インドのRSPO加盟企業によると，RSPO認証油の調達は主に多国籍企業による先進国向け製品用となっており，認証油の国内需要を喚起するのは難しいとコメントされている。認証油需要が途上国市場で伸びない理由は，持続可能性に配慮した財への需要が多くないことが挙げられる。さらに，RSPO認証油は，パーム油農園の一部でしか取得されていないことから，農園から搾油工場，加工工場にわたるバリュー・チェーンにわたる分別管理が必要となる。通常のパーム油と違うタンク，トラック，搾油や加工を分けることや，労働者への教育の必要もあるなどのコストで認証油の価格は押し上げられ，価格プレミアムという形になって上乗せされているため[7]，認証油の価格は非認証油に比べて高くなることから，途上国では需要が増えない。RSPO認証油生産量はパーム油生産量全体の2割程度にとどまっており，増加していない（RSPO 2018）。このことは，先進国の需要以外の市場開拓ができず，認証油市場と非認証油市場でそれぞれ対応する生産者が異なることも示唆する。RSPO認証が生産者や所得配分にどのような影響を与えているのか，途上国市場の拡大がRSPO認証財の貿易に与える変化，そして持続可能性基準を求めない市場の拡大によって，今後認証の基準が引き下がることがあるのかなど実証分析が必要であろう。

6. まとめ

本論では，持続可能性認証と国際貿易，認証の需給に関連する議論について分野横断的に文献調査を行い，考察を行った。民間の持続可能性認証が貿易に与える影響の実証研究はまだ多くはない。一方で，規制が貿易に与える影響の実証研究の蓄積は大きいので，示唆を得ることができるであろう。ただし，規制と民間認証の違いを理解した上で利用する必要があるため，全体像からメカニズムの違いを議論した。認証財の国際貿易は，認証を取得している大規模生産者と持続可能性認証を利用する一部の市場の間で行われる市場メカニズムを通じた取引である。規制が国際貿易に与える影響を考察する場合と異なるのは，第一に，規制が強制力を持つことができるのに対し，民間認証を需要するか，取得するかは自主的に決定されること，第二には第一

[7] 商社へのインタビューによると認証油は通常油と比べて3割程度価格が高くなることもある。

の点に関連して，規制が法律が執行される国地域全体が対象になるのに対し，民間認証の場合は対象となる市場が定まっておらず，小売企業での採用や，広報活動などを通じた消費者の需要喚起，そして場合によっては政策によって市場が作り出されることである。言い方を変えると，規制は規制対象国でしか通用しないが，民間認証は認証への需要がある市場には国境にとらわれずに利用できる。第三に，規制が安定的に施行されるのに対し，民間認証は同じ分野に複数の認証がある場合，顧客により採用する認証が異なったり，異なる認証間の競争で，継続的に同じ認証が要求されない可能性もある。民間認証を取得する生産者も，取りやめる場合もある。持続可能性認証について考察する上で，このような点に注意を払う必要があるだろう。民間認証の以上のような特徴を考慮することで，認証が民間規制として公的な規制の役割をどの程度代替できるのかという議論につながっていくと考えている。

パーム油の持続可能性認証であるRSPO認証油の事例から，RSPO認証が森林など国際公共財の保全やインドネシアやマレーシアの生産者への影響についての議論を整理した。先行研究で指摘されているように，RSPO認証も大規模生産者中心に取得が進んでいる。小規模農家は，認証取得費用が高いこと，基準が実体にあっていないこと，価格プレミアムが低下していることなどの理由で認証取得が進んでいない。また，RSPO認証の需要は欧米先進国市場が中心となっているが，EUの再生可能エネルギー指令政策の影響を大きく受けている。一方，パーム油市場として重要な中国やインド市場では認証財にはほとんど需要がみられない。民間のRSPO認証が，より多くの生産者や消費市場を取り込み国際公共財を提供する役割を果たし続けることができるかは，途上国市場の動向にもかかわっている。今後実態や効果を把握するためにはさらに研究をすすめる必要がある。

参考文献

Aaronson, S.A. and J.M. Zimmerman (2007), *Trade Imbalance: The struggle to Weigh Human Rights Concerns in Trade Policymaking*: Cambridge University Press.

Adolph, C., V. Quince and A. Prakash (2017), The Shanghai Effect: Do Exports to China Affect Labor Practices in Africa? *World Development* 89: 1–18. doi: https://doi.org/10.1016/j.worlddev.2016.05.009

Anders, S.M. and J.A. Caswell (2009), Standards as Barriers versus Standards as Catalysts: Assessing the Impact of HACCP Implementation on US Seafood Imports. *American Journal of Agricultural Economics* 91(2): 310–321.

Ando, M. and F. Kimura (2005), *The Formation of International Production and Distribution Networks in East Asia*. Paper presented at the International Trade in East Asia, NBER-East Asia Seminar on Economics, Volume 14.

Arimura, T.H., N. Darnall and H. Katayama (2011), Is ISO 14001 a Gateway to More Advanced Voluntary Action? The Case of Green Supply Chain Management. *Journal of Environmental Economics and Management* 61(2): 170–182.

Bagwell, K. and R.W. Staiger (2001), Domestic Policies, National Sovereignty, and International Economic Institutions. *The Quarterly Journal of Economics* 116(2): 519–562.

Bartley, T. (2007), Institutional Emergence in an Ara of Globalization: The Rise of Transnational Private Regulation of Labor and Environmental Conditions. *American journal of sociology* 113(2): 297–351.

Beghin, J.C., M. Maertens and J. Swinnen (2015), Nontariff Measures and Standards in Trade and Global Value Chains. *Annual Review of Resource Economics* 7(1): 425–450.

BPS (2018), *Indonesian oil palm statistics 2018*.

Brandi, C., T. Cabani, C. Hosang, S. Schirmbeck, L. Westermann and H. Wiese (2015), Sustainability Standards for Palm Oil: Challenges for Smallholder Certification under the RSPO. *The Journal of Environment and Development* 24(3): 292–314.

Chevassus-Lozza, E., K. Latouche, D. Majkovič and M. Unguru (2008), The Importance of EU-15 Borders for CEECs Agri-Food Exports: The Role of Tariffs and Non-Tariff Measures in the Pre-Accession Period. *Food policy* 33(6): 595–606.

Chiputwa, B. and M. Qaim (2016), Sustainability Standards, Gender, and Nutrition among Smallholder Farmers in Uganda. *The Journal of Development Studies* 52(9): 1241–1257.

Christmann, P. and G. Taylor (2001), Globalization and the environment: Determinants of firm self-regulation in China. *Journal of international business studies* 32(3), 439–458.

Coe, N.M., P. Dicken and M. Hess (2008), Global Production Networks: Realizing the Potential. *Journal of Economic Geography* 8(3): 271–295.

Dallas, M.P., S. Ponte and T.J. Sturgeon (2019), Power in Global Value Chains. *Review of International Political Economy* 26(4): 666–694.

DeTienne, K.B. and L.W. Lewis (2005), The Pragmatic and Ethical Barriers to Corporate Social Responsibility Disclosure: The Nike case. *Journal of Business Ethics* 60(4): 359–376.

Drogué, S. and F. DeMaria (2012), Pesticide Residues and Trade, the Apple of Discord? *Food policy* 37(6): 641–649.

Ehrich, M. and A. Mangelsdorf (2018), The Role of Private Standards for Manufactured Food Exports from Developing Countries. *World Development* 101: 16–27.

Ferro, E., T. Otsuki and J.S. Wilson (2015), The Effect of Product Standards on Agricultural Exports. *Food policy* 50: 68–79.

Fulponi, L. (2006), Private Voluntary Standards in the Food System: The Perspective of Major Food Retailers in OECD countries. *Food policy* 31(1): 1–13.

Giovannucci, D. and S. Ponte (2005), Standards as a New Form of Social Contract? Sustainability initiatives in the coffee industry. *Food policy* 30(3): 284–301.

Grunert, K.G., S. Hieke and J. Wills (2014), Sustainability Labels on Food Products: Consumer Motivation, Understanding and Use. *Food policy* 44: 177–189.

Guarin, A. and P. Knorringa (2014), New Middle-Class Consumers in Rising Powers: Responsible Consumption and Private Standards. *Oxford development studies* 42(2): 151–171.

Handschuch, C., M. Wollni and P. Villalobos (2013), Adoption of Food Safety and Quality Standards among Chilean Raspberry Producers — Do Smallholders Benefit? *Food policy* 40: 64–73.

Hatanaka, M., C. Bain and L. Busch (2005), Third-Party Certification in the Global Agrifood System. *Food policy* 30(3): 354–369.

Henson, S. (2008), The Role of Public and Private Standards in Regulating International Food Markets. *Journal of International Agricultural Trade and Development* 4(1): 63–81.

Henson, S. and J. Humphrey (2010), Understanding the Complexities of Private Standards in Global Agri-Food Chains as They Impact Developing Countries. *The journal of development studies* 46(9): 1628–1646.

Henson, S. and T. Reardon (2005), Private Agri-Food Standards: Implications for Food Policy and the Agri-Food System. *Food policy* 30(3): 241–253.

Humphrey, J. and E. Michida (2020), What Drives the Creation of National Palm Oil Standards in Asia? mimeo.

Jaffry, S., H. Pickering, Y. Ghulam, D. Whitmarsh and P. Wattage (2004), Consumer Choices for Quality and Sustainability Labelled Seafood Products in the UK. *Food policy* 29(3): 215–228.

Judge-Lord, D., C. McDermott and B. Cashore (2019), Do Private Regulations "Ratchet up?" A Comparative Classification Framework. In *American Politics Workshop, University of Wisconsin-Madison. Accessed June* (Vol. 7, p. 2019).

Kalfagianni, A. and P. Pattberg (2013), Participation and Inclusiveness in Private Rule-Setting Organizations: Does It Matter for Effectiveness? *Innovation: The European Journal of Social Science Research* 26(3): 231–250.

Melo, O., A. Engler, L. Nahuehual, G. Cofre and J. Barrena (2014), Do Sanitary, Phytosanitary, and Quality-Related Standards Affect International Trade? Evidence from Chilean Fruit Exports. *World Development* 54: 350–359.

Michida, E. and K. Nabeshima (2017), Diffusion of Private Food Standards from the European Union to Asia. In Michida, E., J. Humphrey and K. Nabeshima ed. *Regulations and International Trade* (pp. 107–129): Springer.

MPOB (2017), *Malaysian oil palm statistics 2017*.

O'Rourke, D. (2003), Outsourcing regulation: Analyzing Nongovernmental Systems of Labor Standards and Monitoring. *Policy Studies Journal* 31(1): 1–29.

Oosterveer, P. (2015), Promoting Sustainable Palm Oil: Viewed from a Global Networks and Flows Perspective. *Journal of Cleaner Production* 107: 146–153. doi: 10.1016/j.jclepro.2014.01.019.

Otsuki, T., J.S. Wilson and M. Sewadeh (2001), Saving Two in a Billion: Quantifying the Trade Effect of European Food Safety Standards on African Exports. *Food policy* 26(5): 495–514.

Pichler, M. (2013), "People, Planet & Profit": Consumer-Oriented Hegemony and Power Relations in Palm Oil and Agrofuel Certification. *The Journal of Environment & Development* 22(4): 370–390. doi: 10.1177/1070496513502967.

Ponte, S. and P. Gibbon (2005), Quality Standards, Conventions and the Covernance of Global Value Chains. *Economy and society* 34(1): 1–31.

Potoski, M. and A. Prakash (2005), Green Clubs and Voluntary Governance: ISO 14001 and Firms' Regulatory Compliance. *American journal of political science* 49(2): 235–248.

Reardon, T., C.B. Barrett, J.A. Berdegué and J.F. Swinnen (2009), Agrifood Industry Transformation and Small Farmers in Developing Countries. *World Development* 37(11): 1717–1727.

Reardon, T., J.M. Codron, L. Busch, J. Bingen and C. Harris (1999), Global Change in Agrifood Grades and Standards: Agribusiness Strategic Responses in Developing Countries. *The International Food and Agribusiness Management Review* 2(3-4): 421–435.

RSPO (2018), Impact report 2018.

RSPO (2019), *Impact update 2019*.

Ruysschaert, D. and D. Salles (2014), Towards Global Voluntary Standards: Questioning the Effectiveness in Attaining Conservation Goals: The Case of the Roundtable on Sustainable Palm Oil (RSPO). *Ecological Economics* 107: 438–446.

Scarlat, N. and J.F. Dallemand (2011), Recent Developments of Biofuels/Bioenergy Sustainability Certification: A Global Overview. *Energy Policy* 39(3): 1630–1646. doi: 10.1016/j.enpol.2010.12.039.

Schaltegger, S. and R. Burritt (2018), Business Cases and Corporate Engagement with Sustainability: Differentiating Ethical Motivations. *Journal of Business Ethics* 147(2): 241–259.

Schouten, G. and V. Bitzer (2015), The Emergence of Southern Standards in Agricultural Value Chains: A New Trend in Sustainability Governance? *Ecological Economics* 120: 175–184.

Schuster, M. and M. Maertens (2015), The Impact of Private Food Standards on Developing Countries' Export Performance: An Analysis of Asparagus Firms in Peru. *World Development* 66: 208–221.

Siew, R.Y. (2015), A Review of Corporate Sustainability Reporting Tools (SRTs). *Journal of environmental management* 164: 180–195.

Swinnen, J. (2016), Economics and Politics of Food Standards, Trade, and Development. *Agricultural Economics* 47(S1): 7–19.

Swinnen, J.F. and T. Vandemoortele (2011), Trade and the Political Economy of Food Standards. *Journal of Agricultural Economics* 62(2): 259–280.

Tran, N., C. Bailey, N. Wilson and M. Phillips (2013), Governance of Global Value Chains in Response to Food Safety and Certification Standards: the Case of Shrimp from Vietnam. *World Development* 45: 325–336.

Trienekens, J. and P. Zuurbier (2008), Quality and Safety Standards in the Food Industry, Developments and Challenges. *International Journal of Production Economics* 113(1): 107–122.

Uchida, H., Y. Onozaka, T. Morita and S. Managi (2014), Demand for Ecolabeled Seafood in the Japanese Market: A Conjoint Analysis of the Impact of Information and Interaction with Other Labels. *Food policy* 44: 68–76.

Vogel, D. (2008), Private Global Business Regulation. *Annual Review of Political Science* 11: 261–282.

Vogel, D. (2010), The Private Regulation of Global Corporate Conduct: Achievements and Limitations. *Business & Society* 49(1): 68–87.

von Geibler, J. (2013), Market-Based Governance for Sustainability in Value Chains: Conditions for Successful Standard Setting in the Palm Oil Sector. *Journal of Cleaner Production* 56: 39–53. doi: 10.1016/j.jclepro.2012.08.027.

中川淳司（2017），「プライベート・スタンダードとグローバル・ガバナンス：課題と展望」『中央学院大学社会システム研究所紀要』17(2): 39–51.

道田悦代（2019），「パーム油持続可能性認証に関する途上国の視点と調達コードの議論」『環境経済・政策研究』12(1): 70–74.

内記香子（2015），国際通商とプライベート・スタンダード：WTO SPS 委員会での議論と WTO 外での対応．RIETI ディスカッションペーパー 15-J-046.

Summary

Sustainability Standards and International Trade: The Case of Palm Oil

Etsuyo Michida (Institute of Developing Economies, JETRO)

Interaction between private sustainability standards and international trade has attracted much attention in the past decades. This paper reviews literature from different disciplines and discusses how market-driven private standards affect producers in exporting countries through trade. A large body of literature is found for interaction between public regulations and international trade. However, literature hasn't discussed much about differences between public regulation-trade linkage and private standards-trade linkage. Literature review focuses on how findings on public regulations are relevant to private standards. Finally, Roundtable on Sustainable Palm Oil, a palm oil sustainability standard, is used to exemplify the discussion.

◇コメント◇

関西学院大学経済学部　**東田　啓作**

貿易の自由化が進むにつれて「生産工程での環境影響などに関する情報」を，市場を通じて消費者に伝える仕組みが広まってきた。環境に限らず，労働基準，人権問題，地域社会の持続性など広く外部性の内部化や公共財の提供を行うものが持続可能性認証制度である。政府による規制とは異なり，民間機関によって行われる認証（プライベートスタンダード）であるため，現時点では世界貿易機関（World Trade Organization: WTO）の貿易の技術的障害に関する協定（Agreement on Technical Barriers to Trade: TBT）や衛生植物検疫措置の適用に関する協定（Agreement on the Application of Sanitary and Phytosanitary Measures: SPS）の直接の対象とはなっていない[1)]。

この認証制度には生産者と消費者の間の情報の非対称性を取り除くという重要な効果がある。環境負荷の低減や労働基準の順守に対してプレミアムを支払う意思のある消費者は，認証製品の価格が高くても購入する。このことが生産者に高いコストを支払ってでも認証を取得しようとするインセンティブを与える。一方で，認証を取得するためのコストを支払うことができない生産者に対して，市場への参入障壁，つまり貿易障壁となる問題が指摘されている。特に開発途上国の小規模生産者がこの問題に直面する可能性が高い。

この持続可能性認証制度がその本来の目的通り，政府の規制では対応できない外部性の内部化や国際公共財の供給を行うことができているのか，また貿易障壁となって開発途上国の生産者が先進国市場へ参入することを困難にするのか，といったイシューに対する研究が過去20年にわたって政治学，法学，経済学などの幅広い分野で蓄積されてきている。しかし，データ利用の制約などもあり，まだ明らかにできていない点も多い。どのように制度を運用するのか，あるいは異なる制度をどう調和させていけばよいのかといった

1) SPS協定において，SPSに関連するプライベート・スタンダードの定義などについての議論は行われてきている。たとえば，内記（2015）を参照されたい。

ことについて，コンセンサスができているとはいいがたい。道田氏はこの未解決の問題に焦点を当て，これまでの研究を丁寧にサーベイし，現時点での課題を明らかにしている。また，パーム油の認証制度であるRoundtable on Sustainable Palm Oil（RSPO）を例に挙げて，課題の重要性を浮き彫りにしている。

道田氏の焦点と貢献は以下の4点である。第1に持続可能性認証の広まりの国際貿易への影響である。まず民間認証，あるいは政府の農産物規制や食品規制の貿易への影響についての実証分析を概観している。これらの結果は対象とする財や国・地域で異なってくる。輸入国の規制や認証取得要求に対して輸出国の生産者が適応できるかどうかは，企業や農家の規模，あるいは市場構造によって異なってくるためである。そのうえで，安定的に実施される規制と異なり民間認証取得の要求は市場や顧客により変化しうること，および規制の目的が社会厚生最大化であるのに対し認証基準設定の目的は認証によって異なっていることに言及している。データの利用可能性次第であるが，輸入国市場への参入のために取得可能な認証制度の数や認証基準のバラエティが貿易量に与える影響を分析することは，この分野の一つの発展の方向となり得る。

第2に生産への影響である。前述の通り情報の非対称性が取り除かれる効果により，認証取得は消費者へのアクセスを高めることにつながる。一方で，認証取得費用が高いと市場参入への障壁ともなり得る。このことから，生産者（企業や農家）の規模が認証取得の可否を決める要因となっていることが，既存研究をもとに述べられている。さらに，持続可能性認証の取得が本来の目的である環境，労働基準の改善といったことにつながるかどうかに関する研究にも言及している。

第3に消費への影響，あるいは市場構造と持続可能性認証制度との関連である。まず持続可能性認証ラベルが消費を促進するかどうかについての研究のサーベイを行っている。支払意思額の計測まで含めるとこの分野には多くの研究の蓄積があるが，消費者の行動について「持続可能性ラベルと消費の関連性の認知」と「実際の消費行動」のリンクに言及している点は面白い。さらに，市場支配力を持った小売業者の影響，認証制度を政府が利用することの影響，途上国市場の拡大と持続可能性認証制度の基準の変化の関係などについても踏み込んでいる。

最後に，最初の3つのポイントをパーム油の認証制度であるRSPOに当てはめて考察を行っている。パーム油の生産や流通は，環境問題だけではなく労働者の人権，土地の収奪などの問題なども引き起こす場合があるため，持続可能性認証制度が重要な役割を果たし得る。(i) 生産されたパーム油に占めるRSPO認証油の比率が高く，またパーム油の多くは輸出されている，(ii) 生産に携わる農家には小規模農家も多く資本や情報を十分に保有していないためそれらの農家の認証取得が進んでいない，(iii) 流通・消費市場にはネスレなどの大企業も参入しており，また途上国市場の規模も大きい，(iv) EUのエネルギー環境政策に利用されている一方で，基準が厳しすぎるとしてインドネシアやマレーシア政府が独自の認証制度を実施している（それぞれISPO, MSPO），など持続可能性認証に関するイシューをすべて含んでおり，持続可能性認証制度に関する一般的なイシューを具体的に理解することができる[2)]。

以下では論文中ではとりあげられていない文献を引用しつつ，今後の道田氏とこの分野の研究の発展のために4点コメントを述べたい。

第1に，貿易への影響についてである。政府による規制と異なり民間の認証は一つではない。どの持続可能性認証がどのような基準を満たしているのかが消費者にとっては分かりにくい場合がある。また，先進国の資本規模の大きな企業・農家と開発途上国の小規模零細企業・農家とに同じ水準の認証取得を求めることは，後者にとっての参入障壁を高めることにつながる。このような観点から重要になってくるのが相互承認（Mutual Recognition）である。例えば，持続可能性認証に関する研究ではないものの，An and Maskus (2009) は製造業のデータを用いて，製品検査などの手続きの相互承認が貿易

2) ISPOやMSPO設立の経緯やガバナンスの問題については，Shleifer (2016)，道田 (2018)，Hidayat et al. (2018) などを参照されたい。

を促進する効果を持つことを実証している。食品規格では，2000 年に設立された世界食品安全イニシアチブ（Global Food Safety Initiative: GFSI）が世界全体に存在する多くの食品規格のベンチマーキングを行っている[3)]。持続可能性認証の望ましい相互承認のルールを確立することは，小規模企業への参入障壁を減らしつつ認証のメリットを生かすために必要である。理論および実証の両面からの研究が望まれる。

第 2 に持続可能性認証が広まることの生産者への影響である。前述の通り一般的には認証取得コストが大きいことから，小規模生産者，特に開発途上国の小規模農家にとって，先進国市場に参入する際の障壁となり得る。しかし，Colen et al.（2009）は，セネガルのマンゴーとさや豆の農業のデータを用いて Global G.A.P 認証の取得が農業労働者の雇用条件を改善したことを検証している[4)]。Andersson（2019）がやはり Global G.A.P. のデータを用いてグラビティモデルによって認証取得の貿易に与える効果を検証している。国・地域での認証取得数の増加は EU への輸出が増えること，および低所得国のほうが効果が大きいことを示している。これらの結果は必ずしも認証制度が小規模生産者にとってプラスの効果をもたらすことを示しているわけではない。また，Tran and Goto（2019）はベトナムの小規模緑茶生産農家のデータを用いて，持続可能性認証を取得した農家の販売価格や所得が増加したことを検証している。これについても小規模農家間の比較であるため，大規模農家に比べて認証取得への障壁が高いかどうかは明らかではない。しかしこれらの研究は，持続可能性認証制度が開発途上国の小規模生産者に利益をもたらす制度であり得ることを示唆している。認証制度取得と貿易を促進する生産規模，生産構造，労働契約，生産者と流通業者との契約制度などについて，より詳細な研究が期待される。これは小規模農家も多く，また伝統的なコミュニティーが存在する地域で生産が行われることもあるパーム油の認証にとっても重要

---

3) GFSI については，この機関のウェブサイトを参照されたい（https://mygfsi.com/）。

4) Global G.A.P. についてはこの認証機関のウェブサイトを参照されたい（https://www.globalgap.org/uk_en/）。

なポイントである。

第3に消費者行動と持続可能性認証制度についてである。道田氏は，中国やインドなどの新興国市場の規模が相対的に拡大したこと，これらの市場ではまだ認証取得財に対する需要が大きくないことを指摘している。また，「パーム油市場として重要な中国やインド市場では認証財にはほとんど需要がみられない」と述べている。一方で，実験的手法やアンケート調査の手法を用いて消費者の環境配慮製品やオーガニック食品などに対する支払意思額を調査した最近の研究の中には，開発途上国の消費者もこれらの財にプレミアムを支払う意思が十分にあることを示したものもある（Tait et al. 2016; Thøgersen et al. 2019）。支払意思額が低く認証財に対する需要が存在しないのか，持続可能性に関する問題を知らないのか，持続可能性に関する問題とラベルとのリンクを認知できていないのかを明らかにするために，さらに多くの調査が必要である。

第4に持続可能性認証制度のあり方についてである。道田氏の研究目的には「認証と貿易の相互関係の検討課題を議論する」と書かれているが，貿易が認証制度に与える影響についての議論が少ない印象を受ける。新興国市場規模の拡大のところで，生産国の持続可能性関連規制に与える影響については触れられているが，認証制度がどのように変化していくのかについても掘り下げた考察がほしいところである。1点目のコメントと重複するが，相互承認の議論も制度のあり方の観点から重要なポイントである。国境を超える外部性の内部化や公共財の供給においては費用負担に関する合意が重要であり，相互承認のルール次第でこの費用負担の配分が異なってくる。どのような国際ルールの確立をどの機関が担っていくのか，あるいはGFSIのような民間機関に任せていくのかについての研究の発展が望まれる。

最後に，今回の道田氏の報告は学際的に様々な視点が網羅されており，私自身にとってとても良い勉強の機会となった。道田氏とコメントの機会を与えていただいたプログラム委員の方々にこの場を借りて厚く御礼を申し上げる。

参考文献

An, G. and K.E. Maskus (2009), The impacts of alignment with global product standards on exports of firms in developing countries. *World Economy* 32(4): 552–574.

Andersson, A. (2019), The trade effect of private standards. *European Review of Agricultural Economics* 46(2): 267–290.

Colen, L., M. Maertens and J. Swinnen (2012), Private standards, trade and poverty: Global GAP and horticultural employment in Senegal. *World Economy* 35(8): 1073–1088.

Hidayat, N.K., A. Offermans and P. Glasbergen (2018), Sustainable palm oil as a public responsibility? On the governance capacity of Indonesian Standard for Sustainable Palm Oil (ISPO). *Agriculture and Human Values* 35: 223–242.

Schleifer, P. (2016), Private governance undermined: India and the roundtable on sustainable palm oil. *Global Environmental Politics* 16(1): 38–58.

Tait, P., C. Saunders, M. Guenther and P. Rutherford (2016), Emerging versus developed economy consumer willingness to pay for environmentally sustainable food production: a choice experiment approach comparing Indian, Chinese and United Kingdom lamb consumers. *Journal of Cleaner Production* 124: 65–72.

Thøgersen, J., S. Pedersen and J. Aschemann-Witzel (2019), The impact of organic certification and country of origin on consumer food choice in developed and emerging economies. *Food Quality and Preference* 72: 10–30.

Tran, D. and D. Goto (2019), Impacts of sustainability certification on farm income: Evidence from small-scale specialty green tea farmers in Vietnam. *Food Policy* 83: 70–82.

内記香子（2015），「国際通商とプライベート・スタンダード―WTO・SPS 委員会での議論と WTO 外の対応―」RIETI Discussion Paper 15-J-046.

共通論題

新興国が抱える国際資本移動のリスク
—グローバル要因によるサドン・ストップの発生—*

神奈川大学　**奥山　聡子** **

要旨

新興国ではしばしば資本流入の急激な減少（サドン・ストップ）が発生する。本稿では，サドン・ストップを発生させる2つのグローバル要因に着目した。1つはキャリートレードの巻き戻し，もう1つはグローバル規模の信用収縮である。これらは，新興国が潜在的に抱える国際資本移動のリスクである。そこで，2013年のバーナンキ・ショックと，2015，16年のチャイナ・ショックの事例を基に，新興国からの急激な資本流出について考察をおこなった。

キーワード：国際資本移動，サドン・ストップ，グロスの資本フロー，キャリートレード，チャイナ・リスク

1. はじめに

新興国では，外国資本の急激な減少（サドン・ストップ）が度々発生してきた。先進国に比べ金融市場規模の小さい新興国では，サドン・ストップの

* 本研究はJSPS 科研費 JP16K17124 の助成を受けた研究成果の一部である。本稿は日本国際経済学会第 78 回全国大会の共通論題「連鎖する世界経済における開発—貿易・労働・金融の諸側面から—」での報告を取りまとめたものである。セッションでは多くの貴重なご意見をいただいた。とくに，討論者を務めてくださった久留米大学の伊豆久先生には改めて感謝の意を表したい。

** E-mail: ft101836ua@jindai.jp

発生が，通貨危機といった重大な経済危機を引き起こすケースもある（Reinhart and Calvo 2000; Hutchison and Ilan 2006）。サドン・ストップが発生する原因について，これまで多くの研究がおこなわれてきた。特に，焦点となっているのが，サドン・ストップが国内要因（プル要因）なのか，グローバル要因（プッシュ要因）なのかという問題である。サドン・ストップが国内要因に起因するのであれば，各国が金融システムの頑健性を高めるための構造改革をおこなう必要がある。反対に，グローバル要因に起因するのであれば，国際協力体制の強化が必須であろう。この問いに対し，世界金融危機などのように，世界的にリスクが高まる期間中は，グローバル要因による資本流出を支持する実証研究が報告されている（Fratzscher 2012; Ogawa et al. 2019）。では，グローバル要因により引き起こされるサドン・ストップの背景には，どういった経済事象が存在するのだろうか。本稿では，サドン・ストップを引き起こす2つのグローバル要因として，キャリートレードとグローバル規模での信用収縮に焦点をあてた。2013年5月のバーナンキ・ショックと，2015年から2016年にかけて発生したチャイナ・ショックの2つの事例をとりあげ，グローバル要因によるサドン・ストップが発生しうる状況を明らかにする。

2020年3月現在，世界経済は新型コロナウイルス（COVID-19）の感染拡大により，2008年の世界恐慌を上回る未曽有の危機に陥ろうとしている。今後，経済活動は大幅な縮小を余儀なくされ，代わりに，大規模な財政政策，金融緩和政策がおこなわれるだろう。その際，先進国の金融緩和政策が新興国にとってリスクの火種となる可能性がある。本稿では，2013年5月に発生したバーナンキ・ショックの事例を基に，キャリートレードのリスクに焦点をあてる。キャリートレードは，金利の低い国で資金を調達し，金利の高い国に投資することで，利ザヤを稼ぐ取引である。カバーなし金利平価が成立する世界では，金利が高い国の通貨は，その分，相対的に通貨の価値が下がるため，利益は発生しない。しかし，実際には通貨の価値はカバーなし金利平価が成立する水準まで下がらないことも多く，利益が発生するのだ。

キャリートレードが盛んになると，資金調達国の通貨が売られ，投資国の通貨が買われることになる。その結果，金利の低い国の通貨価値が安く抑えられ，金利の高い国の通貨価値が高いまま維持されてしまい，益々，キャリートレードを促進させることになる。バーナンキ・ショックが発生する前は，先進国の量的緩和政策が持続されるとの期待があり，米国をはじめとする先進国の国債金利は低く抑えられていた。先進国の低金利が持続し，新興国の為替が安定している状況では，先進国通貨で資金を調達し，新興国通貨へ投資するキャリートレードが発生しやすい。2012年は，まさにこうした環境下にあったのではないかと考えられる。

バーナンキ・ショックでは，米国の金融政策に関する予想が変化し，米国債の長期金利が上昇した。これをきっかけとして，キャリートレードの巻き戻しが発生したと推測される。キャリートレードは，利ザヤを稼ぐことを目的とする不安的な資金である。資金調達国の金利上昇，投資国通貨の下落など，少しの変化をきっかけとして，キャリートレードの巻き戻しが発生する。キャリートレードの巻き戻しは，投資通貨の減価を引き起こし，通貨の減価がさらなるキャリートレードの巻き戻しを呼び込むといった，自己増殖的な側面をもつ。その際，投資先の国は，為替レートの減価と流動性の減少という2つのリスクに晒されることになる。バーナンキ・ショックの際もキャリートレードの巻き戻しにより，多くの新興国通貨が下落したと考えられる。

キャリートレードは，投資国の政治経済が安定し，通貨価値の安定と高成長が期待される状況で発生しやすい。つまり，今後経済成長が期待される国ほど発生しやすいのである。そのため，キャリートレードのリスクは，新興国の安定成長を阻害する要因の1つとして，認識すべきである。先進国が再び金融緩和政策を実施する場合，キャリートレードの蓄積が発生しやすい状況になることを把握しておく必要がある。

もう1つのリスクは，アメリカ，中国などの経済大国の景気減速リスクである。特に，中国経済のリスクを指摘する声は多い。2015年6月以降，中国では株価が下落し，これに端を発して，世界中の株価と新興国通貨の下落が発生した。このとき発生した一連の世界同時株安をチャイナ・ショックという。本稿では，チャイナ・ショックが与えた影響について金融面に焦点をあてて検証する。特に注目すべきは，グローバル規模での信用収縮である。2008年の世界金融危機の際も，欧米諸国が対外資産を縮小させ，それにより多くの新興国でサドン・ストップが発生した（奥山 2019）。2018年時点でGDP世界第二位の経済大国である中国は，貿易面では世界最大の輸出国であり，世界第2位の輸入国である。そのため，中国経済の縮小は，貿易を通じて世界経済に多大な影響を与えると考えられている。しかし，中国は今や，金融面でも多大な影響力を保有している（Reinhart and Trebesch 2019）。そのため，金融チャネルを通じたチャイナ・ショックの伝染についても，十分な検討がなされるべきである。

チャイナ・ショック時のグロスの資本フローの動向を調べた結果，中国や他の新興国で，金融収支の負債が急激に縮小していたことがわかった。サドン・ストップの発生である。特に，銀行を通じた資本フローを示すその他投資の項目において，資本の逆転流出が発生していた。一方，金融収支をみると，アメリカやEUで対外資産の縮小，すなわち信用収縮がおきていた。しかしながら，中国金融収支をみると，外国資本が流出しているものの，資産はプラスの値を維持していた。つまり，中国は対外資産の取り崩しをしていなかったのである。中国が対外資産を縮小させていれば，グローバル規模での信用収縮はもっと大規模なものになっていた可能性がある。

中国が対外資産を縮小させなかった背景には，中国の経常収支黒字があったと考えられる。しかし2016年以降，中国の経常収支黒字は縮小傾向にあり，今後米中貿易摩擦が悪化すれば，経常収支が赤字に転落することもあり得る。そういった状況下で，再びチャイナ・ショックが発生すれば，中国が対外資産を取り崩す可能性もある。中国の対外資産規模は，日本に迫るほどの大きさになっており，資産の成長率は日本を上回っている。その中国が，対外資産を縮小させれば，世界的な資産縮小の連鎖が起こり得る。その場合，世界金融危機と同様の流動性ショックが発生する可能性がある。現在の米中関係を勘案すると，危機の震源地が中国となった場合，アメリカの流動性支援が適切におこなわれるかは不透明で，そうした金融不安が，さらなる資本流出の連鎖を生む可能性もある。

本稿では，2節でバーナンキ・ショックに関する分析をおこなう。ここでは，米国金利の上昇をきっかけに，キャリートレードの巻き戻しが発生していたかどうかを検証する。3節ではチャイナ・ショックに関する分析をおこなう。チャイナ・ショック時のグロスの国際資本フロー動向を分析し，グローバル規模での信用収縮が起きていたかを検証する。最後にまとめと考察をおこなう。

2. バーナンキ・ショックが新興国に与えた影響

2.1 バーナンキ発言後の新興国の通貨と株価の推移

2013年5月22日，当時の米FRB議長ベン・バーナンキが議会で早期の量的緩和政策（QE; Quantitative Easing）の縮小を示唆した。それをきっかけとして，米国債の長期金利が上昇し，同時に新興国の通貨と株価が下落し，金融市場が混乱に陥った。この事象をバーナンキ・ショック，またはテーパリング・ショックという。バーナンキ・ショックは，先進国の量的緩和縮小のリスクを市場に知らしめることとなった。バーナンキ・ショックを分析する理由は，今後予想される先進国の量的緩和縮小が，新興国に与える影響を予測するうえで，貴重なデータを提供してくれるからだ。なぜなら，バーナンキの発言は，アメリカ経済のファンダメンタルズを大きく変えるものではなく，アメリカ国債の金利を少し上昇させただけである。そのためアメリカとの経済的なつながりの強弱に影響されずに，米国金利の上昇や将来的なマネーの縮小といった金融的環境の変化に対する新興国の脆弱性を測ることができる。

図1は，アメリカの10年物国債金利の推移である。グラフから，バーナンキの発言をきっかけとして，長期金利が上昇していった様子がわかる。バーナンキ・ショックの特徴は，今後の量的緩和政策の縮小に対する市場の

図1　米国債10年物金利推移

出所）FRED

予想が大きく修正されたことである。低金利の状態が今後も長期的に続くであろうという前提が崩れ，量的緩和縮小を織り込んだ価格に修正されたと考えられる。

それではバーナンキ・ショック時の新興国通貨の推移をみてみよう。図2は，新興国6カ国と日本の対米ドル為替レートの累積下落率とVIX指数の推移を表している。バーナンキ発言後に新興国通貨が徐々に下落していく様子がわかる。新興国通貨と対照的に，日本円は円高が進行した。恐怖指数と呼ばれるVIX指数もバーナンキ発言後すぐに上昇したわけではなく，一カ月かけて段階的に高まっていく様子がわかる。

通貨の下落率は，通貨当局の為替市場への介入の程度にも影響される。当時，固定相場制を採用していたアルゼンチン，インドネシア，中国は，為替レートの下落率は他国より小さかった。しかし，為替レートが変化せずとも，通貨が売られた場合，通貨当局は外貨準備を取り崩して固定レートを維持し

図2　VIX 指数の高まりと新興国通貨の下落

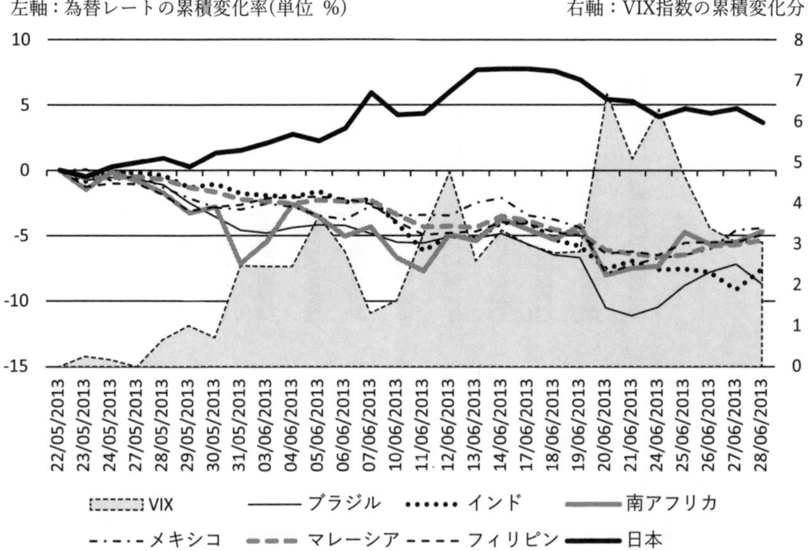

出所）為替レートは CEIC Data，VIX 指数は FRED

注）為替レートは 2013/5/22 を基準日として累積変化率を表している。VIX 指数は累積変化分である。為替レートは各国通貨で測った 1 米ドルあたりの価格。左が為替，右が VIX 指数の目盛である。

ようとする。そうした当局の介入も考慮して，通貨に対する下落圧力を指数化したものが，為替圧力指数（Exchange Market Pressure Index; 以下 EMP 指数）である。第 i 国の t 時点における EMP 指数は以下のように定義される[1)]。

$$EMP_{i,t} = \frac{1}{\sigma_{E_{i,t}}}\Delta\%E_{i,t} + \frac{1}{\sigma_{R_{i,t}}}\Delta\%R_{i,t} \qquad (1)$$

ここで $\Delta\%E_{i,t}$ は為替レートの変化率，$\Delta\%R_{i,t}$ は外貨準備残高の変化率を示し

1) EMP 指数については，政策金利を含めるなど様々な定義が存在する。ここではデータ制約上の理由から，為替レートと外貨準備で構成される EMP 指数を採用する。詳しくは Almahmood et al.（2018）を参照。

図3　バーナンキ・ショック時のEMP指数

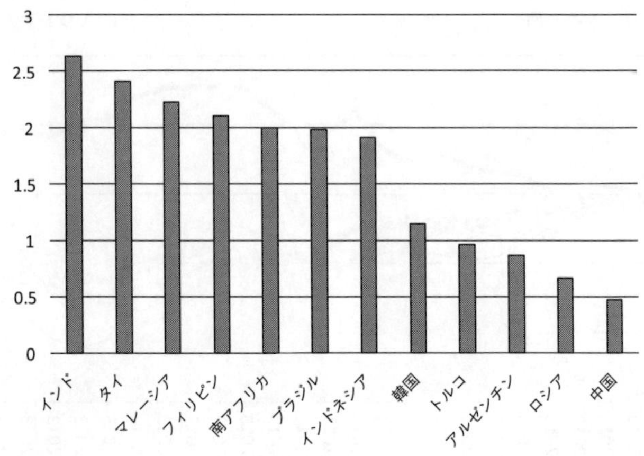

出所）CEIC Dataより著者算出

ている。$\sigma_{E_{i,t}}$ は為替レートの変化率の標準偏差[2)]，$\sigma_{R_{i,t}}$ は外貨準備変化率の標準偏差を示している。さらに，以下の式に従ってEMP指数を標準化する。

$$\frac{(EMP_{i,t} - \overline{EMP_i})}{\sigma_{EMP_i}} \tag{2}$$

ここで，$\overline{EMP_i}$ は第i国のEMP指数の平均を表し，σ_{EMP_i} はEMP指数の分散を示している。EMP指数を標準化することで，他国との比較が可能となる。一般的に，EMP指数が2を上回れば，通貨に対してかなり高い下落圧力がかかっているといわれる。EMP指数が3を上回る場合，通貨危機と定義する先行研究も多い。

図3は2013年5月，6月のEMP指数の最大値を比較したものである。インド，タイ，マレーシア，フィリピンはEMP指数が平均を2標準偏差以上上回っており，通貨に対して高い下落圧力があったことがわかる。タイは通

2) 標準偏差は，2009年1月～2019年7月までの期間を通じた標準偏差である。他の標準偏差や平均も同様の期間で算出している。

貨の下落率そのものは比較的小さかったものの，通貨に対する下落圧力は比較的大きかったということになる。同様に，固定相場制を採用しているインドネシアも，EMP指数が2に近い値となっており，通貨に対して比較的高い下落圧力が発生していたことがわかる。これに対し，韓国，トルコ，アルゼンチン，ロシア，中国の通貨に対する下落圧力はあまり高くなかったといえる。

図4は，2013/5/22～6/28期間中の新興国株価の累積変化率の最小値を表している。株価の下落率が大きいのは，トルコの24.1%，フィリピンの21.6%，ブラジルの18.5%，アルゼンチンの17.1%，タイの16.4%であった。その他，ロシア，中国，インドネシア，韓国も10～15%という高い下落率となった。興味深い点として，マレーシアは，通貨の下落幅は大きかったが，株価に関しては3.1%しか下落していない。インドもEMP指数が2.5を上回るなど，通貨に対する下落圧力が大きかったが，株価に関しては7.6%しか下落していない。株価の下落は，国内の産業構成，株式市場の対外開放度など多様な要因に影響を受けるため，通貨の下落がそのまま株価の下落につながるとは限らない。本稿では，通貨の下落に焦点をあてるため，株価の下落要因につ

図4　バーナンキ・ショック時の新興国株価の累積下落率

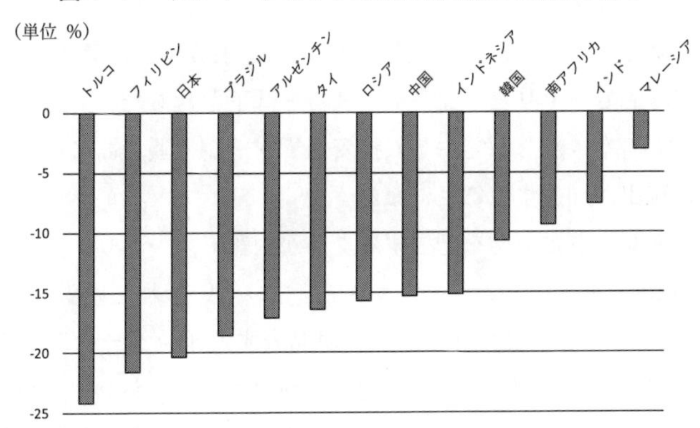

出所）CEIC Data

注）2013/5/22を基準日とした5/22～6/28期間中の累積変化率の最小値を示している。

いては詳しく扱わない。しかし，経済に対するショックの大きさを測るには株価の推移は重要なデータとなる。

2.2 バーナンキ・ショックとキャリートレードの巻き戻し

本節では，バーナンキ・ショック時にキャリートレードの巻き戻しが発生していたのかを検証する。バーナンキ・ショックは，将来のアメリカの金融政策に対する投資家の予想を変化させた。バーナンキの発言があった時点でFRBは量的緩和縮小をはじめたわけではない。図1でみたように，変化したのは投資家の新たな予想を反映した米国金利のみである。しかし，それがキャリートレード巻き戻しのきっかけになった可能性がある。

キャリートレードとは，金利の低い国で資金調達をおこない，金利の高い国に投資をおこなうことである。調達通貨（funding currencies）としては，米ドル，ユーロ，スイスフランなどがあり，日本円も調達通貨として人気が高い。一方の投資通貨（investment currencies）としては，オーストラリアドル，ニュージーランドドル，ブラジルレアル，メキシコペソなどが挙げられる。政治的に安定しているオーストラリアやニュージーランドなどの先進国が投資先として選ばれやすいが，新興国も投資対象となっている（Gyntelberg and Remolona 2007）。キャリートレードは金利差による利益を狙った投資であるため，金利の上昇に対して敏感に反応する。しかも，投資通貨の減価と，調達通貨の増価もキャリートレードの利益を低下させるため，いったんキャリートレードの巻き戻しが発生し，投資通貨安・調達通貨高になると，ますます資金の流出が加速することになる。

キャリートレードは実態を把握することが困難で，キャリートレードの規模がいくらなのか，正確なデータは存在しないといわれている。その中で，シカゴマーカンタイル取引所（CME）が発表するインターナショナル・マネー・マーケット（IMM）の非商業通貨先物のネットポジションがキャリートレードの動向を表すといわれている（Brunnermeier et al. 2008; 塩沢ほか 2009）。本稿でもこれをキャリートレードの代理変数として用いる。

図5は，バーナンキ・ショック発生前後の投資国といわれる国々の非商業通貨先物ポジションの推移を表したグラフである。上から順に，オーストラリアドル，ニュージーランドドル，ブラジルレアル，メキシコペソとなっている。投資通貨の場合，ロングポジションの拡大は，キャリートレードの蓄積，ロングポジションの減少やショートポジションへの転換はキャリートレードの巻き戻しと解釈できる。バーナンキ・ショック発生時，いずれの通貨もネットのロングポジションであった。バーナンキの発言があった5月

図5　キャリートレード投資国通貨の非商業先物ポジションの推移

(単位 枚)

(a) オーストラリア

150,000
100,000
50,000
0
-50,000
-100,000
2013/1/8 2013/2/8 2013/3/8 2013/4/8 2013/5/8 2013/6/8 2013/7/8 2013/8/8 2013/9/8 2013/10/8 2013/11/8 2013/12/8
AUD_Long　AUD_Short　AUD_Net

(b) ニュージーランド

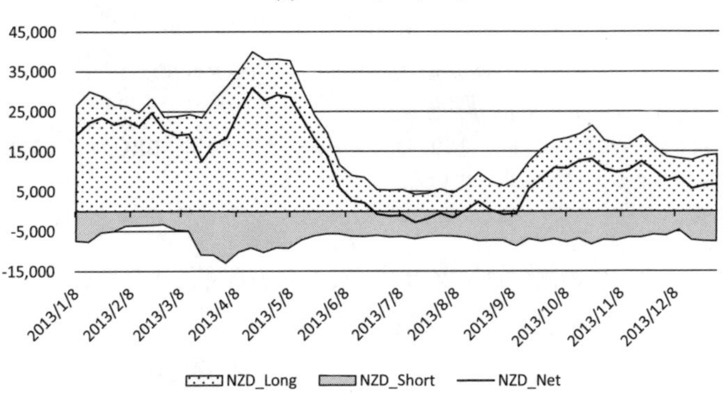

図 5　つづき

(c) ブラジル

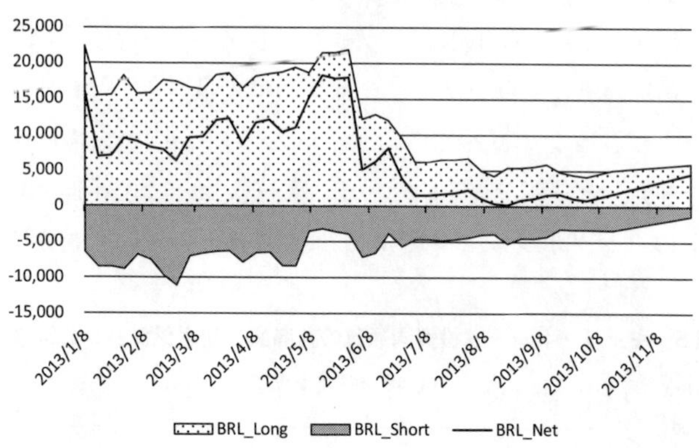

(d) メキシコ

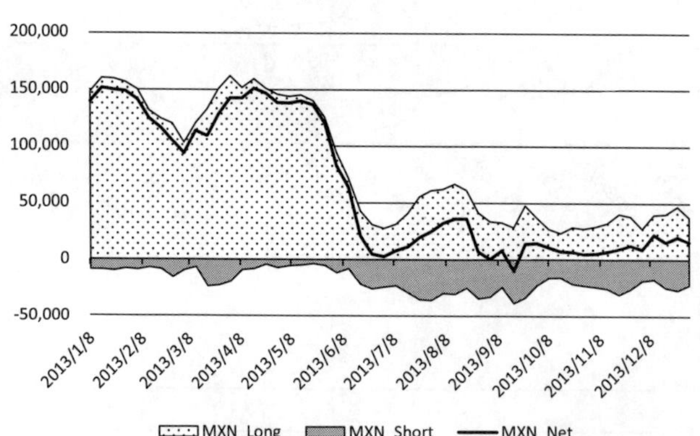

出所）CETC: Futures Only Reports

注）AUD はオーストラリアドル，NZD はニュージーランドドル，BRL はブラジルレアル，MXN はメキシコペソを表している。

22 日以降，すべての国でロングポジションが大きく減少している。中でも，オーストラリアはネットのロングポジションからショートポジションに転換した。どの国も，ほぼ同じタイミングで，ネットの買いポジションが減少していることから，米国金利の上昇が，キャリートレードの巻き戻しを引き起こした可能性が高い。

世界金融危機発生前の2006～07年の時期と比較してみよう。この時期もキャリートレードの蓄積が指摘されていた。この期間中，オーストラリアドルのネットのロングポジションが最も拡大したのは2006年12月の88,900枚であった。これに対し，バーナンキ・ショックが発生する直前の2012年12月のネットのロングポジションは103,376枚で，世界金融危機前の水準を上回っている。ちなみにこれは，データ取得可能期間中の最大値でもある[3)]。同様に，ニュージーランドドルは，2007年7月の27,844枚に対し，2013年4月に30,808枚を記録している。メキシコペソは，2008年2月の125,334枚に対し，2013年1月に151,665枚が記録されている。いずれも，世界金融危機前の水準を上回るほど，ネットのロングポジションが拡大し，キャリートレードの蓄積が起きていたことがわかる。

次に，調達通貨の非商業先物通貨のポジションの推移を見てみよう。図6は，日本円，スイスフラン，ユーロの非商業先物通貨のポジションの推移を表したグラフである。調達通貨において，ネットのショートポジションの増加はキャリートレードの蓄積，反対にネットのロングポジションの増加は，キャリートレードの巻き戻しと解釈できる。

図6からわかるように，日本円は，バーナンキ・ショック後もネットのショートポジションを維持し続けている。ロングポジションに転換したのは2015年のチャイナ・ショック時である。このことから，日本円に対しては2013年時点でキャリートレードの巻き戻しは発生していなかったと推測できる。ただし，図3の円ドル為替レートの累積変化率をみると，円高となっているため，円買いが進んでいたことがわかる。Han and Westelius（2019）は，急激な円高の主要な発生要因として，金融政策の変化，キャリートレードの

3) オーストラリアドルのデータ取得期間は，2000年1月～2020年2月，ニュージーランドドルは2006年1月～2020年2月，メキシコペソは1995年6月～2020年2月である。

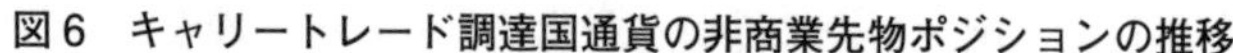

図6　キャリートレード調達国通貨の非商業先物ポジションの推移

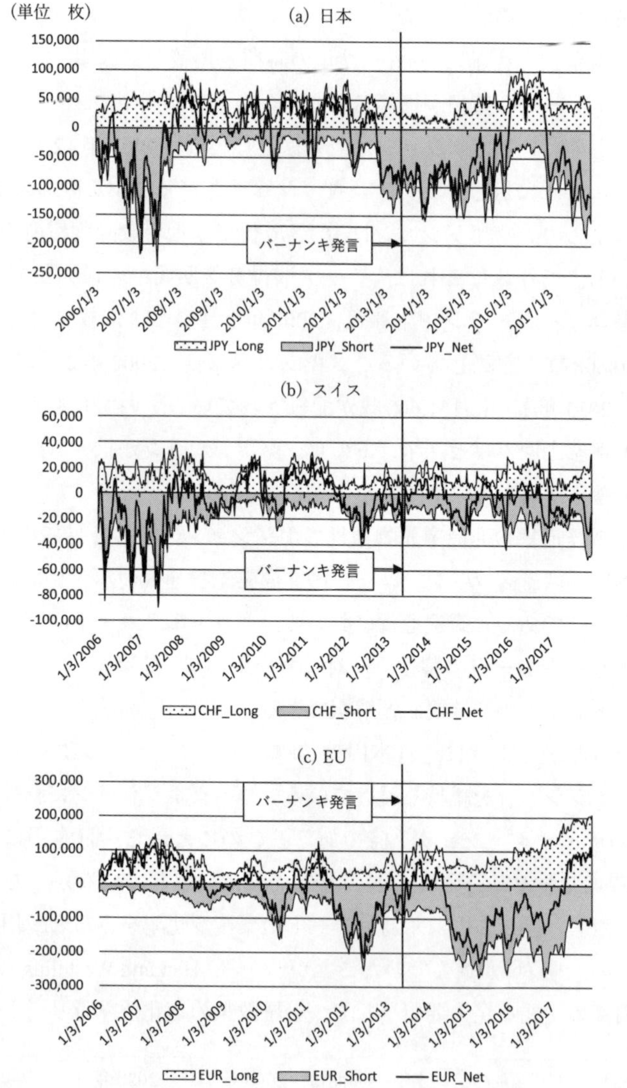

（単位　枚）

(a) 日本

バーナンキ発言

JPY_Long　JPY_Short　JPY_Net

(b) スイス

バーナンキ発言

CHF_Long　CHF_Short　CHF_Net

(c) EU

バーナンキ発言

EUR_Long　EUR_Short　EUR_Net

出所）CETC: Futures only reports

注）JPY は日本円，CHF はスイスフラン，EUR はユーロを表している。

巻き戻し，安全な資産への逃避の3つを挙げている。この中で，1つ目の要因である金融政策に関しては，為替の動きが理論と逆方向であるため排除される。2つ目の要因であるキャリートレードに関しても，円の非商業通貨先物ポジションの推移を見る限り，キャリートレードの巻き戻しは観察されない。3つ目の安全資産への逃避として，円が選択された可能性については否定できないだろう。円のキャリートレード蓄積の規模を世界金融危機前と比較してみる。2006〜07年の期間中，日本円のネットのポジションが最低になったのは2007年6月の−188,077である。一方，バーナンキ・ショック前の2012年〜13年5月の期間中の最小値は2013年5月の−99,769で，その規模は半分程度といえる。非商業先物通貨ポジションでは反映されないキャリートレードの存在は否定できないが，世界金融危機発生時のようなキャリートレードの巻き戻しはなかったといえる。

次に，スイスフランに関しては，バーナンキ・ショック発生直前にはネットのショートポジションの状態にあったことが確認できる（図6）。バーナンキの発言後，ショートポジションが急激に縮小し，ロングポジションに転換している。これはキャリートレードの巻き戻しと解釈できる。ただ，ショートポジションの規模は，世界金融危機前の時期と比較すると小さい。2006〜07年の期間中の最小値は−79,331で，2012年〜13年5月では−34,851と半分程度の規模となっている。この時期，EUは債務危機が発生しており，こうした経済環境によりキャリートレードの拡大が進まなかった可能性がある。

ユーロについては，欧州危機の影響で，バーナンキ・ショック以前のほとんどの期間で，ネットのショートポジションが維持されており，キャリートレードの蓄積が発生していた可能性がある。その一方で，欧州債務危機の影響からユーロが売られていた可能性も否定できない。しかし，バーナンキ・ショックのタイミングで，ポジションがショートからロングに転換しているため，このときキャリートレードの巻き戻しが発生していた可能性が高い。

以上の結果をまとめると，キャリートレードの投資国に関しては，いずれの国でもロングポジションの縮小，または，ショートポジションへの転換が発生している。そのため，バーナンキ・ショックの際にキャリートレードの巻き戻しが発生していたといえよう。資金調達国に関しては，スイスフランとユーロでショートからロングへの転換が起きており，キャリートレードの巻き戻しを支持する結果となっている。ただし，バーナンキ・ショック前の2011年から2012年にかけて，欧州債務危機が発生していたため，ショートポジションの拡大に関しては，その影響も考慮すべきであろう。一方，日本円に対してはショートポジションが維持されていた。そのため，円高が進行したのは，キャリートレードの巻き戻しではなく，安全資産としての円への逃避だった可能性もある。これは今後の検討課題といえよう。

最後に，調達通貨としてドルが使われていた可能性について言及する。媒介通貨であるドルは，すべての通貨間の取引において，2つの通貨の間を媒介している。つまり，円を調達通貨として，オーストラリアドルに投資する場合，円売りドル買いをおこなってから，ドル売りオーストラリアドル買いをすることになる。図6の日本円のグラフにおいて，バーナンキ・ショックの際にポジションの変化が起こらなかったのは，円ではなく，ドルを調達通貨としたキャリートレードで巻き戻しが発生したからだと考えられる。そもそも，バーナンキの発言は米国金利に対する予想を変化させるもので，円金利は2013年時点で，将来的に上昇する見込みはほとんどなかったからだ。そのため調達通貨のポジションの推移と，投資通貨のポジションの推移で非対称な動きが見られたものと考えられる。

キャリートレードがなぜ問題視されるかというと，キャリートレードの蓄積が，為替のボラティリティを高めるからだ（Brunnermeier et al. 2008）。なぜなら，キャリートレードの巻き戻しが発生した場合，投資国通貨が売られ，調達国通貨が買われることになる。投資国通貨が減価し，調達国の通貨が増価すると，キャリートレードの利益はさらに減少するため，より一層の巻き戻しが発生する。このように，キャリートレードの巻き戻しは，自己増殖的な側面を持つ。キャリートレードの巻き戻しが発生した場合，投資先の国は，通貨の下落と資金の流出という2つのショックに見舞われる。投資先の国が多額の外国通貨建て債務を抱えていたり，十分な流動性を備えていなかったりした場合，金融システムの脆弱性が高まることになる。

キャリートレードの蓄積が進むのは，金利差益と為替差益が安定的に発生し，かつ経済的環境が安定しているときである。過去にキャリートレードの蓄積が指摘されたのは，世界金融危機前，2005〜2007年の時期であった(Hattori and Shin 2009; 塩沢ほか 2009; 岩壷 2010)。世界金融危機後，先進国が量的緩和政策を実施し，低金利状態が持続することが予想された。また，ギリシャ危機が終息した後，世界経済は比較的安定しており，通貨の大幅な変動もあまり起きないだろうと予想されていた。こうした環境はキャリートレードが発生しやすい状況と言える。バーナンキ・ショック時の通貨の下落は，バーナンキの発言がきっかけで投資家の予想が変わり，キャリートレードの巻き戻しが発生したことにより起こった可能性が高い。

2020年3月現在，新型コロナウイルスの影響により，世界経済は大打撃を受けている。今後大規模な財政政策，金融緩和政策がおこなわれるだろう。こうした先進国の政策が新興国に与える副作用を十分に認識し，その対応を検討しておくことが必要である。国際資本フローの動向をできるだけ詳細に把握し，キャリートレードの累積といった過度な資本の偏りに対して，適切な警告を出せるような監視システムを整えるべきである。

3. チャイナ・ショック

3.1 チャイナ・ショック時の中国株価の下落と新興国通貨の下落

本節では，新興国の国際金融市場が抱えるもう1つのリスクである，チャイナ・リスクについて検討していく。本稿ではチャイナ・リスクが国際資本フローに与える影響に焦点をあてる。まずは2015年6月から2016年2月にかけて中国の株価とVIX指数の推移をみる。図7は，中国の代表的な株価指数である上海総合指数の累積変化率である。6月11日からひと月ほどで，30%も株価が下落している。中国は8月11日から13日にかけて，3日連続で人民元の切り下げを発表した。その後，8月24日に世界中で株価が大暴落する。図9からもVIX指数が8月24日に急上昇したことがわかる。その後，いったん市場が落ち着いたかに見えたが，2016年1月から2月にかけて再び世界中の株価が下落した。中国の株価の下落に反比例するように，VIX指数が急激に上昇していく様子がわかる。チャイナ・ショックは，GDP世界第二位の規模を持つ中国経済が如何に世界への影響力を持つかを改めて認識させられた出来事であった。

次に，チャイナ・ショックが新興国経済に与えた影響をみていく。図8は，チャイナ・ショック時の新興国通貨と日本円の累積変化率を表している。バーナンキ・ショック時と同様，日本円は円高方向に変化している。アルゼンチンは，2015年12月に変動相場制に移行し，通貨が大幅に下落している。通貨価値の推移をみてみると，VIX指数が高まるのと同時期に新興国通貨安・円高が進み，VIX指数が低下した同年10月頃いったん上昇し，その後

図7　中国上海総合指数とVIX指数の推移

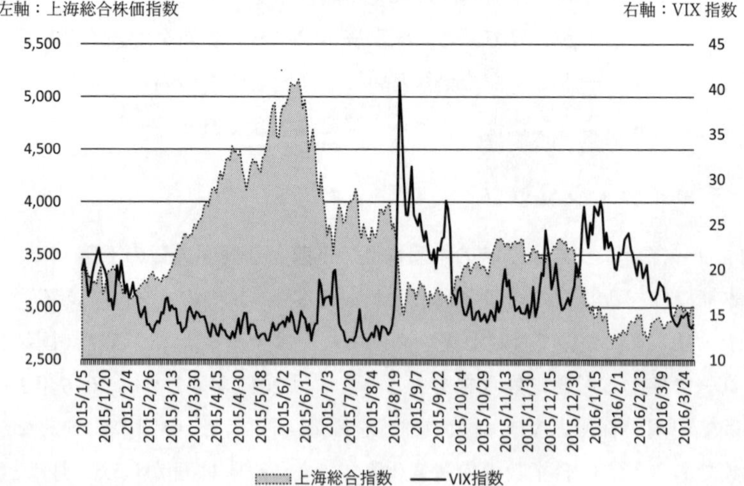

出所）上海総合指数はCEIC Data，VIX指数はFRED

図8　チャイナ・ショック時の新興国通貨と円の推移

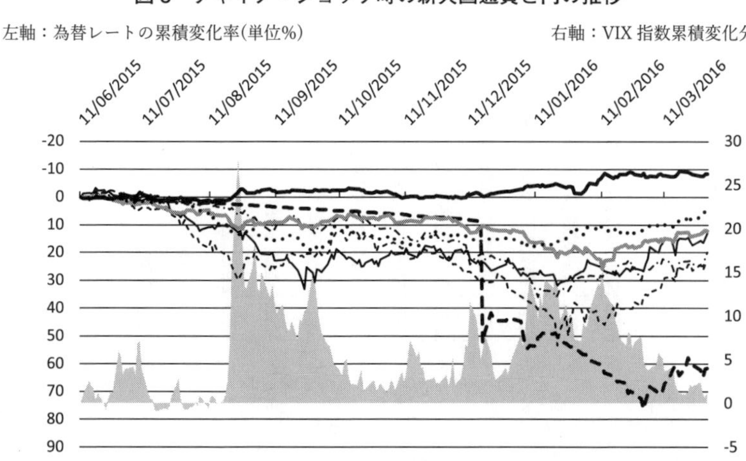

VIX　アルゼンチン　ロシア　南アフリカ
ブラジル　メキシコ　マレーシア　日本

出所）為替レートは CEIC Data, VIX 指数は FRED

注）為替レートは 2015/6/11 を基準日とした累積変化率を表している。為替レートは各国通貨で測った 1 米ドルあたりの価格である。左軸が為替の累積変化率，右軸が VIX 指数の累積変化分。

再び VIX 指数の高まりと共に新興国通貨安・円高が進行している。図 6 の円ドル非商業先物ポジションの推移では，チャイナ・ショックの際に円のポジションがショートからロングに転換し，キャリートレードの巻き戻しが発生していることがわかる。

チャイナ・ショック時の新興国の EMP 指数をみてみる（図 9）。通貨危機の基準となる 2 を上回る国が 7 カ国あり，バーナンキ・ショック時の 4 カ国より増加している。ブラジル，マレーシア，南アフリカは，バーナンキ・ショック時に続き，チャイナ・ショックでも EMP 指数の高まりがみられ，通貨の脆弱性が伺われる。

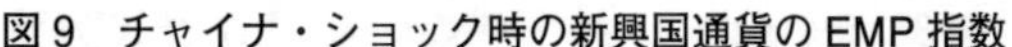
図 9　チャイナ・ショック時の新興国通貨の EMP 指数

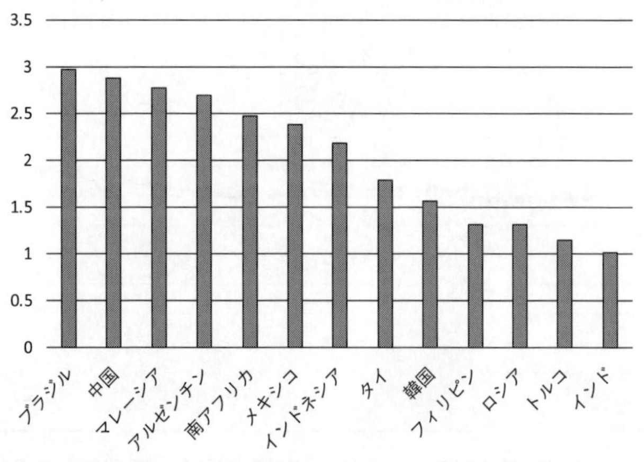

出所）CEIC Data より著者算出

3.2　チャイナ・ショック時のアジア新興国の国際資本フロー

本節では，国際収支統計からチャイナ・ショック発生期間中の国際資本フローの動きを分析する。ここでは，中国からの影響を受けやすいアジア諸国に焦点を絞る。はじめに，実際に新興国からの資本流出はあったのか，流出があったとすれば，どの形態の資本が流出したのかを確認する。資本フローを分析するにあたり，国際収支で資金の流出入を表す際に，一般的に用いられているネットの資本フロー，すなわち経常収支ではなく，グロスの資本フローの動向を調べる。国際金融市場の発展に伴い，近年グロスの資本フローの重要性が指摘されている（Forbes and Warnock 2012; Iwamoto 2015; 奥山 2019）。

まずは，外国から当該国への資本流入の増減をみるため，金融収支の負債に焦点をあてる。金融収支の負債は，外国人による自国資産への投資の増減を表す。負債＝外国人による自国資産の購入－外国人による自国資産の売却であり，負債がプラスであることは，外国人による自国資産購入が売却を上回っていることを意味し，反対に負債がマイナスであることは，外国人による自国資産の売却が購入を上回っていることを意味する。

図10は，中国，韓国，ASEAN5（インドネシア，マレーシア，フィリピン，シンガポール，タイ）の金融収支の負債とその内訳推移を表している[4)]。これをみると，チャイナ・ショックが発生した2015年から2016年にかけて，各国とも外国からの資本流入が減少している。その中で，中国と韓国は，負債の収支がマイナスとなっており，外国資本の流出が発生していることがわかる。その内訳をみてみると，中国ではその他投資の項目で減少が著しいことがわかる。韓国，ASEAN5でもその他投資は一時的にマイナスとなっている。その他投資は，主に銀行借入を表しており，直接投資と比較すると変動が激しいと言われている。アジア危機の際も，資本流出が激しかったのはその他投資であった（伊藤 1999）。伊藤（1999）は，アジア通貨危機発生時，中国は資本の流入において，銀行借り入れや証券投資に比べ，直接投資の割合が高かったため，急激な資本流出が少なかったと述べている。しかし，2015，16年のチャイナ・ショック時にはその他投資で大規模な資本流出が発生していた。また，韓国では証券投資からの資本流出も大きく，その他投資の規模を上回っている。直接投資の資本フローは各国とも安定している。

次に，国際金融市場において主要な資金の貸し手であるアメリカとEUの国際資本フローを見てみる。図11をみると，まず，両国についていえることは，2015年から16年にかけて，その他投資の項目で対外資産を縮小させていることである。特にアメリカでは，欧州危機の影響もあり，2011年から16年にかけて，ほぼ継続的にその他投資の対外資産を縮小させている。その代わり，2011年から15年の期間中は，証券投資の項目で対外資産を増加させてきたことがわかる。チャイナ・ショック時には，証券投資の項目でも対外資産の縮小が発生している。EUは証券投資の項目ではチャイナ・

4) 四半期データの季節調節をおこなうために，過去4四半期分のデータを合計している。具体的には以下のようになる。

$$FAL_{i,t} = \sum_{k=t-3}^{t} FAL_{i,k} \qquad (3)$$

ここで，$FAL_{i,t}$ はi国のt期の金融収支負債を表す。直接投資，証券投資，金融派生商品，その他投資も同様の処理をおこなった。図13，14も同様の処理をしている。

図 10　アジア新興国の金融収支負債推移

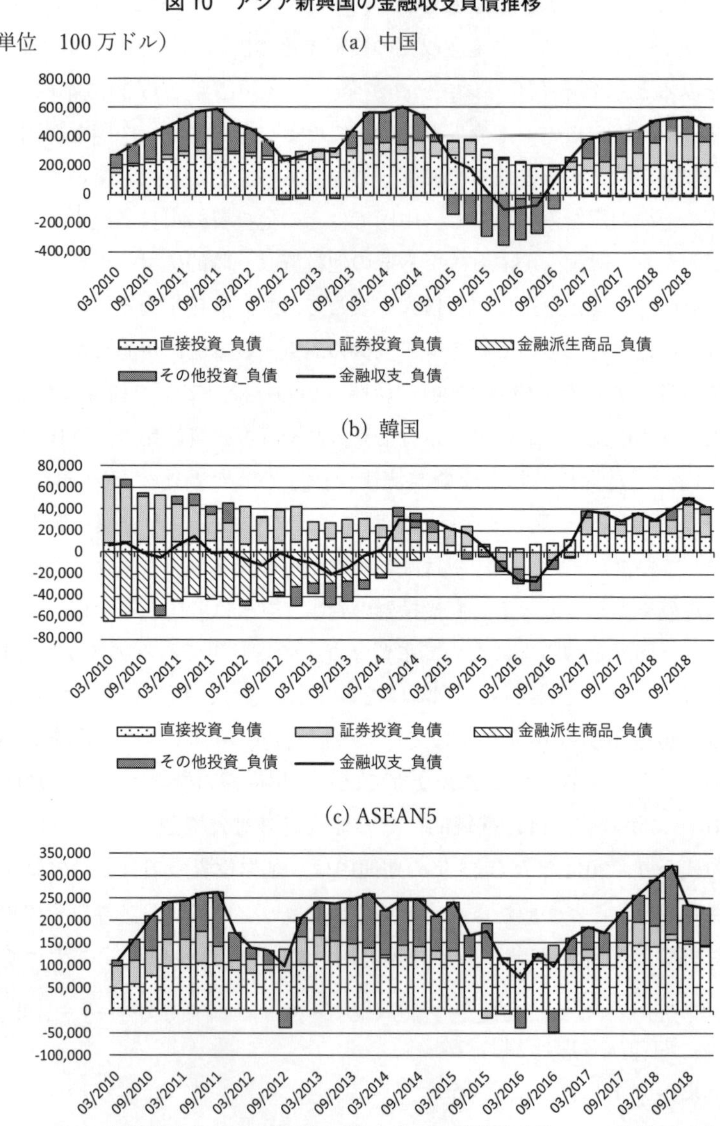

出所）CEIC Data より著者作成

図 11　欧米の金融収支資産の推移

(a) アメリカ

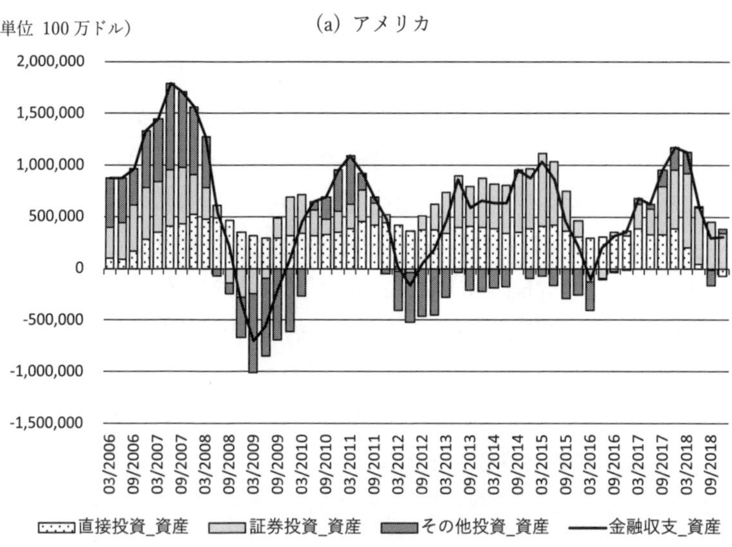

(b) EU

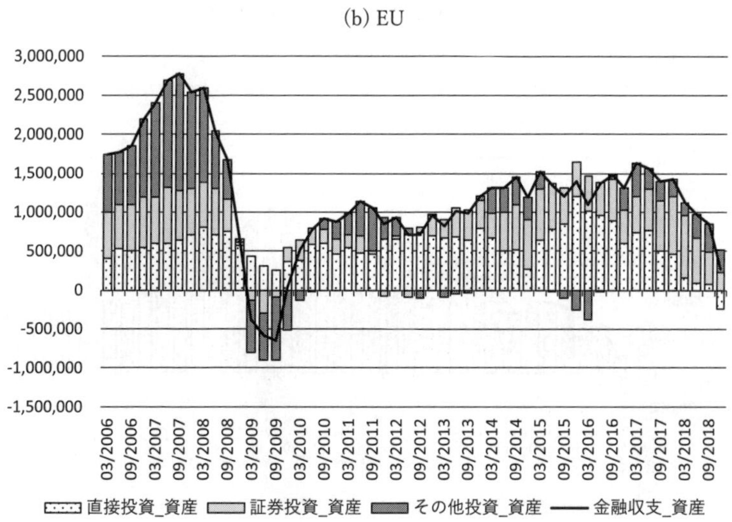

出所）CEIC Data より著者作成

ショックの際の対外資産縮小はみられない。直接投資に関しては，アメリカもEUも他項目と比べて安定的に推移している。対外資産縮小の規模を世界金融危機が発生した2008, 09年と比較すると，アメリカ，EU共に対外資産の縮小規模は2015, 16年の方が小さい。チャイナ・ショックが，世界金融危機と比べて金融へのダメージが小さかった要因として，欧州の対外資産縮小の規模が小さかったからではないかと考えられる。世界金融危機の際は，グローバル規模で対外資産の縮小が起こり，世界中で流動性危機が発生した（Ferretti et al. 2011; Forbes and Warnock 2012など）。チャイナ・ショックでは，危機の震源国が中国だったため，アメリカやEUの対外資産縮小が小規模にとどまったのだろう。

では，震源地である中国では，対外資産の縮小は見られたのだろうか。図12をみてみると，2015年から16年にかけて，中国では金融収支の資産のフローが減少していることがわかる。その内訳をみると，ここでもその他投資

図12　中国の金融収支資産の推移

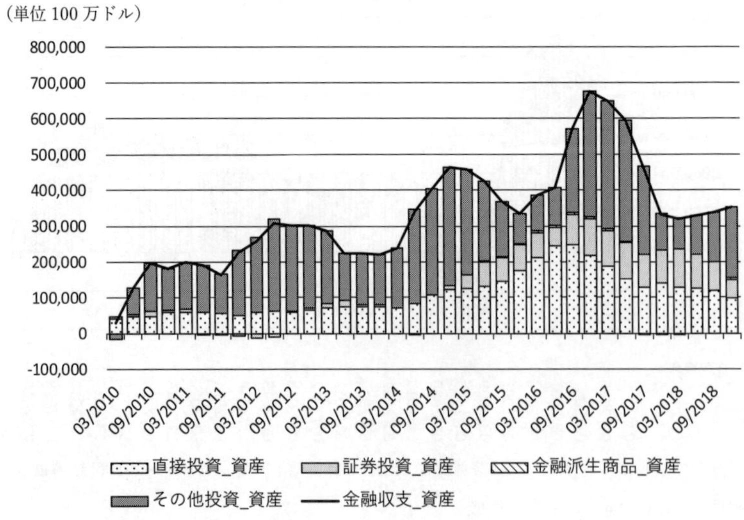

出所）CEIC Dataより著者作成

の項目が減少している。しかしながら，対外資産の縮小には至っていない。つまり，中国は外国から資本を引き揚げていないのである。世界金融危機で欧米が対外資産を大幅に縮小させたのと対照的である。もし，中国の金融機関が流動性危機に陥り，対外資産を縮小させていたならば，チャイナ・ショックの影響はもっと大きくなっていた可能性が高い。

3.3　チャイナ・リスク

3.3.1　中国による対外資産縮小の可能性

中国は，現在GDP世界第二位の国であり，中国経済が失速した場合，世界に与える影響の大きさは計り知れない。金融面においても，中国の対外資産規模は拡大しつつあり，今後さらに影響力は高まっていくだろう。本節では，中国の国際収支と対外資産債務残高のデータを用いて，国際資本フローの面から見たチャイナ・リスクについて検証する。

まずは中国の国際収支から見ていく（図13）。中国は長年経常収支黒字を

図13　中国の国際収支

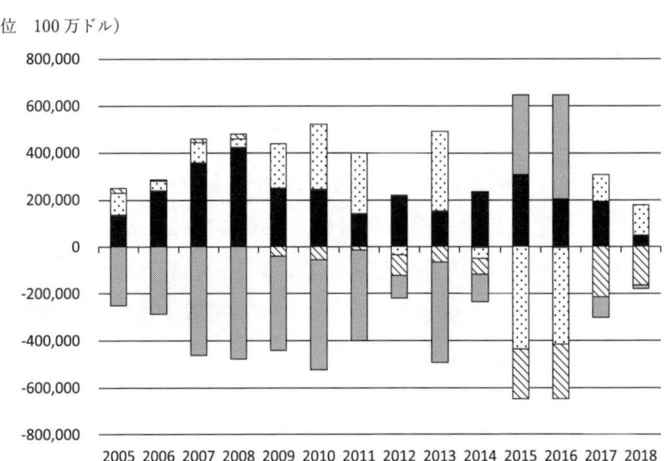

出所）CEIC Data

続けているが，近年縮小傾向にある。図 13 は年次データだが，四半期データでは，2018 年の第一四半期に経常収支赤字を記録している。米中貿易摩擦が悪化した場合，経常収支が継続的に赤字になる可能性もある。金融収支は 2012 年，15 年，16 年が黒字で，それ以外の年は赤字となっている。すなわち，中国はチャイナ・ショック以前のほとんどの期間で，経常収支，金融収支が共に資金流入超過の状態にあった。中国は，実質的な固定相場制を維持するために，外貨準備を増加させていたのである。ところが，2015 年，16 年は金融収支が流出超過となり，反対に外貨準備を大幅に減少させることとなった。2017 年，18 年は再び金融収支で流入超過になったものの，チャイナ・ショック以前よりも規模は縮小している。もう 1 つ注目すべき点として，誤差脱漏がある。2015 年，16 年の誤差脱漏は，大幅なマイナスとなっており，流出超過となっている。中国の場合，誤差脱漏は投資マネーの動向を反映しているといわれている。金融収支で示されている以上の資本流出がおこっていた可能性がある。もう 1 つの資金流入源である経常収支も年々規模が縮小している。チャイナ・ショック時は，経常収支黒字の規模が世界金融危機以降で最大となっていたが，それ以降，急激に縮小している。

中国の経常収支の構成（図 14）をみると，経常収支黒字が縮小している要因として，サービス収支赤字の拡大と，貿易収支黒字の縮小が挙げられる。さらに，第一次所得収支がマイナスになっていることがわかる。後で詳しく述べるが，中国は対外純債権国である。それにも関わらず，第一次所得収支がマイナスである原因は，対外資産のうち外貨準備の割合が高いためである。金利の低い金融資産を多く保有しているのだ。資産構成を変えることは短期間では難しいため，日本のように第一次所得収支のプラスが貿易・サービス収支の赤字を埋め合わせることは今後も難しいだろう。サービス収支赤字の拡大と貿易収支黒字の縮小が続くようなら，近い将来，中国は恒常的に経常収支赤字国となる可能性がある。そのような状態で，再びチャイナ・ショックが発生したならば，中国が対外資産を縮小させる可能性は十分にある。その場合，新興国からのより大規模な資本流出が懸念される。

図 14　中国の経常収支

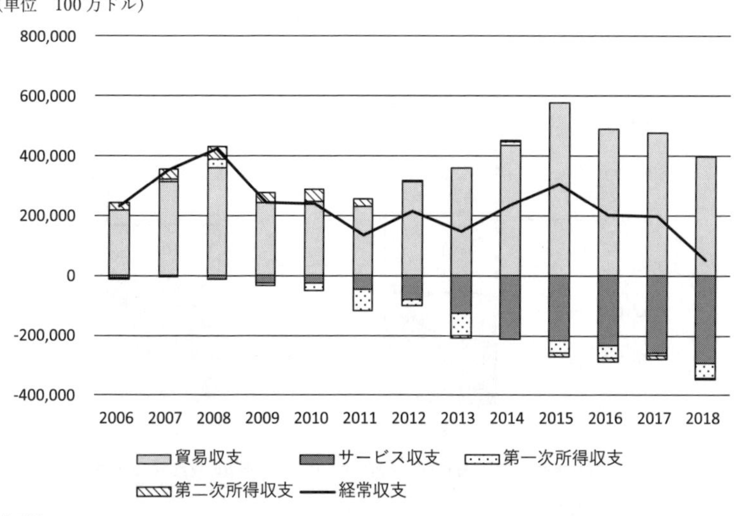

出所）CEIC Data

3.3.2　新興国の対外資産負債残高と負債構成からみたチャイナ・リスク

3.2 節でみたように，チャイナ・ショック発生時，多くのアジア新興国で対外資本の流出が発生し，中でもその他投資の項目からの流出が顕著であった。世界金融危機発生時も，同様の資本流出が発生していたが，その原因は主に欧米諸国の対外資産縮小であった。すなわち，金融のグローバル化が進んだ結果，経済的ショックが発生した場合，グローバル規模での対外資産縮小が発生しやすい環境が生まれているのである。チャイナ・ショックでは，欧米諸国の対外資産縮小規模が，世界金融危機と比べて小さかったこと，震源国の中国が対外資産を縮小させなかったことがグローバル規模での対外資産縮小に歯止めをかけたものと思われる。本節では，再びチャイナ・ショックが発生した場合，アジアの新興国がどの程度の耐性を保持しているかを分析する。

図 15 は，2018 年の中国の対外資産負債残高とその構成である。中国は対

図 15　中国の対外資産負債残高構成

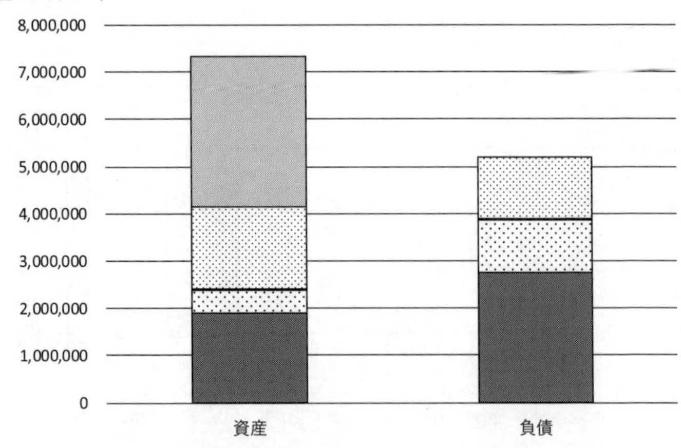

出所）CEIC Data

外純債権国であるが，資産の半分近くの 43.3% が外貨準備である。次いで，直接投資のシェアが高く 26.1%，その他投資が 23.1%，証券投資が 7.4% となっている。負債の構成は，直接投資が最もシェアが高く 52.7%，次いで，その他投資が 24.1%，証券投資が 23.1% となっている。直接投資は他の項目と比べて安定的な資本と考えられ，負債構造の頑健性を高める要因となる。中国は，対外純債権国であるが，そのほとんどは外貨準備で，外貨準備残高を除いた場合，中国は対外純債務国となる。

他のアジア諸国はどうだろうか。図 16 は，2018 年のアジア新興国の対外資産負債残高を表している。ただし，資産から外貨準備残高を除き，民間ベースでの資産残高となっている。これを見ると，韓国だけが辛うじて純債権国となっている以外，すべて大幅な純債務国である。さらに，2018 年の対外負債残高の構成を見てみよう（図 17）。各国とも直接投資のシェアが中国と比べて小さいことがわかる。最も直接投資の比率が高いのはタイで

図16　アジア新興国の対外資産負債残高

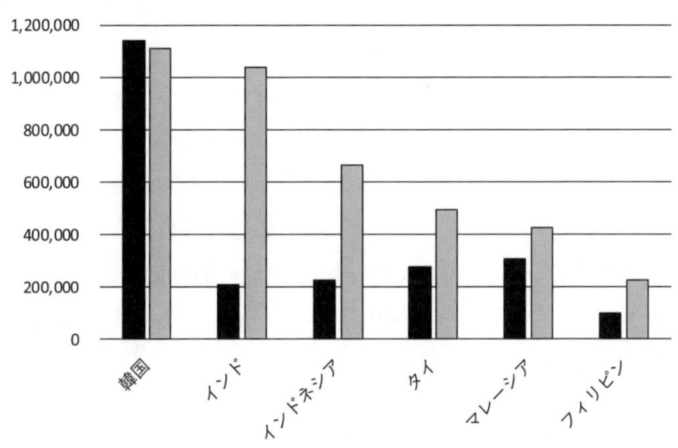

出所）CEIC Data

図17　アジア新興国の対外負債残高構成

（単位 100 万ドル）

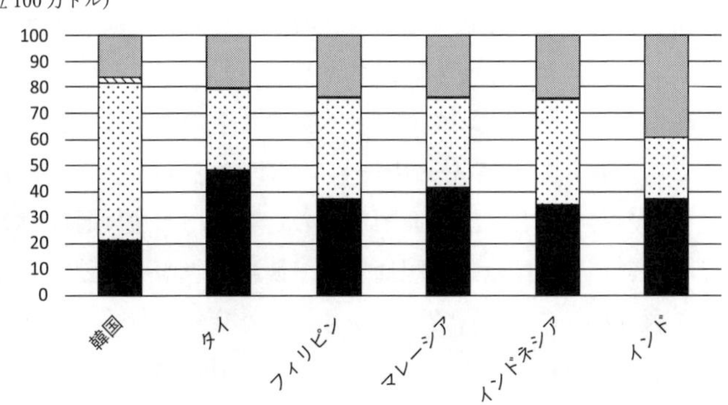

出所）CEIC Data

48.2%，次いでマレーシアで41.7%となっており，もっとも直接投資の比率が低いのは韓国で21.4%である。韓国は，証券投資の割合が高く，チャイナ・ショックの際も証券投資からの資本流出が多かったことから，資本流出に対して脆弱な構造になっているといえる。

対外純債務国は，グローバル規模での対外資産縮小が発生した場合，資本流出超過に陥りやすい。世界中の国が対外資産を縮小させた場合，債務超過の国は，外国に引き揚げられる資金量ほど，外国から資金を引き揚げることができない。負債の構成が，証券投資やその他投資の場合，より資本流出超過のリスクが高くなる。資本流出超過は，株価や通貨価値の下落につながる。チャイナ・ショックの際に，新興国通貨が下落したのも，新興国の脆弱な債務構造が原因となっている可能性がある。

4. まとめと今後の課題

本稿は，バーナンキ・ショックとチャイナ・ショックの事例を基に，新興国の国際金融市場に内在するリスクについて検討してきた。バーナンキ・ショックの事例では，今後，先進国が量的緩和政策の縮小をおこなう際のキャリートレードのリスクに焦点をあてた。先進国が量的緩和政策をおこない，低金利を維持している状況では，新興国通貨の安定は，新興国へのキャリートレードを引き起こしやすい。キャリートレードは，金利の上昇に対して感度が高いため，バーナンキ・ショックのときのように，投資家の予想が変化すると，それに対してキャリートレードの巻き戻しが発生する。キャリートレードの巻き戻しは，新興国からの資本流出と通貨通貨の下落をもたらす。これにより新興国は，外国通貨建て債務の急増や流動性の逼迫といったリスクに晒されることになる。しかも，キャリートレードは，巻き戻しが新興国通貨安をもたらし，さらなる巻き戻しを引き起こすといった自己増殖的な側面をもつ。そのため，新興国にとってはリスクの高い資本となる。キャリートレードの実態を把握することは困難と言われており，実際にはリスク管理は難しい。2020年3月以降のコロナ・ショックは，世界金融危機以上の経済対策が採られる可能性がある。バーナンキ・ショックの教訓を生かし，世界経済が回復してきた時期こそ，キャリートレードのリスクに警戒を払うべきである。

チャイナ・ショックの事例からは，中国の国際収支と対外資産負債残高から，チャイナ・リスクについて検証した。チャイナ・ショックは，バーナンキ・ショック同様，新興国通貨の下落をもたらした。固定相場制を採用している中国においても，高い通貨下落圧力がかかっていた。通貨の下落圧力をもたらしたのは，金融収支のその他投資である。中国，韓国，ASEAN5において，その他投資の資本が流出していた。一方で，チャイナ・ショック発生当時，中国は経常収支の黒字額が大きく，それによる資本流入が資本流出を打ち消していた。その結果，中国は対外資産を縮小することはなかった。危機の震源国であり，経済大国でもある中国が対外資産を縮小しなかったことで，グローバル規模での対外資産縮小の連鎖を食い止めることができた。しかし，中国の経常収支は悪化の傾向にあり，米中貿易摩擦がそれに拍車をかける可能性もある。国際金融市場における中国の影響力は高まっており，再び，チャイナ・ショックが発生した場合，中国が対外資産の縮小に転ずるならば，それをきっかけとして，多くの国が資本流出の危機に晒される可能性がある。また，仮に中国が流動性危機に陥った場合，現在の米中関係を勘案すると，アメリカが中国に対して機動的に支援をおこなう保証はない。その場合，日本がアジア地域の金融市場安定化のために中心的な役割を果たす必要があるだろう。そのためには，各国の経済連携と危機発生時の救済システムの強化を促進すべきである。

参考文献

Almahmood, H., M.A. Munyif and D.W. Thomas (2018), Most Speculative Attacks Do Not Succeed: Currency Crises and Currency Crashes. *Journal of International Commerce, Economics and Policy*, Vol. 9, 1850001, 1–9.

Broner, F. et al. (2013), Gross Capital Flows: Dynamics and Crises, *Journal of Monetary Economics*, Vol. 60, 113–133.

Brunnermeier, M.K., S. Nagel and L.H. Pendersen (2008), Carry Trades and Currency Crashes, *NBER Macroeconomics annual*, Vol. 23(1), 313–348.

Ferretti, M., G. Maria and T. Cédric (2011), The Great Retrenchment: International Capital Flows during the Global Financial Crisis, *Economic policy*, Vol. 26(66), 289–346.

Forbes, K.J. and F.E. Warnock (2012), Capital Flow Waves: Surges, Stops, Flight, and Retrenchment, *Journal of International Economics*, Vol. 88(2), 235–251.

Fratzscher, M. (2012), Capital Flows, Push versus Pull Factors and the Global Financial Crisis, *Journal of International Economics*, Vol. 88(2), 341–356.

Gyntelberg, J. and E.M. Remolona (2007), Risk in carry trades: a look at target currencies in Asia and the Pacific, *BIS Quarterly Review, December*.

Hattori, M. and H.S. Shin (2009), Yen carry trade and the subprime crisis, *IMF Staff Papers*, Vol. 56(2), 384–409.

Hutchison, M.M. and N. Ilan (2006), Sudden stops and the Mexican wave: Currency crises, capital flow reversals and output loss in emerging markets, *Journal of Development Economics*, Vol. 79(1), 225–248.

Horn, S.H.C. Reinhart and C. Trebesch (2019), China's Overseas Lending, *KIEL Working Paper*, No. 2132.

Iwamoto, T. (2015), International Investment Positions, Gross Capital Flows, and Global Liquidity, *The International Economy*, Vol. 18, 1–19.

Ogawa, E., J. Shimizu and P. Luo (2019), Effects of US Interest Rate Hikes and Global Risk on Daily Capital Flows in Emerging Market Countries, *RIETI Discussion Paper Series*, 19-E-019.

Reinhart, C. and G. Calvo (2000), When Capital Inflows Come to a Sudden Stop: Consequences and Policy Options, *MPRA*, No. 6982.

伊藤隆敏（1999），「アジア通貨危機とIMF」経済研究，第50号，第1巻，68–93頁。

岩壷健太郎（2010），「グローバル・インバランスと世界金融危機：円キャリートレードによる分析」，藤田誠一・岩壷健太郎編『グローバル・インバランスの経済分析』，有斐閣。

奥山聡子（2019），「グローバル・キャピタル・ウエーブの発生と通貨危機」，神奈川大学商経論叢，第54号，第4巻，61–91頁。

塩沢裕之・古賀麻衣子他（2009），「キャリー・トレードと為替レート変動—金利変動が市場参加者のリスク認識に与える影響」，日銀レビュー。

Summary

The Risks of International Capital Flows in Emerging Countries: Sudden stop due to the global factors

Satoko Okuyama (Kanagawa University)

Emerging economies often experience a sharp decline in capital inflows (sudden stops). In this paper, we focus on two global factors that generate the sudden stop: the unwinding of the carry trade and the global-scale credit crunch. These are the potential capital flow risks for emerging economies. We discuss the rapid capital outflows from emerging countries based on the cases of the Bernanke shocks in 2013 and the China shocks in 2015, 16.

◇コメント◇

久留米大学経済学部　伊豆　久*

奥山論文「新興国が抱える国際資本移動のリスク」は，2013年5月のバーナンキ・ショックと，15年半ばから16年にかけてのチャイナ・ショックをとりあげ，それらが国際資本移動を通じて新興国の株価・為替等に与えた影響を検証し，新興国の抱える資本移動リスクを明らかにしようとしたものである。

バーナンキ・ショックとは，QE3と呼ばれる緩和策を進めていたFRBのバーナンキ議長が債券買入れ額の引下げを示唆したところ，米国の長期金利のみならず，世界全体の金融市場が大きく動揺したという出来事である。FRBは，世界金融危機以降，巨額の量的緩和政策を続けてきたが，同ショックは，そこからの「正常化（出口戦略）」における中央銀行と市場のコミュニケーションの難しさ，世界の金融市場の米国緩和マネーへの依存度の高さを如実に示した。

また，チャイナ・ショックとは，過剰設備・過剰債務への不安から中国の株価と人民元が暴落し，世界の金融市場が数ヶ月にわたって混乱したというものである。

奥山論文では，こうした金融ショック時の資本移動の役割に焦点が当てられ，特にキャリー・トレードが新興国通貨に与える影響，その潜在的リスクが強調されている。

かつてのように資本移動をネットでとらえるのではなく，グロスで把握すべき（国内からの対外投資と回収，海外からの対内投資と回収の4パターン）との指摘はもっともなものであるが，さらに，資金調達の主体（政府，企業，銀行），その形態（直接投資，証券投資，銀行による貸借），満期などの区分も加味されればより深い分析になるように思われる。そして今日では，各種

* 現：福岡大学商学部

のデリバティブ取引によって，国際収支上の資本移動を伴わないポジション・テークがなされ，為替レート等に大きな影響を与えている。（実態の把握は容易ではないが）それらの役割も考慮する必要があるであろう。

こうした通貨危機リスクへの対応策として，奥山論文では，セーフティネットの構築が提案されており，そこではアジア危機後のチェンマイ・イニシアティブや，リーマン・ショック後のスワップ協定などの拡充が想定されているものと思われる。従来，通貨危機対策としては，自由な資本移動を前提としつつ，財政赤字等による過剰な国内需要の抑制や，金融自由化等のミクロ的構造改革など，国内経済の改革が要請・実施されてきた。ただ，そうした処方箋に対しては，特にアジア危機後，新興国の実情を無視した「ワシントン・コンセンサス」の強要として厳しい批判が浴びせられ，奥山論文と同様に資本移動に危機の原因を求める立場からは，資本移動規制案や，資本自由化の適切な順序付けが提案されてきた。こうした＜危機の原因論と対策案＞の組み合わせをめぐる過去の議論も踏まえた検討がなされると，より説得力のある提案となろう。

中国の国際収支，対外資産負債残高についてはその脆弱性が強調されているが，異なる見方もあるように思われた。指摘の通りチャイナ・ショックによって中国の外貨準備は大きく減少したが，それでも3兆ドルを維持し対外流動負債をカバーして余りある（図1参照）。また資産・負債の両方で直接投資の比率が高いが，それらは中国の国家戦略をそのまま反映した，その意味で非常に「合理的」なものである。チャイナ・ショック以降の強力な対外資本輸出規制の実施も，中国の対外金融を考える上での重要な特徴であろう。このように，対外金融という面に限定すればむしろその頑健性が目立つわけであるが，中国の国内金融に目を転じれば，過剰債務問題（地方政府，国有企業，家計それぞれの債務の増大）が深刻なリスクとなりつつある。新たなチャイナ・ショックの可能性を考える上では，内外金融の関連が重要な意味を持つであろう。

最後に，今回の奥山論文でとりあげられた金融ショックは，いずれも米国

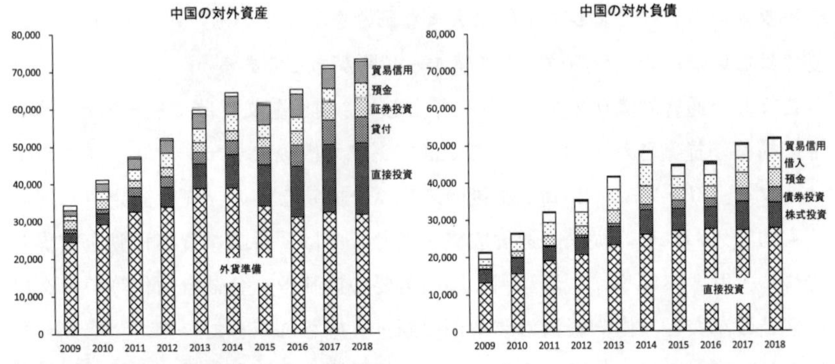

（注）残高，年末，億ドル。
（出所）国家外貨管理局データより作成。

の金融「正常化」（が予測される）局面での出来事であったが，今年（2019年）に入って，米中貿易摩擦の深刻化などを背景に，FRBは再び金融緩和に舵を切った。そのことが新興国の対外金融リスクにどのような影響を与えるのか，その点についても報告者の見解をうかがってみたい。

特集　米トランプ政権誕生の背景と経済政策に関する研究

立教大学経済学部　山縣　宏之

趣旨説明

本特集は，世界に衝撃を与えたトランプ大統領誕生の経済的背景にあたる「ラストベルト」の1990年代以降の産業構造高度化・就業構造の分極化，製造業の動態，それらの製造業労働者への影響を考察したうえで，支持基盤を重視しているとされ，世界に衝撃を与え続けている同政権の財政政策，通商政策の展開を検証し，政策の合理性，非合理性，さらにトランプ政権の性格や位置づけについて考察したものである。

「ラストベルトの経済状態分析：産業構造動態・就業構造分極化・製造業労働者・州産業政策（山縣宏之)」,「アメリカ2017年減税・雇用法（いわゆるトランプ減税）の企業課税，国際課税面の意義と課題（河音琢郎)」,「トランプ政権の通商政策――コンセンサスの破壊と無秩序状態の政策プロセス（藤木剛康)」の各論文は，第78回全国大会（於：アジア経済研究所）の企画セッション「米トランプ政権誕生の背景と経済政策に関する研究」において報告され，その後通常の査読審査を経て掲載されることになった論文である。

山縣論文では，ラストベルトの産業構造高度化と就業構造分解過程において，失職した製造業労働者の多くが水平移動あるいはより賃金の低い職業への転職，労働市場退出に至ったことを確認し，産業構造高度化のメリットが大都市圏と高賃金職業に就職可能な人々に限定され，製造業事業所の立地する郡部，製造業労働者にはほとんど及ばなかった，というラストベルトの産業構造高度化とその製造業労働者に対する影響について分析した。

河音論文は，トランプ政権の数少ない内政的成果であるアメリカ2017年減税・雇用法の意義と課題を特に法人税率の大幅引き下げ，国際課税改革に注目して論じ，実はアメリカ及び世界経済の知識集約化，グローバル化という 21 世紀に進展した事態に対応するための超党派的合意に基づいた改革であったこと，政治的には財政赤字容認へ舵をきる画期だったことを指摘した。

藤木論文は，学際的なアプローチに基づいて通商政策の枠組みを世界規模での貿易自由化をめざす覇権国型の通商政策か，競合する大国との勢力圏争いをめざす地政学的大国型の通商政策か，完成品貿易を中心とした古いグローバリゼーションに対応した通商政策か，中間財貿易を中心とする新しいグローバリゼーションに対応した通商政策か，という 2 つの基準を組み合わせて 4 つの類型に整理した上で，トランプ政権の経済政策の性格を分析し，政権の通商政策がポスト冷戦期のコンセンサスを破壊し政策を無秩序化しているものの，21 世紀の新しい秩序を構築しようとしているかどうかは判然としないと指摘した。以上の各論文の考察を通じて，トランプ現象の背景を踏まえたうえで，トランプ政権の経済政策の性格を，財政政策，通商政策に着目して，複眼的に論じた。

投稿論文

ラストベルトの経済状態分析：産業構造動態・就業構造分極化・製造業労働者・州産業政策*

立教大学・経済学部　山縣　宏之**

要旨

本稿は，米トランプ政権誕生で注目されたラストベルトの経済状態を，産業構造高度化，就業構造の分極化，その過程における製造業労働者の境遇の変化に注目し，トランプ現象やその解釈に関わる研究，経済統計を中心とした米政府統計，連邦政府公聴会資料，州政府，研究所のレポート等，ミシガン州を中心としたラストベルト地域でのヒアリング，工場・労働組合ヒアリング調査をもとに追跡し，その結果をもとに，産業構造高度化と製造拠点再獲得を重視した州産業政策の限界を指摘した。

キーワード：トランプ現象，ラストベルト，産業構造，就業構造，製造業労働者

---

* 本稿は科研費　課題番号　18K11827　研究種目　基盤研究（C）「「チャイナ・トレード・ショック」とアメリカ製造業：労働・中間層対策・通商・地域」の助成を受けたものです。第78回全国大会（2019年9月），企画セッション「米トランプ政権誕生の背景と経済政策に関する研究」の第一報告に加筆修正，編集委員会とレフェリーのコメントに対応したものです。討論者である阪南大学井上博氏をはじめとする参加皆様，編集委員会，レフェリーの懇切丁寧なコメントに感謝申し上げます。

** E-mail: hyamagata@rikkyo.ac.jp

はじめに——本稿の課題・構成

本稿は，トランプ現象[1)]で注目されたラストベルトの経済状態を，産業構造高度化[2)]，就業構造の分極化，その過程における製造業労働者の境遇の変化を通じて追跡する。本稿は以下の資料を使用する。第一に，経済学，社会学のうち，トランプ現象やその解釈に関わる研究である。第二に，経済統計を中心とした米政府統計である。第三に，州産業政策担当公社のレポート等である。第四に，2014年，2016年，2019年実施の，ミシガン州を中心としたラストベルト地域でのヒアリング，工場・労働組ヒアリングである。

本稿の構成は下記の通りである。1ではラストベルトとトランプ現象に関わる研究をレビューするとともに，米国の産業構造高度化，就業構造の動態を概観する。2ではかつてアメリカの産業中心地であったラストベルトの地位が低下してきたことを複数の指標で確認する。3では1990年から2016年までのラストベルト8州の製造業の動態，産業構造高度化と就業構造分極化がどの程度進展しているのか，検討する。4では製造業従業者の減少，産業構造高度化と就業構造分極化がラストベルトの製造業労働者にどのような影響を及ぼしたのかを分析する。具体的には，労働者の再就職先，大都市圏と郡部の産業分布の相違を踏まえ明らかにし，そのプロセスを踏まえるならば，州政府産業政策が製造業労働者の境遇改善にはプラスに作用しなかった

---

1) 本論文でいう「トランプ現象（Trumpism）」とは，ドナルド・トランプ氏が，反移民・保護貿易主義等を主張し大統領選挙で勝利したこと，再選を強く意識したその言動や政策が自由貿易体制の動揺，人種差別など幅広い国際，経済，社会，文化的な分断現象を引き起こしていることを指す。このような現象の要因として，白人有権者の経済的不安と自国および米国の海外での地位喪失の恐れが強調されることがある（Cambridge Dictionary 2020, Noland 2019, Urban Dictionary 2020）。

2) 産業構造の高度化とは，経済社会の発展，生産性上昇に伴い，生産額，付加価値額および就業者構成のウェイトが一次産業から二次産業，二次産業から三次産業の順に拡大することを指す。産業構造高度化に関わる諸研究・命題のうち，いわゆるペティ＝クラークの経験則を指している（大阪市立大学経済研究所編 1992, 538ページ，辻・竹内・柳原編 2019, 184ページ）。なかでも本論文は就業者構成に注目した。

ことを指摘する。

1. 研究レビューと米国就業構造の「分極化」(Job Polarization)

1.1 ラストベルトとトランプ現象に関する研究レビュー

はじめにラストベルトとトランプ現象に関する経済学，社会学等の研究をレビューしておきたい。我々の観点から重要になるのは，Drucker (1969)，Bell (1973) がその推進力と肯定的側面を示し，Harrison and Bluestone (1984) がその推進力と苦境を描いた脱工業化社会化あるいは産業構造高度化，それに伴う就業構造の変化である。それが最近にいたるまでラストベルトでどのように展開し，製造業労働者にいかなる影響を及ぼしたのか，そして州政府の産業政策はどのように産業構造に働きかけ，製造業労働者の苦境を救うものだったのか，という論点である。

ラストベルトに関する経済学の実証研究は，個別地域のケース分析を除けばAlder, Lagakos, Ohanian (2014) が国際競争の不足とその後の衰退を，Lagakos and Ohanian (2018) が組合組織率，労使紛争などラストベルト製造業が衰退した要因を指摘しているが，産業構造高度化とその製造業労働者への影響に関連する研究は十分に行われていない。「全米」単位の研究では，Autor *et al.* (2006)，Autor *et al.* (2010) が技術進化，グローバル化に伴う高技能，低技能職業雇用の増加，製造業を典型例とする中程度技能職業の減少というJob Polarization (雇用の分極化) を指摘したが，ラストベルトについては分析が手つかずである。ラストベルトなどアメリカの「地域」に関連する研究としては，Autor *et al.* (2015)，Autor *et al.* (2016) があり，「貿易」が製造業労働者に与えた負の影響は，アパラチア山脈地域が最も強く，続いてラストベルトであること，とりわけ未熟練労働者に失業，転職，賃金低下などの負の影響を及ぼしたことを指摘したが，ラストベルト内部の産業構造，製造業動態，製造業労働者の状況変化に立ち入って分析を行っているわけではない。

社会学の研究としては，McQuarrie (2017) がフォーディズムからポストフォーディズムへの移行過程における民主党のリベラル派重視政策への不満，民主党の支持基盤組織の弱体化，白人労働者の危機感等の複合的要因を指摘した。Linkon（2018）はポスト工業化社会への移行が単に製造業労働者や炭鉱労働者の雇用喪失にとどまらず，地域コミュニティの経済的衰退，コミュニティの文化や意識の変容という大きな「脱工業化コスト」をもたらし，恵まれた時代の記憶との相互作用により労働者の「怒り」を喚起したことを指摘した。

このように多くの研究は経済的要因がトランプ現象の背景にあることを直接，間接に認識し[3)]，ラストベルト地域と製造業労働者の境遇に関するエッセイ（Vance 2016, Goldstein 2017），ケース分析（金成 2017, 2018）も散見される。しかしラストベルトで産業構造高度化，就業構造分極化がどのように進み，その過程でラストベルトの製造業労働者がどのような境遇におかれてきたのか，という経済的影響をトータルに捉える視点から，資料・統計と聞き取り調査を組み合わせ分析している学術的な研究は，管見の限り不足していると思われる。この点を本稿は重視したい。

1.2　アメリカ就業構造の「分極化」（Job Polarization）

ラストベルトの考察の前提として，第1図から，産業構造高度化にともなうアメリカ就業構造の変化はどのように進んだのか，労働経済学の最新の知見を交え製造業に注目して検討しておこう。製造業は1950年には就業者全体の30%程度を占めていたが，ウェイトは次第に低下し，1980年には20%

3)　本稿は，ラストベルトの経済状態が「トランプ現象」にどのような影響を与えたのかという問題意識を有している。しかし多くの研究が経済的要因（白人製造業労働者とそのコミュニティの苦境）と文化的要因（国内的・国際的な白人の地位の動揺）を強調しつつも，経済的要因がどの程度影響したのかという点では，政治学，社会学の多くの研究で諸説ある状態であり（Norris 2016, McQuarrie 2017），その程度について明確なコンセンサスがあるわけではないこと，しかしながら多くの研究が経済的要因に言及していることをふまえ，差し当たりラストベルトの経済状態を分析したものである。

第１図　アメリカ就業者構成の推移（1950–2017年）（単位：%）

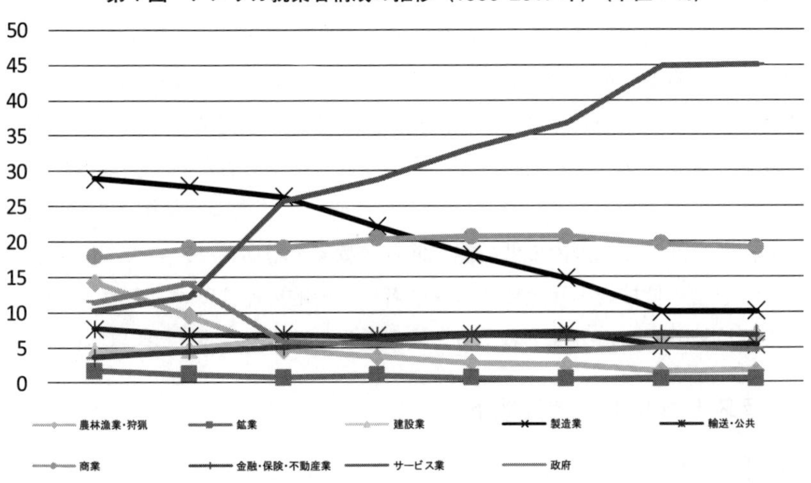

出所）U.S. Department of Labor, BLS (annually) および U.S. Bureau of the Census (annually) より作成。

強，2000年には15%程度，2010年には10%程度にまで低下した。代わりに著しくウェイトを増したのがサービス業である。その内訳は，高技能・高賃金であるKIBS（知識集約型ビジネスサービス）および金融業と（Miles 2012），それ以外の比較的低技能・低賃金である「その他サービス（対人サービス，社会サービス等）」から構成され，低技能・低賃金職業・職種の増加ペースのほうが高かった（Yamagata 2017）。商業も低賃金である小売業のほうの増加ペースが速かった。産業構造高度化にともなう「就業構造の分極化（Job Polarization）」が進展してきたのである。

分極化の要因として，技術とグローバル化の影響が指摘されている（Autor 2013, 2015），（Spence and Hlatshwayo 2011）。製造業が典型であるが，ルーチンワーク的な中程度技術・中程度賃金産業の雇用・職業は機械への置き換えが急速に進み，海外雇用への転換も容易である（Autor 2015, Spence and Hlatshwayo 2011）。特に労働集約型製造業は海外の工場へ転換されやすい

(Bernard, Jensen and Schott 2006)。

さらに相対的少数派である高技能・高賃金職業と相対的多数派である低技能・低賃金職業への「分極化」は相互に連動している（Yamagata 2017)。低技能・低賃金職業の多くは宿泊・飲食，医療補助，小売業など個人消費依存の産業，職業であり，対面接触が必要かつ低賃金であるため，機械化と海外へのアウトソーシングが起きにくい。高技能・高賃金産業従業者の増加は，個人消費を通じて米国内の低技能・低賃金職業を増加させた。これに対して製造業など中位技術・賃金産業の就業者は技術的可能性，コストカット圧力により機械および海外従業者に置き換えられ，減少してきたからである。

2. ラストベルトの地位低下

2.1 「ラストベルト」とは

ラストベルトは，製造業に依存する傾向の強い地域である。先行研究では，主として製鉄業など重厚長大型産業を基幹産業としており，1950 年代以降衰退した地域とされることが多い。アメリカでは，産業用機械，自動車，金属加工など加工組み立て産業についても含め，「20 世紀型製造業」を基幹産業としそれが衰退した地域とされる（Gregory *et al.* 2017)。具体的には，イリノイ，インディアナ，ウィスコンシン，ウェストバージニア，オハイオ，ニューヨーク，ミシガン，ペンシルベニアの各州の多くのエリア，あるいは五大湖沿いの一部地域が含まれることが多い（Feyrer *et al.* 2007)。本稿でも先行研究に従い，これらの州をラストベルトと考えるが，ニューヨークとシカゴは明らかに産業構造が異質なグローバル都市であり，両都市圏を除外したデータを分析する必要がある。本稿のデータはすべてそのように処理した。第 2 図は，2016 年の各州製造業従業者依存度を示しているが，2016 年時点でも南部諸州と並びラストベルトは製造業依存度が高いことがわかる。まずはこのような製造業従業者比率の高さが，ラストベルトにトランプ現象をもたらした一因と考えられる。

第2図　2016年各州の製造業従業者依存度

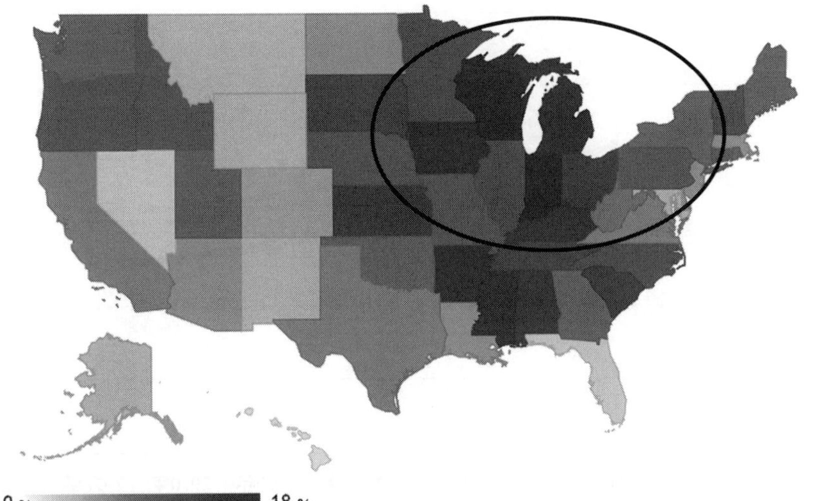

注）各州の総従業者に対する製造業従業者の占める比率を示す。単位は%。
出所）U.S. Department of Commerce, Bureau of the Census (annually) より作成。

2.2　低下してきた「ラストベルト」の地位

第3図により，ラストベルトの地位がどのように変化してきたのか，検討していこう。図にあるとおり，ラストベルトの地位は人口シェア，州総生産シェア，製造業従業者数シェア，賃金プレミアいずれの指数においても低下してきた。製造業従業者シェアを見るとラストベルトは，1950年にはアメリカの過半を占める「アメリカ製造業の中心地」であったが，2017年には30%程度に減少している。さらにラストベルト製造業の実質賃金の対全米製造業比（ラストベルト製造業賃金プレミア）を見ると，1960年の1.21から2017年の0.98までほぼ一貫して低下しており，ついに米国平均を下回った。かつて製造業の中心地であったラストベルトは重要性を低下させ，製造業従業者の恵まれた待遇も「平均以下」に低下したのである。

第 3 図　ラストベルト地域の人口・総生産・製造業従業者のシェア低下

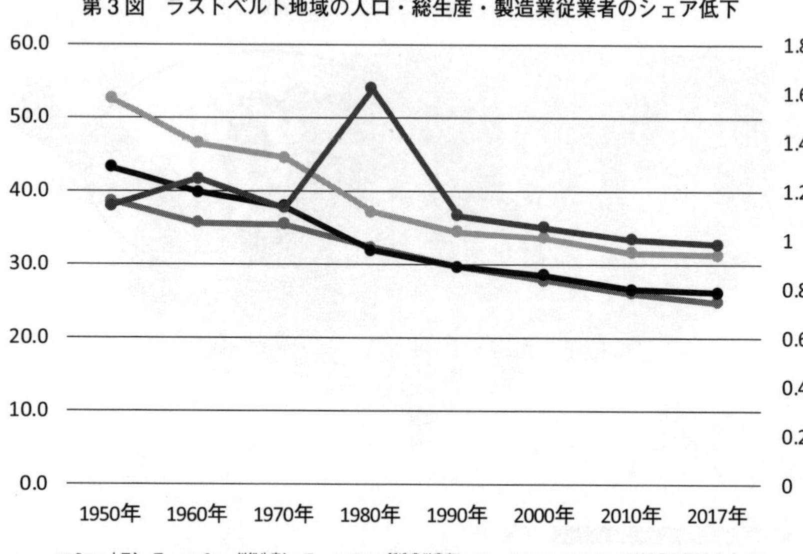

注 1）人口，総生産，製造業従業者シェアは左目盛り，単位%。

注 2）ラストベルト州製造業従業者賃金プレミアは，右目盛り，単位は対全米製造業従業者賃金を 1 とした場合の指数。

出所）U.S. Bureau of the Census (1972a), (1982a), (1992a), (2002a), (2012a), U.S. Bureau of the Census (1972b), (1982b), (1992b), (2002b), (2012b), (2017), および U.S. Department of Commerce, Bureau of the Census (annually) より作成。

3. ラストベルト 8 州の産業構造高度化と就業構造の分極化

3.1　事業所・従業者数の動態

それではラストベルト 8 州の就業構造の変化について，第 1 表に基づき検討していこう。もちろんラストベルト各州の産業構造・就業構造動態は「多様」であるが，紙幅の関係から，本稿はラストベルト全体の製造業および就業構造の分極化の分析に重点を置く。

まずは本稿の主題である製造業従業者であるが，1990 年（566.6 万人），2000 年（479.7 万人），2010 年（296.8 万人）と減少した。2016 年（320.1 万人）

には23.3万人の増加に転じている。2010年にかけての減少は米国平均よりもやや緩やかであり，その後の回復もやや緩やかである（BLS 2019）。これはラストベルトの場合，繊維系産業やコンピュータ・電子機器の立地が少ないため，Autorらの指摘した「中国貿易ショックと従業者減少」が他地域ほど強く現れず，むしろ表記載の「20世紀型製造業」には，日・独等の対先進国貿易やNAFTA貿易が影響したからである（NBER, CES annually, 全米製造業者協会研究所聞き取り，ミシガン州での聞き取り）。総従業者に占める製造業従業者の比率は1990年（23.6%）から2016年（12.6%）にかけて約半分に低下したものの，直近（2016年）でも米国内で最も製造業に依存する地域の一つであり続けている。輸送用機械（自動車産業）の影響の強いミシガン州は2010年以降かなり回復しており，製金属に依存するニューヨーク，ペンシルベニアはほとんど回復していないなど，業種と州によって相違がある（U.S. Department of Commerce, Bureau of the Census (annually)），ミシガン州での聞き取り，全米製造業者協会研究所聞き取り）。

これに対し1990年（963.0万人，全体の40.2%），2000年（1,636.1万人，58.5%），2010年（1328.0万人，63.0%），2016年（1678.7万人，66.0%）と一貫して従業者数とウェイトを増したのはサービス業である。ラストベルトでも産業構造高度化が進んだことが明確に確認できるが，同時に「就業構造の分極化」が進んでいることに留意しておきたい。サービス業のうち高技能・高賃金である「知識集約型ビジネスサービスおよび金融業」の2016年構成比が16.2%であるのに対し，「それ以外のサービス」の構成比は49.8%に達する。低賃金である小売業は11.6%であり，合わせて61.4%も占めている。このようにラストベルトにおいても「低賃金層がより増える形での就業構造の分極化」が進んだのである。

第1表　ラストベルト8州の事業所・従業者構成（1990-2016年）ニューヨーク州の主要都市圏，シカゴ都市圏を除く

	事業所数								
	1990年	構成比（%）	2000年	構成比（%）	2010年	構成比（%）	2016年	構成比（%）	特化係数
農林漁業	16,503	1.1	3,637	0.2	2,777	0.2	3,059	0.2	0.72
鉱業	5,748	0.4	4,086	0.2	4,253	0.3	3,839	0.3	0.75
公益・輸送・倉庫	23,258	1.6	13,562	0.8	5,472	0.4	17,551	1.2	5.12
建設業	132,777	9.0	163,494	9.8	115,064	9.0	134,418	9.2	1.02
製造業	100,760	6.9	94,444	5.7	71,088	5.5	67,830	4.6	1.23
製金属業	2,995	0.2	2,635	0.2	1,938	0.2	1,847	0.1	2.19
輸送用機械	2,883	0.2	3,950	0.2	3,546	0.3	3,507	0.2	1.58
機械	19,688	1.3	12,118	0.7	9,532	0.7	7,729	0.5	1.74
金属加工	13,877	0.9	21,334	1.3	19,128	1.5	18,321	1.3	1.76
化学	3,616	0.2	3,776	0.2	3,582	0.3	3,636	0.2	1.49
卸売	117,457	8.0	103,467	6.2	64,168	5.0	66,524	4.5	0.85
小売	377,816	25.7	266,405	16.0	201,399	15.7	214,586	14.6	1.06
サービス業	640,517	43.6	992,261	59.7	817,433	63.7	956,509	65.3	0.81
KIBS（知識集約型ビジネスサービス）および金融業	216,230	14.7	290,092	17.5	218,187	17.0	270,376	18.5	0.85
それ以外のサービス	424,287	28.9	702,169	42.3	599,246	46.7	686,133	46.8	0.79
その他	52,728	3.6	20,019	1.2	2,477	0.2	1,070	0.1	0.32
合計	1,467,564	100.0	1,661,375	100.0	1,284,131	100.0	1,465,386	100.0	1.00

従業者数								
1990年	構成比（%）	2000年	構成比（%）	2010年	構成比（%）	2016年	構成比（%）	特化係数
94,012	0.4	2,295	0.0	15,843	0.1	16,697	0.1	0.52
127,994	0.5	71,500	0.3	86,651	0.4	75,907	0.3	0.64
712,810	3.0	335,494	1.2	184,475	0.9	224,971	0.9	1.75
1,092,237	4.6	1,362,040	4.9	842,071	4.0	1,074,070	4.2	0.85
5,665,824	23.6	4,796,591	17.1	2,968,161	14.1	3,201,044	12.6	1.38
386,322	1.6	329,180	1.2	180,891	0.9	177,625	0.7	2.36
576,523	2.4	797,976	2.9	415,151	2.0	535,704	2.1	2.22
772,628	3.2	582,331	2.1	352,266	1.7	396,952	1.6	1.92
626,017	2.6	703,128	2.5	471,292	2.2	521,629	2.1	1.85
346,615	1.4	257,008	0.9	226,029	1.1	236,241	0.9	1.63
1,677,836	7.0	1,393,538	5.0	907,415	4.3	1,094,788	4.3	0.89
4,896,674	20.4	3,576,034	12.8	2,797,169	13.3	2,957,586	11.6	0.92
9,630,189	40.2	16,361,405	58.5	13,280,500	63.0	16,787,246	66.0	0.83
3,605,352	15.0	4,601,440	16.4	3,114,273	14.8	4,115,843	16.2	0.93
6,024,837	25.1	11,759,965	42.0	10,166,227	48.2	12,671,403	49.8	0.80
79,517	0.3	87,331	0.3	4,127	0.0	1,407	0.0	0.30
23,977,093	100.0	27,986,228	100.0	21,086,412	100.0	25,433,716	100.0	1.00

注）ニューヨーク都市圏のうちニューヨーク州のキングス，クイーンズ，ニューヨーク，ブロンクス，リッチモンド，ウェストチェスター，ナッソー，サフォルク，オレンジ，ダッチェス，アルスター郡を，シカゴ都市圏のうちイリノイ州のクック郡，デュページ郡，ケーン郡，ケンドール郡，レイク郡，マクヘンリー郡，ウィル郡，グランディ郡，イディアナ州レイク郡とポーター郡を除く。

出所）U.S. Department of Commerce, Bureau of the Census（2019）より筆者作成。

3.2 製造業各業種の動向

表はラストベルト製造業のうち特化係数[4]の高い上位5業種を示している。特化係数が高いのは製金属業（2016年2.36，製鉄，製アルミ），輸送用機械（2.22），機械（1.92），金属加工（1.85），化学（1.63）である。このうち従業者数が顕著に減少したのがニューヨーク，ペンシルベニアの「製金属」（製鉄・製アルミ）であり，2016年には1990年比で半減した。要因として設備老朽化に伴う国際競争力の低下，中国からの輸入品との競合が指摘されており（ペンシルベニア州での聞き取り），事業所も減少，衰退が止まらない。

ラストベルト各州に広く分布する機械は2010年にかけて大幅に減少しているが，2016年には多少回復した。主たる要因は工作機械分野での日本，ドイツ，中国勢との競合であるが，2010年以降は米国内製造業の増産により従業者がやや増加した（ミシガン州での聞き取り，オハイオ州での聞き取り）。国際競争力の強い事業所が生き残り，規模を再拡大しているほか，日本，ドイツ等の外資系工作機械企業が進出している（ミシガン州での聞き取り，オハイオ州での聞き取り）。ウェストバージニア州等に立地する化学は2000年にかけての国際競争激化，事業再編でラストベルト生産拠点が集約・合理化され従業者が大幅に減少したが，2000年代半ば以降はシェール革命に伴うエネルギー価格の低下により横ばいあるいは堅調である（全米製造業者協会研究所聞き取り）。

ミシガン州を筆頭とするラストベルト輸送用機械産業および金属加工業（自動車・同部品・関連製造業を主力とする）は浮き沈みがある。同輸送用機械産業は1980年代の厳しい対日，対独国際競争を経て1990年代に回復し，外資系企業の生産拠点開設もあり従業者がかなり増加した（Logan 2008）。2000年代には企業経営の悪化を受けた対組合交渉戦略の切り札として，ま

[4] 基準となる地域（本稿の場合，全米）の構成比を分母，比較対象の地域の構成比を分子として算出する指数で，当該地域が相対的にどの産業に特化しているのかを浮き彫りにすることができる（U.S. Department of Commerce, BEA 2020）。数値が1より大きければ大きいほど，米国平均に比べて当該産業の従業者数の割合が大きく，1より小さければ小さいほど米国平均に比べて従業者数の割合が小さいことを示す。

たNAFTA協定が実効化を受け賃金・福利厚生カットを狙いメキシコ進出が本格化した（Scott 2011）。この結果ラストベルトの生産拠点が統合，閉鎖され従業者数は激減した。なお自動車産業における従業者削減には，新鋭設備導入など「技術」の影響のほうが大きいという研究と証言もある（Waslin 2016，ミシガン州における聞き取り）。傍証にとどまるがアメリカでもっともロボット設備が集積しているのはラストベルトである（Leigh and Craft 2018）。2010年以降は国内自動車生産増に伴いミシガン州を中心に従業者が20パーセント以上大幅に回復している。

しかしその過程で第3図からうかがえるようにラストベルトの賃金と福利厚生は大幅にカットされ，4で後述する州政府の労働権導入による製造拠点獲得戦略により，賃金および福利厚生面で製造業労働者の待遇はかなり悪化した。以上のように「20世紀型製造業」がメインとなり，主として先進国間貿易，NAFTAの影響を強く受け，2010年にかけて激減し，労働者の待遇悪化という問題をはらみつつも直近では多少回復しているのが，ラストベルトの製造業と従業者の動態なのである。

3.3　2016年従業者数の特化係数・産業構造高度化と就業構造分極化の評価

続いて2016年の各産業就業者の特化係数を検討し，ラストベルトの産業構造高度化と就業構造分極化が「どの程度」進んでいるのかを明らかにしていこう。第1表を見ると，製造業特化係数（1.38）はやはり高く，米国平均と比較して，ラストベルトが直近でも製造業従業者に依存する性格が強いことが確認できる。サービス業は0.83であり，米国平均ほど発展していない。内訳をみると高賃金である「知識集約型ビジネスサービス（KIBS）および金融業（0.93）」，「それ以外のサービス業（0.80）」となっており，サービス業以外では低賃金の小売業（0.92）も米国平均よりウェイトが低い。

このように従業者特化係数に注目すると「就業構造の分極化は進んでいるが米国平均よりも遅れている」ことと「相対的高賃金産業の従業者ウェイトも平均値に及ばないが，相対的低賃金産業の従業者ウェイトはより平均値に及ばない」という状況が確認できる。これは第一に，絶対数とウェイトともに低下してきたとはいえ，ラストベルトは中程度賃金産業である製造業従業者比率が未だ最も高い地域であるうえに製造業労働者の待遇が悪化してきたこと，第二に，高賃金である「知識集約型ビジネスサービス（KIBS）および金融業」が米国平均ほど発展しておらず，かつそれらの賃金が全米平均より低いこと（U.S. Department of Commerce, Bureau of the Census (annually)），第三に，上述二要因によりラストベルトにおける個人消費が米国平均より振るわないこと，第四に，それらの結果として個人消費依存の低賃金産業の従業者比率が米国平均より低くなっているためと考えられる（U.S. Department of Commerce, BEA（annually）より筆者推計）。前後で検討する製造業従業者の苦境を勘案すると，「Job Polarizationが進んでいない望ましい状態」というよりも，「進捗が米国平均より遅れ，全体として低迷している」というのが実態と判断される。

では上述のラストベルト製造業の苦境，産業構造高度化および就業構造の分極化は製造業労働者にどのような影響を及ぼしたのだろうか。また州政府産業政策は製造業労働者の苦境を救うものだったのだろうか。

4. 製造業労働者の移動先・産業構造高度化のメリット集積地・州産業政策の限界

4.1 ラストベルトの失職労働者の移動先

3で検証したラストベルトの産業構造高度化，就業構造分極化，製造業の苦境は製造業労働者にどのような影響を及ぼしたであろうか。第2表を検討していこう。表からは，2007年に失職した製造業労働者のうち2010年に生産職種に最大の27.1%が再就職していることがわかる。続いて労働市場退出が12.8%を占めており，かなり多い。以下，輸送・資材運搬，オフィス・管理サポート，セールス，建設・採掘，管理的職業等が続く。

ここで注目したいのが，全体のほぼ70%が生産職業・職種と同等か，より賃金の低い職業・職種へ再就職していることである。その中でも多くが輸

第2表　2007年に職を失ったラストベルト8州の労働者の移動先

職業・職種	構成比	平均賃金
生産	27.1	33,770
労働市場退出者	12.8	NA
輸送・資材運搬	8.7	32,660
オフィス・管理サポート	8.0	33,470
セールス	6.5	36,790
建設・採掘	6.2	43,870
管理的職業	5.8	105,440
設計・工学職業	3.8	75,550
設置・メンテナンス・修理	3.8	42,810
建物・敷地清掃	3.3	25,300
ビジネス・金融	2.4	67,690
食事準備・サービス	2.1	21,240
コンピュータ・数学・科学	2.0	77,230
医療補助	1.4	26,920
生命・自然・社会科学者	1.1	66,390
個人ケア・サポート	1.1	24,590
芸術・デザイン・娯楽・スポーツ・メディア	1.0	52,290
セキュリティ	1.0	42,490
農業・漁業・林業	0.8	24,330
教育・訓練・図書館	0.7	50,440
コミュニティ・社会サービス	0.2	43,180
医療訓練・技術的職業	0.1	71,280
合計	100	44,410

注1）未回答のサンプルは除外し分析した。

注2）元データはUS Bureau of the Census (2012), Displaced Worker Survey 2010. しかし統計局からは非公表であり，そのためNBER, CESより同データを入手し，筆者分析。

出所）NBER, CES (2012).

送・資材運搬，建設・採掘などブルーワーカーと要求スキルレベルが似ている職業・職種へ移動しており，ごく一部は食事準備・サービス等，より低賃金の職業・職種に再就職している。食事準備・サービス，医療補助等の低賃金職業・職種に移動している労働者が想定よりは少ないが，かわりに労働市場退出者が12.7%とかなり存在していることが分かった。低賃金職業への移動をよしとせず「労働市場から退出」した労働者がそれなりにいることが示唆される。このようにラストベルトの製造業は基本的には従業者を減少させた。遅れつつも進んでいた産業構造高度化，就業構造分極化というプロセスにおいて，「上層移動」ではなく「水平移動か転落あるいは労働市場退出」を余儀なくされた製造業労働者が大半なのである。

4.2　都市部対郡部・州産業政策の限界

さらに3で検討したラストベルトにおける産業構造高度化と就業構造の分極化は，空間的に均一には進まなかったことに注目したい。各産業の事業所，従業者が大都市圏を1とした場合，大都市圏外にどの程度存在しているのかという指数を示す，第3表を検討していこう。表からは製造業の従業者指数が2.46と，大都市圏外に主として分布していること，対照的に都市オフィス型産業である知識集約型ビジネスサービス（KIBS）および金融業は主として大都市圏に集中していることが確認できる。宿泊・飲食，管理サポート・廃棄物処理という低賃金サービス業は大都市圏外により分布している。高賃金産業の集積をメリットと考えるならば，メリットはより大都市圏へ，デメリットはより大都市圏外へ集中しているのである。

これは第4図の示す「大都市圏はクリントンを，それ以外はトランプを」支持したという2016年大統領選挙結果とほぼ照応する。なお製造業従業者の減少に対して，ラストベルト州政府は産業政策を工夫してきた。たとえばペンシルベニア州ピッツバーグは知識集約型ビジネスサービス（KIBS）および金融業への産業構造転換に成功し（Ward 2015, NEPIRC 2018, ペンシルベニア州での聞き取り），ミシガン州もデトロイト近郊，アナーバーなどの大都市圏へ，ウィスコンシン州もミネアポリス，ミルウォーキーなどの大都市圏への知識集約型ビジネスサービス（KIBS）および金融業の集積を進めてきた（Pure Michigan Workforce Development Agency 2013, The MPI Group 2013, ミシガン州での聞き取り）。大都市圏には研究大学が存在し，バイオテクノ

第3表　ラストベルト8州　大都市圏／郡部　就業構造の比較（2016年）

産業	事業所郡部指数（郡部の構成比／大都市圏の構成比）	従業者郡部指数（郡部の構成比／大都市圏の構成比）
農業，林業，漁業および狩猟業	6.23	6.05
鉱業，採石，石油およびガス採掘業	7.79	6.35
建設業	1.10	0.84
公益事業（電気，水道，ガス供給業）	3.11	1.23
製造業	1.81	2.46
金融保険業	1.12	0.61
情報業	0.94	0.48
専門，科学，技術サービス業	0.52	0.35
企業管理サービス業	0.67	0.46
輸送・倉庫業	1.09	0.92
不動産，レンタル，リース業	0.70	0.48
卸売業	0.72	0.63
教育サービス業	0.54	0.62
ヘルスケア，社会サービス業	0.82	1.01
芸術，娯楽，余暇サービス業	1.04	0.59
宿泊，飲食業	1.22	1.09
管理およびサポートサービス，廃棄物管理および修復サービス業	0.84	1.70
小売業	1.24	1.10
その他のサービス業（行政サービスを除く）	1.22	0.90
分類不能	0.56	0.71

注）知識集約型ビジネスサービスの集積が著しい，各州の上位三大都市圏を典型大都市圏と定義し，集計。
出所）U.S. Dept. of Commerce, Bureau of the Census（2018）より作成。

ロジー関連などを生み出すイノベーションの起点となり，直近でも経済状態は良い（Austin氏への聞き取り）。

ミシガン州，ウィスコンシン州，オハイオ州などは製造業イノベーションハブの形成，カスタム生産重視といった製造業の高付加価値化を支援するとともに（Neumann 2016, Bacher eds. 2015およびオハイオ州での聞き取り），

第４図　2016大統領選挙：「ラストベルト」におけるトランプ／クリントン支持の分布：「郡部VS大都市圏」

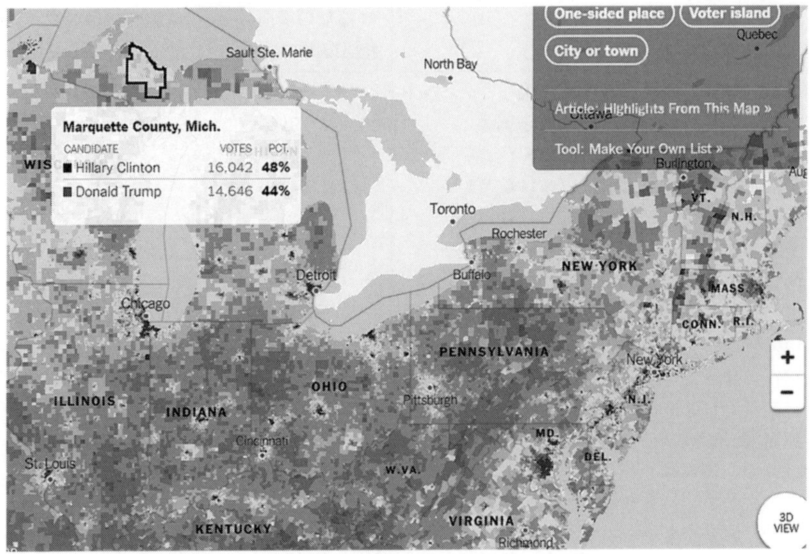

出所）New York Times（2018）より作成。

製造業工場引き留め・誘致のため労働権（Right to Work，労働組合に入らなくてよい権利）導入（Oosting 2013），租税優遇措置，インフラ整備も行ってきた（山縣 2019）。しかし本稿で検討した通り，趨勢として製造業従業者の待遇は悪化し，従業者数も大幅に減少したのち，リーマンショック前水準を回復できていない（U.S. Department Labor, BLS 2019）。さらに産業構造高度化と就業構造分極化の「果実」は，大都市圏に集中し，製造業労働者の再就職には有利に作用しなかった。大都市圏有利に機能した州産業政策への不信感は，Cramer（2016）がウィスコンシン州における超保守派，スコット・ウォーカー知事誕生の背景として鋭く指摘したところであるが，2016年大統領選挙ではより広く影響し，ラストベルトの多くの州におけるトランプ現象の背景をなした可能性がある。

5. 結論

本稿は，ラストベルトの産業構造高度化，就業構造の分極化，その過程における製造業労働者の境遇の変化を追跡した。ラストベルトの製造業は基本的に苦境・縮小傾向にあったものの，2010年から2016年にかけて多少従業者を回復した。2016年時点でラストベルトは最も製造業従業者に依存する傾向の高い地域のひとつであること，しかしながらラストベルトの産業構造高度化，就業構造分極化は「アメリカ平均より遅れつつ進行」していること，一連の過程の中で製造業従業者の待遇は低下し，知識集約型ビジネスサービスおよび金融業の賃金も米国平均より低いなど高賃金産業・職業があまり存在せず，結果として地域内個人消費が振るわなかったこと，そのために個人消費活動に依存する対人サービス，小売業などの低賃金産業の従業者比率も米国平均以下であることを確認した。

「遅れつつも進んでいる」産業構造高度化，就業構造分極化過程において，ラストベルトの失職製造業労働者は，基本的にはブルーカラー労働に親和性のある生産職種や輸送等の職業に再就職し，高賃金職業，低賃金職業への再就職は多くなかった。かわりに「労働市場退出」がある程度存在していた。つまり製造業労働者は，基本的に縮小し待遇の低下してきた製造業かそれと同等の技術・賃金の職業に移動するほかなく，労働市場からの退出者もかなり出たことが確認された。

さらに高賃金産業職業は，大都市圏に集中する傾向があり，製造業と低賃金産業職業は，大都市圏外（郡部）により分布する傾向が確認された。産業構造高度化の「メリット」はより大都市圏へ，デメリットは大都市圏外（郡部）により集積していたのである。これは2016年大統領選挙における「大都市圏はクリントンを，大都市圏外（郡部）はトランプを支持」という支持分布と良く照応する。

なおラストベルト州政府は経済や製造業の低迷を放置したのではなく，州産業政策で対処しようとしてきた。ペンシルベニア州はピッツバーグを，それ以外の州政府も，大都市圏を高賃金である知識集約型ビジネスサービス（KIBS）および金融業の集積地に変える努力をし，ある程度の成果を得てきた。つまり産業構造高度化を推進してきたのであるが，その果実は大都市圏のみに集中し，主として大都市圏外に分布する製造業労働者にはほとんどメリットはなかったことが確認された。ウィスコンシン州やミシガン州は製造工場を獲得するために「労働権」を導入し，賃金や福利厚生カットを甘受することで，製造工場の新設や増設を獲得し，2010年以降，製造業従業者をある程度回復させた。しかしこの戦略は製造業労働者の待遇悪化を招いた。つまり州産業政策は，全体として製造業労働者の不満を解消するものではなかったものと考えられる。

参考文献・資料

①文献

Autor, D., L.F. Katz and M.S. Kearney (2006), The Polarization of the U.S. Labor Market, *American Economic Review*, 96(2): 189–194.

Autor, D. and National Bureau of Economic Research (2010), *The Polarization of Job Opportunities in the U.S. Labor Market, Implications for Employment and Earnings*, Center for American Progress, The Hamilton Project, Center for American Progress.

Autor, D., D. Dorn and G. Hanson (2013), The Geography of Trade and Technology Shocks in the United States, *American Economic Review Papers and Proceedings*, American Economic Association.

Autor, D., D. Dorn and G. Hanson (2015), Untangling Trade and Technology: Evidence from Local Labor Markets, *The Economic Journal*, 125: 621–646.

Autor, D., D. Dorn, G. Hanson and K. Majlesi (2016), A Note on the Effect of Rising Trade Exposure on the 2016 Presidential Election, *Appendix to* “Importing Political Polarization? The Electoral Consequences of Rising Trade Exposure,” *MIT Working Paper*, January 2017.

Alder, S., D. Lagakos and L. Ohanian (2014), *Competitive Pressure and the Decline of the Rust Belt: A Macroeconomic Analysis*, NBER Working Paper No. 20538.

Bacher, T. (eds.) (2015), *Under the Rust Belt*, U of Akron Press.

Neumann, T. (2016), *Remaking the Rust Belt*, U. of Pennsylvania Press.

Bell, D. (1973), *The Coming of Post-Industrial Society: A Venture in Social Forecasting*, Basic Books.

Bernard, A.B., J.B. Jensen and P.K. Schott (2006), Survival of the best fit: Exposure to low-wage countries and the (uneven) growth of U.S. manufacturing plants, *Journal of International Economics*, 68(1): 219–237.

Cambridge University Press (2020), *Cambridge Dictionary*, Cambridge University Press, (https://dictionary.cambridge.org/ja/dictionary/english/trumpism, as of February 12, 2020).

Cramer, K.J. (2016), *The Politics of Resentment: Rural Consciousness in Wisconsin and the Rise of Scott Walker*, U. of Chicago Press.

Drucker, P. (1969), *The Age of Discontinuity*, Harper & Row.

Feyrer, J., B. Sacerdote and A.D. Stern (2007), *Did the Rust Belt Become Shiny? A Study of Cities and Counties That Lost Steel and Auto Jobs in the 1980s*, Brookings-Wharton Papers on Urban Affairs: 41–102.

Goldstein, A. (2017), *Janesville: An American Story*, Simon & Schuster.

Harrison, B. and B. Bluestone (1984), *The Deindustrialization of America*, Basic Books.

Gregory, D., *et al.* (2017), *The Dictionary of Human Geography*, 5th Edition, Wiley-Blackwell: 660.

Lagakos, D. and L. Ohanian (2018), Labor Market Conflict and the Decline of the Rust Belt, *UCR Economics*, April 9, 2018.

Leigh, N.G. and B.R. Kraft (2018), Emerging robotic regions in the United States: insights for regional economic evolution, *Regional Studies*, 52(6): 804–815.

Linkon, S. (2018), *The Half-Life of Deindustrialization: Working-Class Writing about Economic Restructuring*, University of Michigan Press.

Logan, J. (2008), Belted by NAFTA? A Look at Trade's Effect on the US Manufacturing Belt, *Regional Studies*, 42(5): 675–687.

McQuarrie, M. (2017), The revolt of the Rust Belt: place and politics in the age of anger, *The British Journal of Sociology*, 68(S1): 120–152.

Miles, I. (2012), "KIBS and Knowledge Dynamics in Client-Supplier Interactions", in Di Maria, R. Grandinetti, and B. Di Bernardo(eds.), *Exploring Knowledge-Intensive Business Services*, Malgrave MacMillan.

New York Times (2018), *Political Bubbles and Hidden Diversity: Highlights From a Very Detailed Map of the 2016 Election (as of August 3, 2018*, https://www.nytimes.com/interactive/2018/07/25/upshot/precinct-map-highlights.html).

Noland, M. (2019), *Protectionism under Trump: Policy, Identity, and Anxiety*, Peterson Institute for International Economics.

Norris, P. (2016), "Trump, Brexit, and the Rise of Populism: Economic Have-Nots and Cultural Backlash," *HKS Working Paper*, Harvard Kennedy School, No. RWP16-026.

Oosting, J. (2013), Michigan is officially a right-to-work state, but critics vow to continue fight, *Advance Local*, Mar 28, 2013.

Scott, R.E. (2011), *Heading South: U.S.-Mexico trade and job displacement after NAFTA*,

Economic Policy Institute.

Spence, M. and S. Hlatshwayo (2011), *The Evolving Structure of the American Economy and the Employment Challenge*, the Council on Foreign Relations.

UrbanDictionary.com (2020), "Trumpism," *Urban Dictionary*, UrbanDictionary.com, (https://www.urbandictionary.com/define.php?term=Trumpism, as of February 12, 2020).

Vance, J.D. (2016), *Hillbilly Elegy: A Memoir of a Family and Culture in Crisis*, William Collins.

Ward, A.D. (2015), *Beyond Rust: Metropolitan Pittsburgh and the Fate of Industrial America*, U. of Pennsylvania Press.

Waslin, M. (2016), *Robots, Not Immigrants, Are Replacing U.S. Manufacturing Workers*, Immigration Impact is a project of the American Immigration Council.

YAMAGATA, H. (2017), Dynamics of the U.S. Industrial Structure after Lehman Brothers' Bankruptcy: Innovation, Globalization, the Social Division of Labor, and Income Polarization, *Rikkyo Economic Review*, 71(1): 65–102.

大阪市立大学経済研究所編（1992）『経済学辞典 第3版』岩波書店.

金成隆一（2017），『ルポ トランプ王国――もう一つのアメリカを行く』岩波新書.

金成隆一（2018），『記者，ラストベルトに住む』朝日新聞社.

河音琢郎・藤木剛康編（2016），『オバマ政権の経済政策』ミネルヴァ書房.

辻正次・竹内信仁・柳原光芳（2019），『新版　経済学辞典』中央経済社.

山縣宏之（2019），「トランプ現象の経済的背景」『大原社会問題研究所雑誌』No. 725, 53–71 頁.

②政府統計・州産業政策担当公社のレポート

National Bureau of Economic Research (NBER), U.S. Census Bureau's Center for Economic Studies (CES) (annually), *Manufacturing Industry Database of CES*, NBER. 統計局より非公表，NBER, CES より入手.

National Bureau of Economic Research (NBER), U.S. Census Bureau's Center for Economic Studies (CES) (2012), *Displaced Workers Survey 2010*, NBER. 元データは American Community Survey の一環として実施，しかし統計局より非公表であるため，NBER, CES より入手.

NEPIRC (2018), *Industrial Resource Center Impact on Manufacturing in Rural Pennsylvania 2009-2016*, NEPIRC.

Pure Michigan Workforce Development Agency (2013), *Manufacturing Cluster Workforce Analysis*, Pure Michigan Workforce Development Agency.

The MPI Group (2013), *The Wisconsin Economic Future Study: State wide and Regional Analysis*, The MPI Group.

U.S. Bureau of the Census (2006) and (2012), *Displacement Workers Survey 2004, 2010, USGPO*. いずれも統計局非公表，NEBR, CES より入手.

U.S. Bureau of the Census (annually), *Current Population Survey*, USGPO. ただし同センサス

と同時に行われる Displaced Workers Survey は統計局非公表の内部データであるため，NBER, CES に依頼して入手.

U.S. Bureau of the Census (1972a), (1982a), (1992a), (2002a), (2012a), *Census of 1970, 1980, 1990, 2000, 2007*, USGPO.

U.S. Bureau of the Census (1972b), (1982b), (1992b), (2002b), (2012b), (2017), *State Estimates*, USGPO.

U.S. Department of Commerce, BEA (annually), *Input-Output Accounts Data*, USGPO.

U.S. Department of Commerce, BEA (2020), *What are location quotients (LQs)?*, (as of February 16, 2020, https://www.bea.gov/help/faq/478).

U.S. Dept. of Commerce, Bureau of the Census (2018), *County Business Patterns 2016*, USGPO. ただし経済分析局作成の，ラストベルト 8 州分のカスタマイズ表による.

U.S. Department of Commerce, Bureau of the Census (annually), *County Business Patterns*, USGPO.

U.S. Department of Labor, Bureau of the Labor Statistics (BLS) (annually), *Employment and Earnings and Current Employment Statistics*, USGPO.

U.S. Department Labor, BLS (2019), *Current Employment Statistics*, USGPO.

③聞き取り調査

Austin, J. 氏（ブルッキングス研究所，ラストベルト経済研究者）への聞き取り（2019 年 8 月 3 日）.

オハイオ州での聞き取り（2014 年 9 月 3 日，2016 年 9 月 8 日，Ohio State, Department of Commerce，T 産業用機械工場，IAM Local Union 1519）.

全米製造業者協会研究所での聞き取り（2014 年 9 月 2 日）.

ペンシルベニア州での聞き取り（2019 年 9 月 6 日，Department of Community & Economic Development, U 製鉄所）.

ミシガン州での聞き取り（2014 年 9 月 4 日，5 日，2016 年 9 月 7 日，2019 年 9 月 5 日，Michigan State, Talent and Economic Development, Workforce Development Agency, 自動車組立工場 F 工場，同部品 D 工場，チェーンソー企業 C 社，UAW Local 6000, IAMA Flint）.

Summary

Analysis on the Economic Conditions in the U.S. Rust Belt: Dynamics of Industrial Structure and Job Polarization, Changing Situation of Manufacturing Workers, and Limits of State Industrial Policy

Hiroyuki Yamagata (College of Economics, Rikkyo University)

This paper focuses on the economic conditions of U.S. Rust Belt, which is known backgrounds of the birth of the Trump administration. We focus on the advanced industrial structure, job polarization, and the changing situations of manufacturing workers in the process. This paper uses the U.S. government economic statistics, federal government hearing records, state governments reports, and research institutes reports, and authors interviews conducted in the Rust Belt such as Michigan. They show the difficulties of workers and the limits of state industrial policy in the process of advanced industrial structure and job polarization.

投稿論文

アメリカ2017年減税・雇用法（いわゆるトランプ減税）の企業課税，国際課税面の意義と課題*

立命館大学経済学部　河音　琢郎**

要旨

2017年12月に成立をみた減税・雇用法（いわゆるトランプ減税）の画期性は，法人税率の大幅引き下げと国際課税改革にある。本稿では，同法の内容を，アメリカ産業の知識集約型への転換とグローバル化への税制の対応過程として捉え，そのルーツが2010年代中半の議会における超党派での政策議論にあり，トランプの支持基盤の要求とは異なるものであることを示す。その上で同法成立に果たしたトランプの役割とその政治的意義を峻別して明らかにする。

キーワード：トランプ減税，税制改革，国際課税，法人税

---

* 本稿は科研費（課題番号18K11827研究種目基盤研究（C）「『チャイナ・トレード・ショック』とアメリカ製造業：労働・中間層対策・通商・地域」）の助成を受けた研究成果の一部である。また，本稿は，2019年9月29日に開催された日本国際経済学会第78回全国大会の企画セッション「アメリカ・トランプ政権誕生の背景と政策の検証」における研究報告を基にしている。上記企画セッションにおいて座長を務め，企画運営にご尽力いただいた山縣宏之教授（立教大学）及び報告に対して貴重なコメントをいただいた萩原伸次郎教授（横浜国立大学）に対して，記して感謝申し上げる。

** E-mail: kawane31@fc.ritsumei.ac.jp

1. はじめに

2017年12月に成立をみた減税・雇用法（The Tax Cuts and Jobs Act of 2017, 以下TCJAと略）は，トランプ政権，共和党多数派議会統一政府下において，内政面での最大かつ唯一の立法成果である。TCJAは個人所得課税の改革をも含む広範囲にわたるものだが，その最大の主眼は，法人税率の大幅引き下げ（最高税率35%→21%比例税率）と国際課税改革にある。TCJAが，レーガン政権期の1986年税制改革法以来の大規模税制改革立法と評されるゆえんもこの点にある[1)]。

それゆえ，本稿では，法人税，国際課税改革に焦点を絞ってTCJAの特徴づけを行い，知識集約化とグローバル化が進むアメリカ経済において，本税制改革がどのような問題意識をもって制定されるに至ったのか，その政策形成過程を分析し，TCJAがアメリカ経済および多国籍企業，さらには国際的な租税システムにとってもつ意義について考えたい。

TCJAの国際課税改革がこれまでのアメリカの国際課税ルールに対して抜本的な転換を迫るものであったこと，およびその構想はトランプ政権に先立つ，オバマ政権期の連邦議会における超党派的な議論を引き継いだものであったことは，Shaheen, Graetz, Kysar and Morse（2019），吉弘（2018）などにおいてすでに明らかにされている。しかしながら，こうした2010年代の議会における法人税，国際課税改革構想がなぜトランプ政権において立法化に至ったのか，またその異同はいかなるものなのかについては十分な検討がなされているとは言えないのが現状である。

それゆえ，本稿では，TCJAの政策形成過程について上記の先行研究の到達点を基にトレースし直すと同時に，TCJA成立において果たしたトランプ政権の役割についても検討を行い，同法がトランプ政権の支持基盤にとって有する政治経済的意味についても明らかにしたい。

---

1) TCJA全体の概要については，さしあたり，Avi-Yonah, Kamin, et al.(2019)，瀬古(2019)，を参照されたい。

叙述は以下のように進める。第1に，TCJAの法人税改革，国際課税改革の特徴について，その経済的背景を踏まえて概観する。第2に，TCJAの国際課税改革のひな型となったとされる2014年税制改革法案とそれ以降の政策論争をトレースし，TCJAの諸規定と対比した形で検討する。そのことにより，TCJAにおいて実施された法人税率引き下げと国際課税改革が，知識集約型産業構造への転換，多国籍企業のグローバルな展開といった諸課題に応えるための超党派的な性格をもつものであったことが明らかとなるであろう。第3に，TCJA立法過程におけるトランプ政権の役割について検討する。そのことにより，トランプの支持基盤の利害に反する性格を有するTCJAがなにゆえに成立を見たのか，またTCJA成立に果たしたトランプ政権の役割は何であったのかをその政治的含意という側面から明らかにする。

なお，本稿執筆時点（2019年11月）においては，TCJAがアメリカ多国籍企業及びアメリカ経済に及ぼした経済的帰結については，後述する2018年に限定して実施されたアメリカ多国籍企業海外子会社の留保所得の本国還流に対する軽減課税措置をはじめとした特殊的要因があることから，短期的な視点からの評価にとどまらざるを得ない。それゆえ，本稿においては，TCJAが及ぼした経済的インパクトを2018年の経済パフォーマンスにおける短期的側面と，構造的，中長期的側面とに区別し，前者についてはアメリカ商務省のマクロ統計によりその検証を行うと同時に，後者の評価については仮説的に提示するにとどめる。

2. TCJAの法人税改革，国際課税改革の特徴[2)]

TCJAの法人税改革の最大の目玉は法人税率の大幅引き下げである。TCJAは，1993年以来手をつけられることがなかった法人税率（15%，25%，24%，34%，35%の累進税率）を比例税率21%に大幅に引き下げた。トランプが大統領選挙時に公約した15%には及ばないものの，きわめて大幅な

2) 以下に述べるTCJAの法人税，国際課税改革の概要については，河音（2019b）をもあわせて参照されたい。

税率引き下げ，減税であることに変わりはない。

TCJAに盛り込まれた国際課税改革は以下4点にまとめることができる。

第1は，アメリカ企業に対する全世界所得課税から領域主義課税への転換である。一般にクロス・ボーダーの所得課税のルールは，納税者が居住者であることを基準とし，納税者が世界中のどこで稼いだ所得であるかを問わず，当該納税者のすべての所得を課税対象とする全世界所得課税と，所得の発生した源泉地を基準として，国内で発生した所得のみを課税対象とする領域主義課税とに分かれる[3)]。欧州諸国や日本など他の先進諸国では領域主義課税が支配的となっているが，アメリカにおいては，国内居住者に対しては全世界所得課税を，アメリカに所在する海外居住者に対しては領域主義課税を原則とするという，ハイブリッド方式が採用されてきた。

全世界所得課税といっても，アメリカ企業の海外子会社が稼いだ所得について捕捉することは困難であるから，原則としてアメリカの課税当局は海外子会社が本国会社にその所得を還流させる時点で課税する以外にすべはない。それゆえ，アメリカ多国籍企業は，アメリカ本国に所得を還流させず，海外子会社に利益を留保し続け，このことがアメリカ国際課税上の大きな課題とされてきた。第1表は，アメリカ企業の事業活動において本来課税に服すべき金額を租税支出として定義し，その推移を見たものである。機械設備等に対する加速度償却措置などの伝統的な租税優遇措置に伴う租税支出に比して，21世紀に入り，海外子会社に所得が留保されて課税が繰り延べられている租税支出額が大きな比重をなしてきていることが分かる。

こうしたアメリカ多国籍企業の海外に留保された所得に対して，TCJAは，これまでの全世界所得課税から領域主義課税へ転換し，海外子会社から本国へ還流される配当に対する課税権の放棄を宣言した。

第2は，知的財産権，研究開発費，顧客情報等のマーケティング資産をは

---

3) 一般に，領域主義課税においては国外源泉所得を免除する（国外所得免除方式）ことにより，全世界所得課税においては外国税額控除により，国際的二重課税を排除することとされている。

第1表　主な事業活動に対する租税支出の現在価値：単位10億ドル

	1995	2000	2005	2010	2015	2017
海外子会社所得の課税繰延	1.7	6.4	10.0	23.3	44.6	63.6
研究・実験支出の費用計上	2.5	1.7	2.4	2.8	3.0	3.4
生命保険契約の課税繰延	—	21.2	19.6	19.2	13.9	—
賃貸住宅の加速度償却	1.8	4.5	16.1	6.6	14.8	14.1
その他建物の加速度償却	0.4	0.5	16.0	－13.5	－11.3	－5.3
機械設備の加速度償却	18.7	35.8	64.3	15.2	12.1	27.2
特定少額投資の費用計上	1.2	1.1	1.1	0.0	0.6	1.3
適格学費プランの課税繰延	—	—	—	8.5	3.8	4.0
低所得者住宅投資税額控除	2.4	2.5	4.0	5.9	5.8	9.1
私的年金の所得控除	53.1	131.4	200.0	229.2	103.6	121.9
州・地方債所得控除	25.3	24.8	26.5	26.3	16.6	20.8

出所）OMB, "Tax Expenditure," *Budget of the U.S. Government: Appendix*, various issues, より作成。

じめとした無形資産に対する優遇税制の導入である。知識集約産業への産業構造の転換が進むに伴い，企業の無形資産投資の比率は高まる傾向にあり（第1図を参照），これに伴い企業活動の所得源泉としての無形資産もまたその意義が増している。また，無形資産は設備等の有形資産に比してモビリティが高く，多国籍企業のグローバルな租税戦略と密接に結びついている。近年，こうした無形資産の重要性の高まりに対応して，欧州諸国等では，無形資産に派生する所得に対する課税を優遇し，無形資産を自国に囲い込もうとするパテント・ボックスと呼ばれる租税政策を採用することが支配的となっている。

こうした他先進諸国の動きに対抗するために，TCJAでは，グローバル無形資産に対する低税率での課税措置（Global Intangible Low Tax Income，以下GILTIと略）と，アメリカ国内所在の無形資産に依拠して海外への輸出で稼いだ所得に対する軽減課税措置（Foreign Derived Intangible Income，以下FDIIと略）という2つの制度を設けた。GILTIは，アメリカ企業の海外所在無形資産から派生する所得を対象としたもので，これらに対しては全世界所得課税の原則を適用し，アメリカの法人課税の対象とする一方で，GILTIに

第１図　民間固定資本投資の構成比の推移：1945〜2018 年：単位％

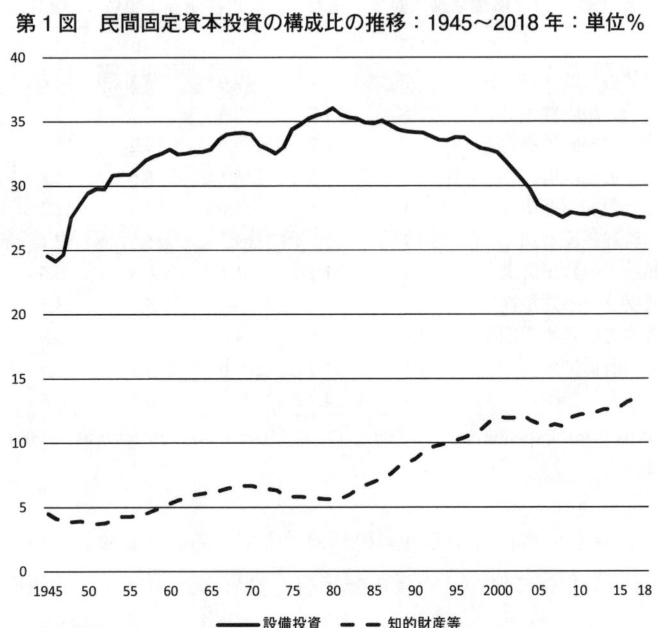

出所）BEA (2019), *Investment in Fixed Assets*, Table 2.1. Current-Cost Net Stock of Private Fixed Assets, Equipment, Structures, and Intellectual Property Products by Type, issued on Aug. 8, より作成。

対しては50％の所得控除を認めることで軽減課税するというものである。これに対して，FDIIは，アメリカ国内に所在する無形資産から派生する所得のうち，海外輸出により稼がれた所得を対象とするもので，GILTIと同じく50％の所得控除により軽減課税される。GILTI，FDIIいずれも，無形資産に派生する所得に関しては，全世界所得課税の原則を堅持する一方で，軽減課税措置をとることにより，無形資産を本国に囲い込むことを企図している[4)]。

[4)] FDIIについては，直接税である法人課税において仕向地主義原則を採用していることから，WTO協定に違反しているとの批判がある（Avi-Yonah, Kamin, et al. (2019), pp. 1499–1503）。これに対して，TCJAの立法推進者は，GILTIとFDIIとが一体のものであるとの理解に立脚し，WTO協定には抵触しないとの見解を示している。

ただし，企業所得が通常の事業活動から得られたものなのか，無形資産に由来するものなのかの区別については，GILTI，FDII はともによりシンプルな制度設計となっている。すなわち，GILTI，FDII ともに，企業の有形資産に対する 10％を超える所得を超過利潤として無形資産から派生した所得と見なし，これらの所得に対して軽減課税する。この点は，無形資産に依拠した所得を厳密に峻別するという，欧州諸国において支配的なパテント・ボックス課税とは相当異なる制度設計となっている[5]。

第 3 は，上記のような国際課税の対策を講じてなお生じうる多国籍企業の税源浸食行動を抑止するためのミニマム課税の創設で，税源浸食・租税回避防止税（Base Erosion and Anti-Abuse Tax，以下 BEAT と略）と呼ばれる。BEAT の対象となるのは総収入 500 万ドル以上の巨大多国籍企業で，当該企業が税源浸食による海外への移転所得を有していると見なされた場合，当該所得を国内所得と合算した上で 10％のミニマム税率で課税される。すなわち，多国籍企業に対して，BEAT に依拠してミニマム課税を選択するか，BEAT 所得を放棄して国内法定税率での課税に服するかの選択肢を迫り，これによって多国籍企業の税源浸食行動を抑止しようというものである。

第 4 は，TCJA 施行前に海外子会社に留保された過去の所得の本国還流を促すための一時的な軽減課税措置である。これらの海外留保所得が 2018 年の 1 年間にアメリカ本国に還流された場合，8～25％の税率で軽減課税される。これは 2005 年に G.W. ブッシュ政権時に実施された措置と同じものであるが，海外子会社からの本国還流をより促進するために，8 年間の分割納税を認めるものとなっている。なお，この一時的軽減課税措置がいかなる経済的インパクトをもたらしたかについては，後の節で検討を加えたい。

---

5) TCJA の無形資産課税と欧州諸国におけるパテント・ボックス課税との課税方式の違いは，プラットフォーム企業をはじめとした多国籍企業のデジタル・コンテンツから派生する所得に対する課税，すなわちいわゆるデジタル課税のあり方についても重要な論点を提起しているが，本稿では詳述しない。デジタル課税をめぐる議論については，さしあたり篠田（2019），河音（2019a），を参照されたい。

3. 過去の法人税・国際課税改革と TCJA の比較検討

TCJA の法人税，国際課税改革がアメリカ経済や多国籍企業の行動様式にいかなる影響を与えるのかについて，現時点で評価するのは時期尚早である。そこで，本稿では，TCJA 成立に先立つ 2010 年代における法人税，国際課税改革をめぐる連邦議会，オバマ政権内での政策議論をトレースし，それらと TCJA とを対比することにより，TCJA の政策的含意を検討してみたい。なお，政策論点をより明確にするために，以下では，a）法人税率引き下げ，b）全世界所得課税から領域主義課税への転換，c）無形資産から派生する所得に対する課税の取扱い，d）税制改革に伴う代替財源の確保，の 4 つの論点に絞って検討する。

TCJA の諸規定の事実上のひな型となったのは，2014 年に連邦議会下院歳入委員会委員長のデイブ・キャンプ（Dave Camp，共和党，ミシガン州）がとりまとめた 2014 年税制改革法ディスカッション・ドラフト（U.S. Congress, House, Committee on Ways and Means (2014)）であったと言われている（Cary and Holmes (2019)）。同ディスカッション・ドラフトは，当時オバマ政権下の分割政府では成立の見込みがないことを前提に，上程すらされることなく終わったものの，その包括性ゆえに，議会，政権，及び各種のシンクタンクにおいて活発な議論が展開された。

2014 年ディスカッション・ドラフトの法人税，国際課税改革の課題意識は以下のようなものであった。欧州諸国をはじめ各国が法人税減税，領域主義課税への転換，パテント・ボックス課税といった形で改革を進めているのに対して，アメリカの税制改革は旧態依然で遅れをとっている。このことが，アメリカ企業の国際競争力の相対的地位低下を招くとともに，多国籍企業の海外子会社への所得留保傾向を阻止できず，そのためにアメリカ国内経済への投資を低迷させ，企業の租税回避を助長し，アメリカの租税システムは制度疲労を起こしている[6)]。

このような課題意識の下，2014 年ディスカッション・ドラフトは，以下のような法人税，国際課税改革を提起した。第1に，法人税の最高税率を当時の35%から25%に引き下げる。第2に，アメリカ多国籍企業の海外子会社からの本国への配当還流に対して95%の所得控除を適用し，実質的に全世界所得課税から領域主義課税へ転換する。第3に，欧州諸国のパテント・ボックス課税に対抗するため，有形固定資産の10%を超える所得を無形資産から派生する所得と見なし，これら所得に対して50%の所得控除で軽減課税する。いずれも，TCJAに盛り込まれた内容と軌を一にする提案である。

上記のようなキャンプ歳入委員長の提案を受けて，翌2015年には，ロブ・ポートマン（Rob Portman，共和党，オハイオ州），チャック・シューマー（Chuck Schumer，民主党，ニューヨーク州）を共同議長とする国際課税改革に関する超党派作業グループが上院財政委員会に設けられ，当時のオバマ政権，財務省を含めた政府関係者，シンクタンク，業界団体等に対するヒアリングを経て国際課税改革に関する最終報告書がとりまとめられた。その概要はおおむねキャンプの2014年ディスカッション・ドラフトにおける提起を肯定的に評価したものであった（Portman and Schumer (2015)）。

このような超党派での法人税，国際課税改革の動きに対して，当時のオバマ政権と財務省は，現行税制からの転換に対して以下のような懸念を表明した（The White House and the Department of Treasury (2016)）。すなわち，第1に，アメリカの法人税率が国際的に高い水準にあることは認めつつも，州・地方政府も含めた実効税率ベースでみれば法人税率は極端に高いわけでない。第2に，アメリカ企業に対する現行の全世界所得課税は，各国との企業情報の共有の強化により，多国籍企業の租税回避行為に対する課税を強化することで対応可能であり，課税権を放棄すべきではない。第3に，欧州諸国で進行しているパテント・ボックス課税にアメリカが対抗して算入することは，国際的な課税レジームの効率性を損なう可能性が高く，現行の租税制度で実施

[6] 以上のような2014年税制改革法案ディスカッション・ドラフトの国際課税改革の課題認識については，Pomerleau and Lundeen (2014)，Portman and Schumer (2015) pp. 56–67，を基に整理した。

されているR&D投資に対する税額控除で対応する方が望ましい。総じて，オバマ政権と財務省のスタンスは，現行の法人税，国際課税システムの改変が，他の先進諸国が展開している「底辺への租税競争」にアメリカもまた一国主義的に参画することを懸念し，国際的な租税協調を導くアメリカのリーダーシップを保持し続けるべきという現状維持的なものであった。

以上のような，2010年代の政策論争とTCJAとの対比を整理したものが第2表である。同表からは，第1に，2014年のキャンプによるディスカッション・ドラフトがひな型となってTCJAの法人税，国際課税改革に継承されていること，2016年のオバマ政権，財務省のレポートは，TCJAにつながるアメリカの法人税，国際課税改革のトレンドの傍流，守旧派に位置する存在で

第2表　法人税・国際課税改革に関する2010年代の諸提案とTCJAの比較

	2014年税制改革法ディスカッション・ドラフト	2016年オバマ・財務省レポート	TCJA
法人税率	最高税率を段階的に25%に引き下げ	最高税率を28%に引き下げ	比例税率21%
海外子会社からの配当還流に対する課税	海外子会社からの配当の95%を所得控除	領域主義課税への転換には反対 ミニマム課税による海外留保所得への課税への対応を提案	領域主義課税へ転換し，海外子会社からの配当還流を課税対象としない
無形資産に対する課税	有形固定資産の10%超の所得を無形資産から派生する所得と見なして50%の所得控除で課税	パテント・ボックス課税を「底辺への競争」を促進するとして批判	有形固定資産の10%超の所得を無形資産から派生する所得と見なして50%所得控除で課税
歳入中立原則	歳入中立原則を維持	歳入中立原則を維持	歳入中立原則を放棄（10年間で1.5兆ドルの赤字を前提とした改革）

出所）JCT (2014), The White House and the Department of Treasury (2016), Avi-Yonah, Kamin, et al. (2019), より筆者が作成。

あったことが読み取れる。

しかしながら，第2に，同表からは，2010年代の政策論争とTCJAとで大きな相違点があったこともまた確認できる。すなわち，前者が「歳入中立」，代替財源の確保を前提とした税制改革を構想していたのに対して，TCJAがその立場を放棄しているという点である。法人税率の引き下げ，海外子会社の留保所得に対する課税権の放棄（領域主義への転換），パテント・ボックス課税に対抗する無形資産への優遇措置，これらはいずれも大幅な歳入減をもたらす政策であり，その代替財源の展望が示されることなしには実現困難な課題であった。言い換えれば，TCJA以前の政策論争において，法人税，国際課税の抜本的な転換が構想されながらも実現に至らなかったのは，オバマ政権の抵抗もさることながら，その代替財源の確保をめぐって超党派での一致をみることが適わなかったからであった。

4. TCJA立法化への道程とトランプ政権の役割

歳入中立原則，代替財源確保という論点を一気に吹き飛ばしたことこそ，TCJA成立へ導いたトランプ政権の貢献であった。この点を以下，TCJA成立に至る道程をトレースすることでみていこう。以下では，トランプの大統領選挙立候補からTCJA成立までにおいてなされた各提案をまとめた第3表を参照されたい。

トランプが大統領選挙に立候補した時点での税制改革の公約は，以下2点に要約できる，きわめてシンプルなものであった。第1は，法人税率の15%への大幅引き下げである。法人税減税によりアメリカ企業の競争力が高まれば，アメリカ経済は成長し，雇用が生まれ賃金は上昇する。トランプはきわめてシンプルなトリクル・ダウン理論を展開した。第2に，トランプの支持基盤となった中間層減税とラスト・ベルト地域の主力産業への大胆な設備償却減税である。いずれの減税公約も，代替財源は，無駄な財政支出の削減と減税による経済成長によって確保されるとされた（Trump (2015), pp. 151–158）。

予備選挙においてトランプが共和党エリートの意に反して大統領候補へと

第 3 表　TCJA に至る法人税・国際課税改革に関する各立法提案

	2016 年大統領選時のトランプの公約 2015 年 9 月	Ryan and Brady: A Better Way 2016 年 7 月	2017 年 4 月のトランプ政権の政策提案 2017 年 4 月 26 日	TCJA 2017 年 12 月 21 日成立
法人税率	比例税率 15%に引き下げ	比例税率 20%に引き下げ	比例税率 15%に引き下げ	比例税率 21%に引き下げ
海外子会社からの配当還流に対する課税	言及なし	全世界所得課税から領域主義課税に転換	領域主義課税に転換	領域主義へ転換し，海外子会社からの配当還流を課税対象としない
無形資産に対する課税	言及なし	欧州のパテント・ボックス課税に対抗する優遇課税を実施	言及なし	有形固定資産の 10 %超の所得を無形資産から派生する所得と見なして 50 %所得控除で課税
国境調整税の導入	言及なし	国境調整税を導入	言及なし	なし
歳入中立原則	無駄な財政支出削減と減税による経済成長によって確保	国境調整税により代替財源確保	経済成長と所得控除の削減で実現可能	歳入中立原則を放棄（10 年間で 1.5 兆ドルの財政赤字を前提とした改革）

出所）Trump (2015), Ryan and Brady (2016), The White House (2017), Avi-Yonah, Kamin, et al. (2019), より筆者が作成。

登りつめたことにより，共和党はトランプが投じた「減税爆弾」への対応を迫られた。その役を担ったのが，ポール・ライアン下院議長（Paul Ryan, 共和党，ウィスコンシン州）とケヴィン・ブレディ下院歳入委員長（Kevin Brady，共和党，テキサス州）によって作成された，2016 年大統領選挙における共和党の政策綱領，“A Better Way”であった（Ryan and Brady (2016)）。A Better Way は，トランプの公約からは若干上方修正した 20%への法人税率引き下げ，アメリカ多国籍企業に対する領域主義課税への転換，アメリカ版パテント・ボックス課税創設による無形資産優遇税制を盛り込む一方で，その代替財源として，国境調整税（Border Adjustment Tax，以下BATと略）の導入を提案した。

国境調整税とは，法人税を消費地である仕向地ベースに転換させることを意味する。仕向地ベースの法人税は，理論的には法人税の消費税化であるが，ライアン，ブレディが政策的に意図したのは，輸入大国アメリカにおいてBATが導入されるならば，大幅な増収が見込め，トランプが提起した法人税率引き下げに伴う税収減の代替財源を確保できるからであった（河音，篠田（2018），12–13頁）。トランプの大統領就任が確定した段階で，議会共和党指導部は，BAT導入へと本腰でとりくみはじめた[7]。

しかしながら，議会共和党指導部によるBAT導入の試みは，短期間で潰えることになる。BAT導入が棄却されたのは，ウォルマートなど小売業をはじめとした輸入品を扱う国内市場依存企業からの反発もさることながら，最終的にはトランプ政権のBAT否定が決定打となった（DeBonis and Werner (2017)）。トランプ政権は，2017年4月26日にたった1ページの税制改革プランを提示したが（The White House (2017)），そのペーパーにBATの文字はなかった。A Bette Wayの建て前では，BATはトランプの掲げたアメリカ貿易赤字の削減を実現するツールであったが，BATはそもそもその仕組みが分かりにくく，トランプの支持基盤には届かない。貿易赤字削減には関税引上げが最もシンプルかつ効果的に自身の支持基盤に訴えることができる。トランプはこのような考えから，議会共和党指導部のBAT構想を一蹴で却下し，関税引上げによるアメリカ・ファーストの貿易政策への道を切り開いた（Cary and Holmes (2019)）。

議会共和党指導部は，BATがトランプによって否定されたことにより，

[7] 議会共和党指導部が代替財源策としてBATを選択した背景には，他先進国に比してアメリカのみが中央政府レベルでの付加価値税を有していないことによる，税制上の競争劣位があるとの認識があった（Ryan and Brady (2016), p. 28）。この点についてより詳しくは，河音，篠田（2018）11–12頁を参照されたい。

代替財源のプランの涸渇に横着した。その結果彼らは，歳入中立の原則を投げ捨て，大幅な財政赤字拡大を前提とした税制改革プランを策定することとなった。両院議会共和党指導部は，2017年9月に向こう10年間で1.5兆ドルの財政赤字拡大を容認する予算決議を，党内の反対をなんとか押し切って採択させ，TCJAの策定への隘路を切り開いた（Cary and Holmes (2019)）。

歳入中立の原則が放棄されると，底が抜けたように個別減税を求める動きが議会共和党内で活発化した。議会共和党指導部はその舵取りに難渋したが，この局面でも実を取ったのはトランプであった。トランプは，当初から公約していた中間層減税を個人所得税の一律減税として，さらにはラスト・ベルト産業への租税優遇である設備投資に対する即時償却（いずれも時限立法）を，1.5兆ドルの赤字予算の枠内に盛り込むことに成功し，自身の支持基盤への喧伝の果実を手にした。

5. TCJAの経済的インパクト――短期的な帰結

ここで視点を変え，TCJAがアメリカ経済にもたらしたインパクトについて，アメリカ商務省経済分析局のマクロ統計によりみておこう。ただし，第2節において説明した通り，2018年については当該年に限っての海外子会社留保所得のアメリカ本国還流に対する軽減課税措置という特殊要因が働いているため，現段階でのTCJAの経済的インパクトの評価は短期的な側面にとどまらざるを得ない。

第2図は，アメリカ企業利益の伸び率を，四半期ベース，対前年同期比でみたものである。一見して明らかなとおり，TCJA成立を起点として企業利益が大幅に改善していることが分かる。企業利益伸び率の増加において税引き後利益率が突出していることから分かるとおり，2018年以降の企業利益の改善は，もっぱら法人税率の引き下げが大きく作用していると考えられる。

第3図は，アメリカ多国籍企業の海外子会社から本国への配当還流額を見たものである。一見して明らかなとおり，2018年に巨額の配当還流があったことが分かる。2018年の海外子会社からの配当還流は7,770億ドルにの

第2図　TCJA 成立前後のアメリカ企業利益の対前年四半期比伸び率の推移：2017～2019年：単位%

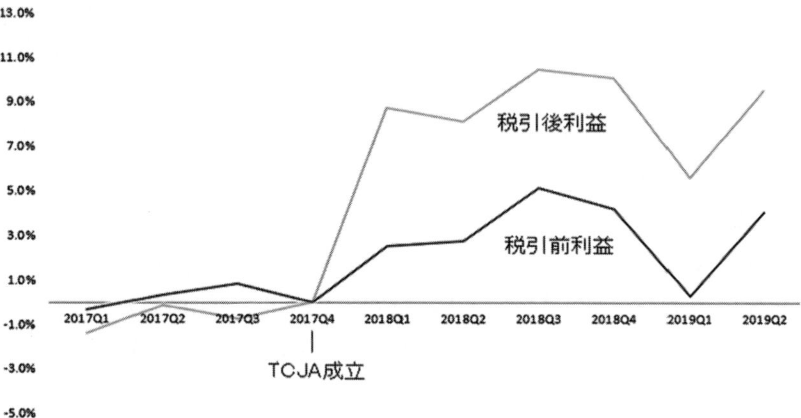

出所）BEA (2019), *National Income and Products Accounts*, Net effects of Changes in the Tax Treatment of Depreciation on Selected Measures of Corporate Profit, issued on Sept. 26, より作成。

第3図　アメリカ企業の海外収益の本国還流：単位10億ドル

350
300
250
200
150
100
50
0
2003 04 05 06 07 08 09 10 11 12 13 14 15 16 17 18 19

出所）BEA (2019), *U.S.International Transaction*, Table 4.2. U.S. International Transactions in Primary Income on Direct Investment, issued on Sept. 19, より作成。

ぼった。この数値をどのように評価するのかは本稿の課題を超えるが，一般にストックレベルでアメリカ多国籍企業が海外に留保している所得が3～5兆ドルと推計されていることと対比すれば，TCJAの一時軽減課税措置により相当額の海外留保所得がアメリカに還流したことになる。また，第4図より，2018年の還流の国，地域別内訳を見ると，バミューダ，アイルランド，オランダといった欧州諸国での事業活動を源泉としてタックスヘイブン諸国に留保されていた所得の還流が大きな割合を占めていることが分かる。

このうちどの程度が2017年以前の過去の留保所得の還流であるのかは不明だが，Setser（2019）の推計によれば，少なくとも総額の半分以上が過去の留保所得の一時的還流であった。第3図によれば，2018年ほどではないにしても，2019年以降も海外子会社からの本国還流は一定の規模で継続し

第4図　2018年のアメリカ海外子会社からの還流の国別構成：単位10億ドル

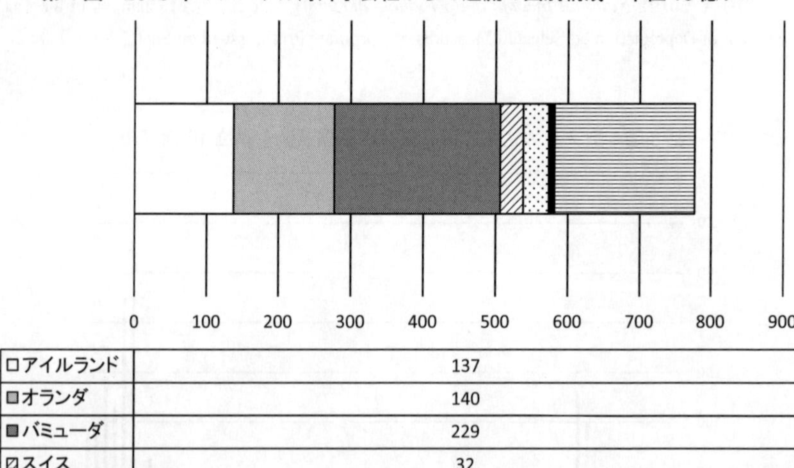

アイルランド	137
オランダ	140
バミューダ	229
スイス	32
シンガポール	36
香港	8
その他	195

出所）Setser (2019), BEA (2019), *U.S. International Transaction*, Table 4.2. U.S. International Transactions in Primary Income on Direct Investment, issued on Sept. 19, より作成。

ていることから，2018年に限った一時的軽減課税措置のみならず，TCJAの領域主義課税への転換をはじめとした国際課税改革が，アメリカ多国籍企業の行動様式に変化をもたらしている可能性も否定できないが，この点についての評価は時期尚早であろう。

今一度短期的視点に立ち戻れば，次に，こうした海外子会社からの還流資金がアメリカ経済にどのようなインパクトを与えたのかという論点が検討されなければならない。この点でまず明らかなことは，海外子会社からの還流配当の大半が，アメリカ親会社の自社株買いに向かったと言うことである（Smolyansky, Suarez and Tabova (2019)）。2018年の還流資金は自社株買いにより株価を高め，高株価経営に貢献した。

このことからTCJAはアメリカの株主至上主義経営に貢献しただけであるとの評価もあるが，事態はそれほど単純ではない。第5図は，企業の固定資本投資の伸び率をみたものだが，どこまでがTCJAに起因するものかはともかく，2018年以降，アメリカ企業の投資活動が活発化していることが分かる。設備投資に関しては，TCJAの有形資産即時償却措置がインセンティブを与えている可能性も踏まえて評価する必要があろう。とはいえ，設備投資の伸び率は2019年に入って鈍化してきていることから，即時償却の効果は想定以上に短期的なものに終わっている可能性が高い。これに対して，知的財産等は高い伸び率を維持しており，こうした無形資産投資とTCJAとの関連が注目される。いずれにせよ，海外子会社からアメリカに還流した資金は，高株価経営を支えたのみならず，高株価を介して間接的にアメリカ企業の投資ブームを招来していることを確認することができる。

ここからさらに問われるべきは，TCJA以降の企業利益の向上，高株価の持続，無形資産をはじめとした投資ブームといった現状が，短期的なインパクトにとどまるのか，それともアメリカ多国籍企業の行動様式の構造的変化を一定程度なりとも反映したものであるのかどうかということである。この点の評価については，今後の研究に委ねざるを得ない。

第５図　非住宅民間固定資本投資の対前年同期比伸び率の推移：単位％

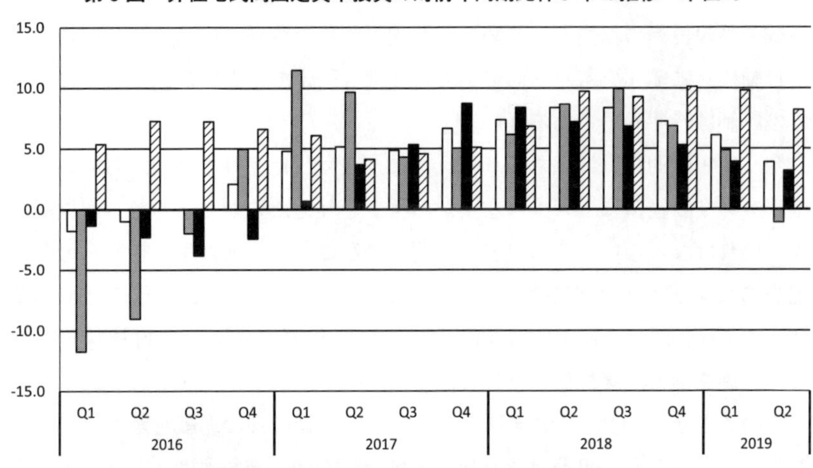

出所）BEA (2019), *Investment in Fixed Assets*, Table 5.3.5. Private Fixed Investment by Type, issued on Sept. 26, より作成。

6. 結論――政策内容の超党派性とトランプにとっての政治的インプリケーション

以上，TCJAの政策形成過程を，2010年代の法人税，国際課税改革をめぐる政策論争とトランプ登場以降の立法過程とに分けて分析してきた。そこから得られる結論は，以下２点である。

第１に，TCJAに結実したアメリカの法人税，国際課税改革は，アメリカ及び世界経済の知識集約化，グローバル化という21世紀に進展した事態を反映し，それに対応するための超党派的合意に基づいた改革であった。法人税率の大幅引き下げ，領域主義課税への転換，無形資産に対する優遇課税制度の創設に典型的に示されるTCJAに盛り込まれた改革は，アメリカの税制がこれまでの，消費大国であるがゆえに法人税の相対的高税率を保持し，全世界所得課税により多国籍企業のグローバル展開に対応するという「覇権国型」の税制[8]から，欧州諸国をはじめとした他の先進諸国と「対等に」競合し合う「一国主義的」税制への転換を企図したものである。この点で，TCJAが創設したアメリカ税制の新たな枠組みに対して，多国籍企業のグローバル戦略がどのように対応，反応するのか，さらには欧州諸国をはじめとした先進各国や，国際的な課税ルールを主導するOECDが，TCJAに対していかに対応するのかが，TCJAの中長期的，構造的インパクトを評価する上で注視すべき最大の課題である[9]。

第2に，TCJAの法人税，国際課税改革は，もっぱら知識集約型産業，グローバル多国籍企業を念頭に置いたものであって，トランプ政権が政治的支持基盤としてきたラスト・ベルトの産業，労働者の経済的利害を反映したものとはいえない。それにもかかわらず，TCJAの立法過程においてトランプ政権が蚊帳の外に置かれていたのかといえばそうではない。既にみたように，アメリカ税制改革のエリートにとって法人税，国際課税改革の方向性は超党派でおおむねの合意を得ていたのであるが，その最大の障壁は税制改革遂行における歳入中立，代替財源をいかに担保するかであった。この歳入中

8) ここで「覇権国型」というのは，さしあたり飯田（2013）の以下のような経済的覇権の定義を念頭に置いている。飯田は，コヘイン（1998）に依拠して，軍事的覇権とは区別された概念として経済的覇権を，原材料，資本，市場，高付加価値財生産などの物質的資源の圧倒的優位性を有する国のことを指すとしている（8頁）。そのうえで，覇権とはこうした物質的資源の優位に依拠して国際経済秩序のリーダーシップをとろうとする行動様式あるいは状態であるとしている（4頁）。

9) OECDは，2019年10月に，いわゆるプラットフォーム企業をはじめとした国境を越えたデジタル・コンテンツから得られる収益に対する課税について，国際的に統一された課税ルールの創設を提唱した（OECD (2019)）。ここで提唱されている統一ルールの内容は，プラットフォーム企業のみならず全多国籍企業の対外活動を対象としていること，さらにはその超過利潤を無形資産から派生する所得と見なしてこれを統一ルールに服する課税対象とすることとされており，TCJAのGILTIに酷似している。このような国際的な統一課税ルールがどのように収斂するのかは今後の展開を待つしかないが，TCJAの国際課税改革が，本国アメリカのみならず，国際的な課税システムに多大なインパクトを与えている点は注目されるべきであろう。なお，OECDの国際統一課税ルールに対するTCJAのインパクトについて，より詳しくは，河音（2019a）を参照されたい。

立原則を取り払い，財政赤字拡大を前提とした税制改革＝減税政策に大きく舵が切られることにより，TCJAは立法化に至った。それゆえ，歳入中立原則を打破したという点にこそ，TCJA成立に果たしたトランプ政権の最大の役割がある。また，政策議論の土台を，歳入中立ありきから赤字財政の容認へと転換させたことにより，トランプ政権はTCJAに自身の支持基盤に対する利益誘導措置を，時限立法であるとはいえ，盛り込むことに成功した。こうしたTCJAの短期的成果が，近年の株高，投資ブームというアメリカ経済の高パフォーマンスにつながっている。この点で，TCJAの法人税，国際課税改革はトランプやその支持基盤の要求を反映したものではないものの，短期的，政治的にはトランプの再選戦略に沿ったものであるといえよう。

参考文献

Avi-Yonah, R., D. Kamin et al. (2019), “The Games They Will Play: Tax Games, Roadblocks, and Glitches Under the 2017 Tax Legislation,” Minnesota Law Review 103(3), pp. 1439–1521.

Bureau of Economic Analysis (BEA) (2019), *BEA Data*, issued on Sept. (https://www.bea.gov/data).

Cary, P. and A. Holmes (2019), “The Secret Saga of Trump’s Tax Cuts,” *The Center for Public Integrity*, Apr. 30 (https://publicintegrity.org/business/taxes/trumps-tax-cuts/the-secret-saga-of-trumps-tax-cuts/).

DeBonis, M. and E. Werner (2017), “How Republican Pulled off the Biggest Tax Overhaul in 30 Years,” *The Washington Post*, Dec. 20.

Edsall, T.B. (2017), “You Cannot Be Too Cynical about the Republican Tax Bill,” *The New York Times*, Dec. 21.

Gale, W.G., H. Gelfond, A. Krupkin, M.J. Mazur and E. Toder (2018), *Effects of the Tax Cuts and Jobs Act: A Preliminary Analysis*, Tax Policy Center, June 13.

Grubert, H. and R. Altshuler (2013), “Fixing the System: An Analysis of Alternative Proposals for the Reform of International Tax,” *National Tax Journal* 66(3), Sept., pp. 671–712.

Herzfeld, M. (2017), “The U.S. Congress Does BEPS One Better,” *Tax Notes International* 88(8), Nov. 20, pp. 715–719.

飯田敬輔（2013），『経済覇権のゆくえ――米中伯仲時代と日本の針路』中公新書.

片桐正俊（2018），「米国2017年減税・雇用法（トランプ減税）の政策効果および法人課税改革の検討」篠原正博編著『経済成長と財政再建』中央大学出版部，147–188頁.

河音琢郎（2019a），「トランプ税制改革（2017年減税・雇用法）の特徴と課題――企業課税，国際課税の側面を中心に」租税理論学会編『租税理論研究叢書29：税制改革

の今日的課題』財経詳報社，117–133頁.
河音琢郎（2019b），「トランプ政権の減税政策――大規模税制改革のねらいと影響」『経済』第280号，1月，57-67頁.
河音琢郎，篠田剛（2018），「国境調整税の理論と政策」立命館大学経済学会『立命館経済学』第67巻，第2号，7月，1–18頁.
コヘイン，ロバート（1998），『覇権後の国際政治経済学』晃洋書房.
Nicholas, P., R. Rubin and S. Hughes (2017), "Over Golf and an Airport Chat, Trump and GOP Hashed out a Historic Tax Plan," *The Wall Street Journal*, Dec. 20.
Office of Management and Budget (OMB), "Tax Expenditure," *The Budget of the United States Government: Appendix*, various issues.
Organization for Economic Co-operation and Development (OECD) (2019), *Public Consultation Document: Secretariat Proposal for a "Unified Approach" under Pillar One*, Oct. 9.
Pomerleau, K. (2018), "A Hybrid Approach: The Treatment of Foreign Profits under the Tax Cuts and Jobs Act," Tax Foundation, *Fiscal Facts* 586, May.
Pomerleau, K. and A. Lundeen (2014), "The Basics of Chairman Camp's Tax Reform Plan," *Tax Foundation*, Feb. 26 (https://taxfoundation.org/basics-chairman-camp-s-tax-reform-plan/).
Portman, R. and C. Schumer (2015), *International Tax Reform Working Group: Final Report*, U.S. Senate, Finance Committee, July 7.
Ryan, P. and K. Brady (2016), *A Better Way: Our Vision for a Confident America: Tax*, June 24.
瀬古雄祐（2019），「トランプ政権下のアメリカにおける2017年税制改革の概要及び影響」国立国会図書館調査及び立法考査局『21世紀のアメリカ――総合調査報告書（調査資料）』3月19日，41–56頁.
Setser, B.W. (2019), "$ 500 Billion in Dividends out of the Double Irish with a Dutch Twist: With a Bit of Help from Bermuda," Council on Foreign Relation, *Follow the Money*, Aug. 12 (https://www.cfr.org/blog/500-billion-dividends-out-double-irish-dutch-twist-bit-help-bermuda).
Shaheen, F., M. Graetz, R. Kysar and S. Morse (2019), "The Future of the New International Tax Regime: Panel 1," *Fordham Journal of Corporate & Financial Law*, 24(2), pp. 242–279.
篠田剛（2019），「デジタルエコノミーと課税――プラットフォーム企業と国際課税レジーム」立命館大学経済学会『立命館経済学』第67巻，第5・6号，3月，118–129頁.
Smolyansky, M., G. Suarez and A. Tabova (2019), "U.S. Corporations' Repatriation of Offshore Profits: Evidence from 2018," *FEDS Notes*. Washington D.C.: Board of Governors of the Federal Reserve System, Aug. 6 (https://www.federalreserve.gov/econres/notes/feds-notes/us-corporations-repatriation-of-offshore-profits-20190806.htm).
Toder, E. (2017), "Territorial Taxation: Choosing among Imperfect Options," *AEI Economic Perspectives*, Dec., pp. 1–8.
Toder, E. and A.D. Viard (2016), *A Proposal to Reform the Taxation of Corporate Income*, Tax

Policy Center, June.

Trump, D.J. (2015), *Great Again: How to Fix Our Crippled America*, Simon & Shuster.

U.S. Congress, House, Committee on Ways and Means (2014), *Tax Reform Act of 2014*, (https://www.congress.gov/bill/113th-congress/house-bill/1).

U.S. Congress, Joint Committee on Taxation (JCT) (2017a), *Estimated Revenue Effects of the Chairman's Modification to the Chairman's Mark of the 'Tax Cuts and Jobs Act,'* Scheduled for Markup by the Committee on Finance, Nov. 15, JCX-57-17.

U.S. Congress, Joint Committee on Taxation (JCT) (2017b), *Background and Selected Policy Issues on International Tax Reform*, Sept. 28, JCX-45-17.

U.S. Congress, Joint Committee on Taxation (JCT) (2014), *Technical Explanation of the Tax Reform Act of 2014, a Discussion Draft of the Chairman of the House Committee on Ways and Means to Reform the Internal Revenue Code: Title Four: Participation Exemption System for the Taxation of Foreign Income*, Feb. 26, JCX-15-14.

U.S. Congress, Senate, Committee on Finance (2010), "Tax Reform Lessons from the Tax Reform Act of 1986," *Hearing before the Committee on Finance*, 111th Congress, 2nd Session, Sept. 23.

The White House (2017), *2017 Tax Reform for Economic Growth and American Jobs*, Apr. 26.

The White House and the Department of Treasury (2016), *The President's Framework for Business Tax Reform: An Update*, Apr.

吉弘憲介（2018），「連邦法人税の構造変化――国際課税ルールとその抜本的改革を中心に」日本財政学会第 75 回全国大会『企画セッション：アメリカにおける財政政策の構造変化』10 月 21 日，於：香川大学.

吉弘憲介（2016），「オバマ政権下の包括税制改革提案を巡る議論とその特徴――第 112 議会における下院歳入委員会提出報告書を題材として」桃山学院大学『桃山学院大学経済経営論集』第 57 巻，第 3 号，3 月，67–99 頁.

* 本参考文献で記した Web リンクはすべて 2019 年 11 月 4 日時点においてアクセス，確認済みである。

Summary

Implications of the Tax Cuts and Jobs Act of 2017 to Business and International Taxation

Takuro Kawane (College of Economics, Ritsumeikan University)

The one of the main goals of the Tax Cuts and Jobs Act of 2017, TCJA, focuses on the business and international tax reforms, while it has various definitions around comprehensive areas, including income taxation. Summarizing the characteristics of TCJA's business and international tax definitions, I make clear the bipartisan characteristics of the TCJA's business and international tax reform through suggesting the similarity with the antecedent bipartisan policy debates in the Congress and the White House during 2010's. Then, I articulate the role of Trump and the political implication for his administration on the enactment of TCJA.

投稿論文

トランプ政権の通商政策

――コンセンサスの破壊と無秩序状態の政策プロセス*

和歌山大学経済学部　**藤木　剛康****

要旨

本稿は，トランプ政権の通商政策を国際的側面と国内的側面の両面から検討した。トランプ政権は，国際的には中国と主要な同盟国との貿易戦争を同時に開始し，多国間主義の再建を求める同盟国とのコンセンサスを破壊した。国内的には大統領と共和党が共有していた自由化コンセンサスを破壊し，均衡貿易を重視するコンセンサスに置き換えようとしたが，却って政策プロセスを無秩序化して様々な混乱をもたらしている。

キーワード：トランプ現象，通商政策，貿易戦争，多国間主義，自由化

---

* 本稿は，科研費 課題番号 18K11827 研究種目 基盤研究（C）「「チャイナ・トレード・ショック」とアメリカ製造業：労働・中間層対策・通商・地域」による研究成果の一部である。また，本稿執筆に先立ち，2019 年 9 月 29 日に開催された日本国際経済学会第 78 回全国大会の企画セッション「アメリカ・トランプ政権誕生の背景と政策の検証」において報告の機会を得た。セッションの企画運営を進めていただいた山縣宏之・立教大学教授と，貴重なコメントをいただいた中本悟・立命館大学教授に謝意を表したい。なお，本稿は 2019 年 9 月までの情勢に基づく分析であり，その後，とりわけ 2019 年 12 月から翌年 1 月にかけて進んだ一連の変化（議会超党派による USMCA 批准，中国との「第一段階」通商合意，WTO 上級委員会の機能停止）については検討していない。これらの変化とその意義の分析については他日を期したい。

** E-mail: fujiki@wakayama-u.ac.jp

1. はじめに

トランプ政権の経済政策の中で，これまでの政権から最も変化し，それゆえ最も注目されているのが通商政策である。2016年の大統領選挙において，トランプは第2次大戦後の歴代政権が進めてきた自由貿易主義に基づく通商政策はアメリカ人労働者の雇用や国内の産業基盤を海外に流出させたとして激しく非難し，NAFTAやTPPからの離脱，中国の為替操作国指定などの過激な公約を掲げて当選した。こうしたことから，当初はトランプ新政権の通商政策をめぐり，これらの過激な政策を実行できるはずがないという楽観論と，戦間期のような保護主義的な通商政策への回帰が進む恐れがあるという悲観論とが交錯していた。しかし，政権成立後3年目を経過した現在においても，不正確な知識に基づく衝動的な発言をツイッターで繰り返し拡散する大統領，政権の政策プロセスでの対立や混乱といった要因によって，その全体像を整合的に描くのは依然として困難である。そもそも通商政策は，アメリカの国益を諸外国との関係で追求する対外的側面と，貿易自由化に対する国内合意を調達する対内的側面との2つの側面によって規定される。すなわち，一方では，諸外国との国際的なコンセンサスを追求しつつ，他方では多様な利益団体や世論に配慮して国内コンセンサスを形成したうえで，これら2つのコンセンサスを両立・調和させなければならない。とりわけアメリカの場合，通商交渉の結果によって関税や国内法を変更する場合，議会の承認が必要となる。したがって，行政府は常に議会多数派の支持が得られる範囲で諸外国との交渉を妥結しなければならない（藤木 2017）。ところが，就任以来トランプが行ってきたのはこれらのコンセンサスを破壊して通商政策を無秩序状態に陥らせることだった。

そこで，本稿ではトランプ政権の通商政策の全体像を描くため，同政権が国際的な側面と国内的な側面の両方において，これまでの政権からどのようにコンセンサスを変化させ，どのように混乱させているのかを明らかにしたい。叙述の順序は以下のとおりである。まず，2.では国際関係論と国際経済学のアプローチを組み合わせ，これまでのアメリカの通商政策を4つの理念型に分類する。そのうえで，トランプが選挙公約などで述べた通商政策の理念がこれらのうちどの類型に当てはまるのか，あるいは当てはまらないのかを分析する。次に3.ではトランプ政権の通商政策の概要を，政権内の政策対立や貿易戦争の展開，これまでに締結したFTAの主要な条項や今後予定されている通商交渉の交渉目的の項目など，主要な論点ごとに整理する。4.では，2.で提起した4類型に基づいて3.で検討したトランプ政権の通商政策を整理し，これまでの国際的なコンセンサスと国内的なコンセンサスからどのように逸脱し，政策的に混乱しているのか，また，今後考えられる方向性について検討する。

2. トランプ政権の通商政策の理念と通商政策の4類型

トランプは2016年の大統領選挙において，第2次大戦後の自由貿易政策とそれを進めてきたワシントンのエリートを痛烈に批判し，自らの通商政策チームに対中強硬派として知られるピーター・ナバロを迎え入れた。ナバロは自らの著書や大統領選向けの政策文書の中で，製造業雇用と工業基盤こそが一国の経済的繁栄の源であり，ポスト冷戦期の歴代政権がアメリカ経済のサービス化を放置して経済停滞を招いたと批判した。さらに，貿易は国家間での製造業雇用と工業基盤の奪い合いであるため，アメリカは諸外国との二国間貿易交渉を通じて貿易不均衡を是正し，海外に流出した製造業を国内に取り戻すべきだと主張した。またトランプ自身も，自らの演説やツイッターなどでの発言で，これまでのアメリカ政治を牛耳ってきた「グローバリスト」たちが経済のグローバル化によってアメリカの労働者や彼らの地域社会を破壊してきたと非難し，自分の政権では自国の歴史や文化，主権や独立を第一に優先して雇用や誇りを中産階級の手に取り戻すと主張した（Hubbard and Navarro 2011，Navarro 2015，Navarro and Ross 2016，Trump 2016）。

トランプ政権のこれらの主張に対しては，経済学の知見を全く無視した謬論であるとする反論や，大国間の経済的勢力圏争いから第2次大戦に至った反省から多国間主義的な通商システムが構築された歴史的経緯を無視するものであるとする批判（アイケンベリー 2017），さらに，完成品貿易中心の20世紀型貿易から中間財貿易を中心とする21世紀型貿易に転換した今日の現実に対しては時代錯誤であるとする批判（Baldwin 2017）など，様々な批判や反論が加えられた。

そこで，以下ではこれらの批判を整理するために，国際関係論と国際経済学の知見に基づきアメリカの通商政策を4つの類型に分類する。まず，国際関係論の議論によれば，大国の通商政策は当該国が国際秩序において占める地位によって，開放的な国際経済秩序を志向する覇権国型の通商政策と，大国間競争を有利に戦うために独自の勢力圏を構築しようとする通常の大国型の通商政策とに大別される。他方，国際経済学の知見によれば，1990年代を境に国際貿易は完成品貿易を中心とした古いグローバリゼーションから，中間財貿易を中心とする新しいグローバリゼーションへの歴史的な変化が生じたとされる（Baldwin 2016）。これら2つの基準を組み合わせると，図1に示したように大国の通商政策を4つの類型に分類できる。以下では，それぞれの類型の代表的な論者の議論に基づき，4つの類型について簡潔に説明する。

第1象限，すなわち古いグローバリゼーションの時代における地政学的大国の通商政策を理論化したのがアルバート・ハーシュマンの『国力と外国貿易の構造』である。この時代においては，モノの移動コストが劇的に低下したことで，完成品中心の国際貿易が発展し，先進国中心の産業集積が形成さ

図1　通商政策の4類型と代表的な論者

	覇権国の通商政策	地政学的大国の通商政策
1990 年代までの古いグローバリゼーション（完成品貿易中心）	ロバート・ギルピン *War and Change in World Politics*	アルバート・O・ハーシュマン 『国力と外国貿易の構造』
1990 年代以降の新しいグローバリゼーション（中間財貿易中心）	リチャード・ボールドウィン 『世界経済 大いなる収斂』	イアン・ブレマー 『ジオエコノミクスの世紀』

（出所）筆者作成。

れた。大国は恣意的な関税によって小国との貿易を操作し，それら小国の工業化を妨害して自国との農工間分業を押し付け，経済的に従属させて勢力圏に囲い込もうとした。ハーシュマンは大国が小国を経済的に依存させ，政治的影響力を強めることを貿易の影響力効果と呼んだ。また，他の工業大国に対しては，自国の工業を関税で保護し，輸出を促進する重商主義的な通商政策を追求した。ただし，アメリカの場合は巨大な国内市場を抱えていたこともあり，独自の経済的勢力圏を構築するのではなく，むしろ高関税によって自国市場を囲い込み，自給自足的な国民経済を形成しようとした（佐々木1997)。このようにして，世界経済はそれぞれフルセット型の工業を持つ大国を中心とした経済ブロックに分割される傾向にあった。

第2象限，すなわち古いグローバリゼーション下の覇権国の通商政策を覇権安定論として体系的に理論化したのがロバート・ギルピンの *War and Change in World Politics* である。ギルピンによれば，圧倒的な国力を持つ覇権国は自由貿易主義を標榜して開放的な国際貿易秩序を構築しようとする。第2次大戦後のアメリカの場合，自由貿易主義は冷戦コンセンサス，すなわち，ソ連との冷戦に勝利するためには輸入産業の利益よりも西側諸国の復興と結束を優先すべきだという論理で正当化され，GATT体制の発展をリードした。GATT体制の下，最恵国待遇に基づく関税削減が進み，先進国間の工業製品貿易が急速に拡大した。冷戦期のアメリカ政府では，対外政策において政治（安全保障）と経済とを切り離し，それぞれ別の官庁が政策を担当するようになり，両者を結びつけて国益を追求する姿勢は希薄だった（Cooper 1987)。この時期のアメリカは，冷戦，その後は「リベラルな国際秩序の拡大」という大義を戦うための「啓蒙された自己利益（ローズ2019，Ahmed and Bick 2017)」を追求していたともいえよう。

第3象限，すなわち新しいグローバリゼーションの時代における覇権国の通商政策を提起したのがリチャード・ボールドウィンである。ボールドウィンによれば，情報通信技術の発展によってアイディアの移動コストが劇的に低下した結果，先進国企業が経営・技術ノウハウとともに生産拠点を途上国に移転してグローバル・バリューチェーン（GVC）を構築し，世界貿易の姿は1990年代に大きく変化した。先進国と途上国との間の中間財貿易が激増し，GVCの誘致に成功した一部の途上国は急速な経済発展の利益を享受した。ボールドウィンは変化後の姿を新しいグローバリゼーションと名づけ，その核心は先進国企業の知識やノウハウと途上国の安価な労働力の組み合わせであるとした。新しいグローバリゼーションの下では，先進国ではGVCの研究開発ハブとなるための都市振興政策，途上国ではGVCを誘致するための投資・事業環境の整備が事実上の通商政策としての意味を持つ。したがって，先進国を対象とした関税などの国境措置ではなく，むしろ途上国を対象とした国内の法律や制度などに関わる共通の貿易・投資ルールの整備が実際の通商政策の優先課題となる。ボールドウィンは，新しいグローバリゼーションを規律する貿易・投資ルールをWTO2.0と呼び（Baldwin 2012），当時先進国中心で進められていたTPPやTTIPなどのメガFTAがその具体例であるとされた。新しいグローバリゼーションを主導するのは先進的な技術・経営ノウハウを持つ先進国企業であり，したがって，彼の議論では事実上，覇権国アメリカの設定する貿易・投資ルールが世界標準のルールとなることが暗黙に前提されていたものと思われる。

第4象限は，新しいグローバリゼーションの下での大国型の通商政策を示しており，近年，イアン・ブレマーをはじめとする研究者が活発な議論を進めつつある（ブレマー，御立 2015，Baru and Dogra eds. 2015，Blackwill and Harris 2016など）。今日，アメリカはWTOを始めとするリベラルな国際秩序の守り手としての役割を放棄し，台頭する中国との地政学的競争に傾斜しつつあるようにみえる。米中間では，次世代の技術覇権や政治・経済体制をめぐる競争が激化し，両大国は関税ではなく，経済ルールや経済体制，価値観の違いに基づく新たな経済的勢力圏を形成しつつある。ブレマーによれば，今日においてある国が所属する勢力圏を決める最も重要な問題は体制の相性，すなわち，国家と社会との関係のあり方になるという。アメリカを中心とする欧米諸国は相対的に分権的な権力構造と競争的な資本主義を志向するのに対し，中国は中央集権的な国家が巨大な国有企業をコントロールする国家資本主義を発展させてきた。中国政府はそれらの巨大企業を外交政策の道具として活用し，周辺の途上国を自国の勢力圏として囲い込む動きを強めている。こうした動きに注目する欧米の専門家は地経学，すなわち経済的手段による地政学的な目的の追求だとして，それらの研究や政策提言を進めており，その一部は先進国の外交・通商政策にも反映されつつある。

以上の議論を図2にまとめた。図2に即して述べれば，大国の典型的な通商政策は，戦間期においては第1象限にあったが，冷戦期には第2象限，ポスト冷戦期には第3象限に移行し，現在は第4象限への移行期にあるものと考えられる。では，トランプ政権の通商政策はどの象限に位置するものと考えられるのであろうか。本節の冒頭で検討した大統領や主な通商政策担当者は，アメリカが世界規模での自由貿易を推進する覇権国型の通商政策を採用したため，雇用や製造拠点が海外に流出して国内製造業が衰退したと主張していた。彼らの議論に従えば，これらの問題に対処するためには二国間での産業別・品目別の通商交渉を行って貿易不均衡を解消し，雇用や製造業の海外流出を停止させる必要がある。以上の検討を踏まえれば，少なくともレトリックの上ではトランプ政権の通商政策は第1象限への回帰をめざしたものだと言えるだろう。

では，実際にもトランプ政権の通商政策は第1象限に位置していると考え

図2　通商政策の4類型

	覇権国の通商政策	地政学的大国の通商政策
1990 年代までの古いグローバリゼーション	・ 自由貿易主義。GATT および WTO。 ・ 最恵国待遇による関税削減。 ・ 先進国間の工業製品貿易の拡大。	・ 重商主義的通商政策。関税、数量規制などの国境措置。 ・ 農工間国際分業。
1990 年代以降の新しいグローバリゼーション	・ R&D と製造との工程間国際分業、先進国と途上国との中間財貿易。 ・ GVC のための貿易・投資ルール。	・ ルールや体制、価値観の違いに基づく勢力圏の形成。 ・ 経済的手段を用いた地政学的競争。

（出所）筆者作成。

ることができるであろうか。第3節では，トランプ政権の通商政策を概観し，第4節で以上の問いを検討していくこととしたい。

3. トランプの貿易戦争と政策プロセスの無秩序化

本節ではトランプ政権の実際の通商政策について，①トランプの進める貿易戦争の概要，②トランプ政権の政策プロセスの特徴，③二国間通商交渉の成果と今後の主要論点，の3点から整理する。

2018年3月，トランプは同盟国やパートナー国か，潜在的な競争国かを問わない全方位的な貿易戦争を一方的に開始した。大統領就任後，トランプは商務省長官に任命したウィルバー・ロスに対し，1962年通商法232条に基づき，諸外国からの鉄鋼・アルミニウム製品が国家安全保障上の脅威であるかどうかの調査を，また，中国については1974年通商法301条に基づく不公正な貿易慣行の調査を命じていた。USTRが発表した「2017年大統領貿易議題」では，アメリカ国民はこれまでの多国間貿易協定から正当な経済的利益を得られなかったとして，① WTOに対するアメリカの国家主権の防衛，②諸外国の不公正な貿易慣行を是正するためのアメリカ通商法の厳格な履行，③外国市場開放のための影響力の行使，④新たな貿易協定のための交渉，の4つの優先政策を進めていくとされた（USTR 2017a）。しかし，2017年の間は政権の閣僚ポストに伝統的な考え方を持つ「グローバリスト」が残っており，ナバロやロス，ロバート・ライトハイザーUSTR代表ら，トランプに近い考え方を持つ「経済ナショナリスト」は彼らと対立したため政策に影響力を行使できなかった。グローバリストは2018年初めまでにトランプによって政権から一掃され，それ以降，トランプの主導する貿易戦争が本格的に進められるようになった（藤木2018）。

図3は，この貿易戦争の概要を4つの戦線に分けて整理したものである。全体的な特徴としては，本来，企業の要請に応じて定型的・技術的に適用されてきたアメリカ通商法に基づく輸入制限措置を，諸外国に対してアメリカとの貿易交渉に応じるように圧力をかける道具として恣意的・政治的に活用

図3 トランプの貿易戦争

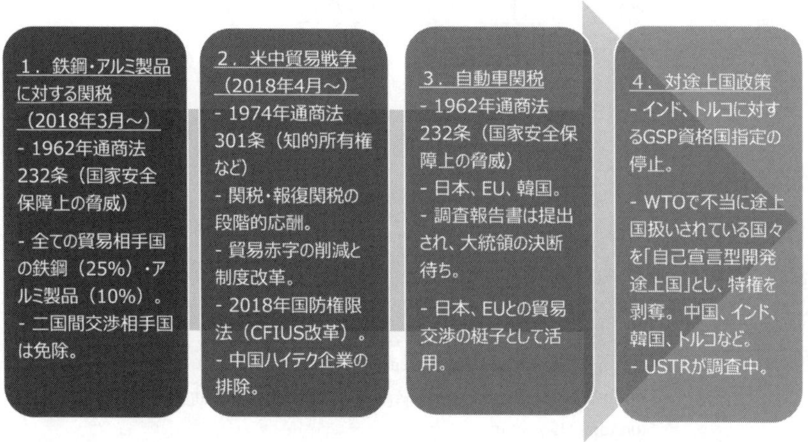

（出所）筆者作成。

していることが読み取れる（Bown 2017）。また，交渉相手国の選定については同盟国か戦略的競争国かを区別せず，アメリカが巨額の貿易赤字を抱えている国を優先している。表1は2017年におけるアメリカの主要な貿易赤字国を示したものだが，上位10か国のうち，2019年11月時点で貿易戦争の対象国となっていないのはベトナムとマレーシアのみだが，ベトナムについてはすでにトランプがツイッターでの攻撃を始めている（Hitch 2019）。この点について，ナバロは，これまでアメリカはG7諸国との貿易不均衡に無頓着だったが，これからは自由で公正かつ相互主義的な貿易を追求していくと主張した（Navarro 2018）。

貿易戦争の第一の戦線は，1962年通商法232条に基づく鉄鋼・アルミ製品に対する関税である。2018年3月，トランプ政権は，諸外国からの鉄鋼・アルミ製品輸入は国家安全保障上の脅威であるとして，鉄鋼製品には25%，アルミ製品には10%の関税を賦課した。ただし，カナダやメキシコなど，アメリカとの二国間交渉に応じた一部の国々については適用を免除した。そ

表1　アメリカの主要な貿易赤字国（2017年）

順位	国名	貿易赤字額（10億ドル）
1	中国	375.2
2	メキシコ	71.1
3	日本	68.8
4	ドイツ	64.3
5	ベトナム	38.3
6	アイルランド	38.1
7	イタリア	31.6
8	マレーシア	24.6
9	インド	22.9
10	韓国	22.9

（出所）The United States Census Bureau
<https://www.census.gov/foreign-trade/statistics/highlights/top/top1712yr.html>

もそも，鉄鉱・アルミ製品問題の主要な原因は中国の持つ膨大な過剰生産能力にあるが，アメリカはすでに中国製品に対してはアンチ・ダンピング関税や補助金相殺関税を課しており，アメリカの鉄鋼・アルミ製品輸入に占める中国製品の割合は低下している。したがって，232条による関税は問題解決に資するよりはむしろ，中国の過剰生産能力の解消という真の問題から世界の関心をそらすものだとされる（金子，永井，中田2018）。

第二に，2018年6月，今度は中国製品を対象に，1974年通商法301条に基づく制裁関税を課した。301条は貿易相手国の「不公正な」貿易慣行をアメリカ側が一方的に指定し，是正のための制裁措置を大統領に認めているが，WTO協定では一方的な制裁措置を認めておらず同協定違反の可能性もあるため，WTO発足後はほとんど使われてこなかった。トランプ政権は，中国政府が様々な規制や政策を使ってアメリカ企業に対して技術移転を強制したり，先端技術を持つアメリカ企業を買収したり，サイバー攻撃を活用してアメリカ企業から不当に技術情報などの知的財産を窃取してきたと批判している（USTR 2018b，White House Office of Trade and Manufacturing Policy

2018)。米中両国は制裁解除のための二国間交渉を開始したが，主張の隔たりは埋まらず，相手国に対する関税の税率と対象品目を断続的に拡大しつつある（Bown 2019a)。中国は，貿易不均衡の是正についてはアメリカ製品の大量購入提案など一定の譲歩を示しているが，強制的技術移転の禁止や知的所有権保護の強化，国有企業への規制など，中国独自の国家資本主義の構造改革問題に対しては頑強に抵抗する姿勢を崩していない。

また，中国に対しては政権だけではなく，アメリカ議会が2018年国防権限法を成立させ，中国のハイテク5社からの政府調達禁止，対米外国投資委員会（CFIUS）の権限強化，輸出管理改革法改正などの対中強硬策を盛り込んだ（安全保障貿易情報センター 2019)。さらに，アメリカ政府は中国の大手通信メーカーのファーウェイやZTEに対し，イランに対する禁輸などの国際ルールを遵守していないとして，アメリカ部品の禁輸や市場締め出しなどの制裁措置に踏み切った（大澤 2019)。

ワシントンの外交・通商政策エリートの間では，中国の国家資本主義モデルに対する強い警戒心が共有され，WTOのルールだけでは中国の問題行動には対処しきれないという認識が広く共有されている（Lighthizer 2010，Wu 2016)。しかし，トランプ政権は中国に対し，米中経済関係の改善を求めているのか，あるいは米中経済の切り離しをめざしているのか不明確のままであり，勝つ見込みのない泥沼に陥ったとする評価（Posen 2018，Gertz 2019）から，表面的な合意を繰り返しつつ最終的には切り離しをめざしているとする評価（Irwin and Bown 2019）まで，識者の評価にも幅がある。いずれにせよ，事態の推移は外交政策の論理と経済界の利害とが衝突するなかで，自らの支持率や再選のために貿易戦争を活用しようとするトランプが予測不能の介入を行い，複雑な軌跡を描くことになるのであろう（Kroeber 2019)。

第三に，2019年2月，アメリカ商務省は自動車および自動車部品の輸入がアメリカの国家安全保障上の脅威であるとするレポートを発表した。トランプは自動車および自動車部品への関税は見送りつつも，関税の脅しを梃子に日本およびEUとの通商交渉を開始した（The White House 2019a)。

第四の戦線は，一部の途上国に対する特恵的な通商政策の見直しである。まず，2019年3月，USTRはインドとトルコに認めていた一般特恵システム（GSP）の資格国指定を終了すると発表し（USTR 2019c），6月に停止した。GSPとは，途上国の経済発展を促すために，特定の途上国からの輸入品を原則的に免税扱いとする制度である。GSPの資格停止による関税引き上げに対してインドも報復関税で応じたため，アメリカとインドは安全保障問題では関係を強化しているにもかかわらず，通商戦争を始めることになった（Chougule 2019）。さらに同年8月，トランプは中国やインド，トルコや韓国など一部の国々がWTOにおいて発展途上国としての地位を乱用していると非難し，それらの「自己宣言型発展途上国」を途上国扱いしないようにすると宣言した。具体的には，USTRに対してどの国が自己宣言型途上国であるのか調査させ，90日後に公表するとした（The White House 2019b）。

以上のように，トランプ政権は貿易戦争の戦線を次々に拡大しているが，政権の政策プロセスは内部対立によって混乱し，要求の優先順位がまとめられないままに交渉に臨むことすらしばしば起こっている。しかもこの内部対立は，根本的にはトランプ大統領本人と彼が任命したスタッフとの間に存在しており，トランプ政権は衝動的な大統領と，大統領の衝動を抑制しようとするスタッフとの二元的大統領制（Two-Track Presidency）だとすら指摘されている（The New York Times 2018）。大統領は通商問題に関して一貫した関心や目的，さらには体系的な知識を持たない一方で，二国間交渉や「公正で相互主義的な貿易（fair and reciprocal trade）」，すなわち均衡貿易への一貫したこだわりを持つ。さらに，保護貿易を望む自らの中核的支持層の意向に極めて敏感で，ゆえに彼らに訴求する貿易赤字の削減や輸出拡大を優先しようとする。しかも，同盟国やパートナー国と中国などの競争国とを区別せず，大国間の地政学的競争への関心をほとんど持たない。これに対し，トランプ政権のスタッフは，台頭する中国との地政学的競争，とりわけG5やAIなど次世代の基幹技術における技術優位の確保や中国の国家資本主義体制の脅威を優先し，ゆえに，同盟国と競争国とを区別し，前者との連携を強化しようとする。例えば，ライトハイザーUSTR代表は，日本やEUの貿易相とともに，中国を念頭に，深刻な過剰生産能力や産業補助金，強制的技術移転，国有企業などの非市場志向政策に対する懸念を繰り返し表明してきた(USTR 2018c)。しかし，一般的なアメリカ国民は彼らエリート層の対中警戒心を共有しておらず，ゆえに，中国との地政学的競争に対する世論の支持はまだ得られていない（Mori 2019)。したがって，トランプはスタッフの任命権者であると同時に世論への訴求力という点で強い立場にある。

こうした内部対立に加え，トランプの組織管理手法も混乱を生む一因となっている。トランプは，これまでの経歴において公的機関や大企業の経営を担ったことがなく，不動産ビジネスやテレビ番組のパーソナリティーなど，少数の顔見知りの人間関係からなる小規模組織のオーナーとしての経験しか持たない。ゆえに，スタッフの欠員や不足には関心を持たず，部下には絶対的な忠誠心を求め，少数の家族同然の人々以外は信用しない一方で，それらの取り巻きを相互に競わせ，最善の提案を最高のタイミングで採用しようとする（Wolff 2018)。人気テレビ番組で長年パーソナリティーを務めたこともあって，世論，とりわけ自らの中核的支持層の意向には極めて敏感であるが，その反面，実際の政策課題の解決にもほとんど関心がない。その結果，トランプ政権のスタッフは大統領の真の意向を知らされないまま，それぞれがばらばらに自らの優先目標を追求しようとする。そのような混乱した状態に，突如，世論の動向を読み，「予測できない男」としてふるまうのを好むトランプが介入し，予想外の決断を下すということが繰り返されてきた。

このような混乱が最も顕著に現れるのが，対中通商政策をめぐる政策対立である。米中交渉は2018年5月に開始されたが，アメリカの交渉団は貿易赤字の削減を優先するのか，強制的技術移転や知的所有権保護，国有企業への補助金など中国経済の構造的問題にまで踏み込むのかで分裂しており，中国側は混乱した要求に対処できない状況に陥った（Naughton 2018)。

本節の最後に，これまでの二国間通商交渉の最大の成果である米国・メキシコ・カナダ協定（USMCA）と，現在進行中の日本，EU，イギリスとの二国間交渉の主要論点を検討する。北米自由貿易協定（NAFTA）の再交渉はトランプの重要な選挙公約の一つであり，政権は2017年7月には「NAFTA再交渉の目的の要約」を発表し（USTR 2017b），8月にカナダおよびメキシコ両国との再交渉を開始した。交渉目的にはアメリカの貿易赤字の削減のほか，デジタル貿易や国有企業に対する規律などNAFTAの近代化に関わる貿易・投資ルールも含まれていた。交渉開始後，アメリカは5年ごとに協定を全面的に見直すサンセット条項，自国や北米域内での部品調達率を高めるための原産地規制の厳格化を要求し，交渉を紛糾させた。トランプはアメリカの要求が呑めないならばNAFTA脱退も辞さないとしてカナダとメキシコを脅し，最終的にはメキシコとの二国間合意を優先させ，その合意を盾にカナダに圧力をかけて2018年9月にUSMCAをまとめた。USMCAの特徴は，第一に，TPPの諸規定をベースに，厳格化された原産地規定や自動車の対米輸出数量規制などの保護主義的な規定が付け加えられたことである。第二に，デジタル貿易や労働・環境規定の強化などNAFTAを近代化するための規定である。第三に，中国などの非市場経済国との自由貿易協定交渉を規制する中国条項（China clause）である。USMCAはトランプ政権が今後交渉を進める二国間FTAのひな型とされているが，下院では民主党が多数派を占める議会での批准の目途はまだ立っていない（Johnson 2019b）。

2018年末から2019年始めにかけて，USTRは連邦議会に対して日本，EU，イギリスとの貿易交渉を開始する意思を通知し，交渉目的の要約を発表した。それらの要約によれば，アメリカの交渉目的は，貿易不均衡の是正，市場アクセス改善のための規制改革，デジタル貿易に関するルール，国有企業に対する規律などとされている（USTR 2018d，USTR 2019a，USTR 2019b）。これらのうち，日米交渉については2018年9月に日米貿易協定交渉の開始が宣言され，翌年9月に日米貿易協定と日米デジタル貿易協定で両国は合意した（内閣官房 2019）。この合意はアメリカが早期の妥結を強く求めたため，成果の得やすい部分に絞った部分的なものであり，アメリカは農産品の市場アクセスの拡大を，日本は自動車および同部品への輸入制限措置の回避を勝ち取ったとされる。米・EU交渉については，2018年7月の米・EU首脳会談で交渉開始が決まり，自動車以外の工業製品の関税・非関税障壁，補助金の撤廃をめざすことで合意が成立した。その後，アメリカは議題に農業分野を含めることを強硬に主張し，この問題をめぐって交渉は暗礁に乗り上げていると伝えられている。イギリスについてはイギリスのEU脱退後に交渉を開始するとされているが，アメリカ農産物の輸出拡大，中国条項，アイルランド問題などが交渉の障害になるとみられている[1]。

以上のように，主要先進諸国との二国間交渉については，いずれも対米輸出に対する関税の脅しをきっかけとしている点で中国との交渉と共通しているが，主要な関心が物品貿易，とりわけ自動車と農産物に集中している点では異なっている。また，USMCAや日米貿易協定からは，「自由（Free）」の文字がなくなり，単なる「貿易協定」となっている（細川 2019）ことや，デジタル貿易を始めとする新たな経済ルールや中国条項などの論点がどのように取り扱われるのかは，引き続き注視していく必要があるだろう。

4. トランプ政権の通商政策――コンセンサスはどのように破壊されたか

本節ではこれまでの分析を踏まえ，トランプ政権が通商政策についての国際的なコンセンサスと国内的なコンセンサスをどのように破壊し，無秩序状態に陥らせたのかを検証していく。ポスト冷戦期においては，国内的には自由貿易論を標榜する共和党と，労働・環境問題を重視する公正貿易論を主張する民主党との党派対立によって，通商政策についてのコンセンサスは事実上解体していた。しかし，歴代の大統領は自由貿易主義を堅持しつつ，民主党の主張にも一定の範囲で対応することで両党間の対立を糊塗し，上下両院で共和党が多数派を占めた場合に自由化コンセンサスが成立したとみなし，世界

---

1) Johnson（2019a）アイルランド問題については，とりわけ議会民主党がブレグジットの結果，北アイルランドの特別の地位を定めたベルファスト合意が損なわれた場合，米英貿易協定に反対するとの立場を表明している。

規模の貿易自由化，すなわち覇権国型の通商政策を追求してきた。冷戦期の通商政策が先進国の関税障壁の削減を中心的な課題としていたのに対し，ポスト冷戦期の通商政策は先進各国と構築した国際経済秩序を，中国をはじめとする途上国に拡大することを国際的なコンセンサスとしていた（藤木 2017）。

では，トランプ政権はポスト冷戦期における「コンセンサス」にどのような変化を持ち込んだのであろうか。まずは，国際的なコンセンサスの側面について，前オバマ政権とトランプ政権の通商政策を比較しよう。実は，既にオバマ政権期において，アメリカは覇権国型の通商政策から地政学的大国の通商政策への転換を巧妙に進めていた。オバマ政権は 2009 年 12 月に TPP 交渉への参加を表明した時点では，アジア太平洋地域の貿易自由化を推進し，中国をより深い経済統合に関与させるためのツールとして位置づけていた。しかし，2015 年に交渉が妥結し議会に批准を求める際には，このメガ FTA を，国際的な経済ルールをめぐって中国と争うための地経学的手段として正当化した（藤木 2017）。本稿の観点からは，TPP は米中間でのコモディティ貿易における経済的相互依存を容認しつつ，アメリカ主導で新たなグローバリゼーションのルールを規律し，かつ日欧の先進諸国を中核とする多数派形成のための手段だと位置づけられる。このように，オバマ政権の政策転換は巧妙かつ体系的なものであった。

これに対し，トランプ政権の通商政策は全体としては大国型の通商政策を追求しつつも，具体的な政策課題や政策手段の面では，古いグローバリゼーションに対応するものと新しいグローバリゼーションに対処するものとの両方，あるいはまた，中国を主要な競争相手として対応するものと全ての主要貿易相手国との貿易不均衡を是正するためのものとの両方にまたがっており，それらの間に一貫性や体系性の見られない混乱した様相を呈している。例えば，USMCA は脱退した TPP から数多くの規定を引き継いでおり，それらには，労働・環境規定やデジタル貿易などの新しいグローバリゼーションに対応するための経済ルールが含まれる。その一方で，自動車や自動車部品に関しては，原産地規制の強化や数量規制など，古いグローバリゼーションに対応した措置が新たに導入された。また，中国との貿易戦争においては制裁関税に加え，技術流出を防ぎ，中国企業の排除，さらには中国経済との切り離しをめざすCFIUS改革や中国ハイテク企業のアメリカ市場からの締め出しなど，経済ルールや技術覇権をめぐる大国間競争に備えた措置も要求している。他方で，同盟国であるEUや日本に対しても貿易赤字の削減や自動車輸出への数量規制など，古いグローバリゼーションに対応した論点での譲歩に加え，ファーウェイなどの中国のハイテク企業の排除への協力をも求めている。以上のように，トランプ政権は複数の政策目標を混乱させたまま同時に追求しており，一方では中国を含む主要な貿易相手国との二国間交渉で貿易赤字削減を要求しつつ，他方では中国との覇権争いの一環として，中国には構造改革を要求しつつ，それ以外の主要な貿易相手国に対しては中国との技術覇権競争への協力を求めている。

以上の分析をまとめたのが図4である。オバマ政権は，世界規模で新しいグローバリゼーションのための経済ルールの普及を進める覇権国の通商政策から，新たな経済ルールをめぐる中国との地政学的競争を追求する大国の通商政策への転換を進めていた。これに対し，トランプ政権は全体としては大国型の通商政策を推進しつつ，一方では古いグローバリゼーションの時代の政策課題である貿易赤字の削減や輸出拡大を追求し，他方では中国を排除しつつ新たなグローバリゼーションのための経済ルールの普及も進めている。しかし，トランプ大統領の特異な意思決定および政権運営のスタイルのため，それらの政策課題や政策手段は無秩序かつ混乱したままの状態にある。したがって，トランプ政権は何よりもまず，本来ならば中国との大国間競争において協力すべき同盟国との間のコンセンサスを破壊し，複数の政策目的の優先順位を整理することになしに二国間交渉を求め，それらの国々との通商関係を無秩序化しつつあると言えよう。

次に，国内コンセンサスの側面を検討しよう。トランプは，経済グローバル化や移民に反発する白人労働者の支持を得るために，第2次大戦後の大統領としては初めて自由貿易を公然と否定して大統領選に勝利した。それまで

図４　オバマ政権の通商政策とトランプ政権の通商政策

	覇権国の通商政策	地政学的大国の通商政策
古いグローバリゼーション		トランプ政権 関税・数量規制 対中貿易戦争 - 貿易赤字削減 - 構造改革
新しいグローバリゼーション	オバマ政権 TPP（2009）	TPP（2015）

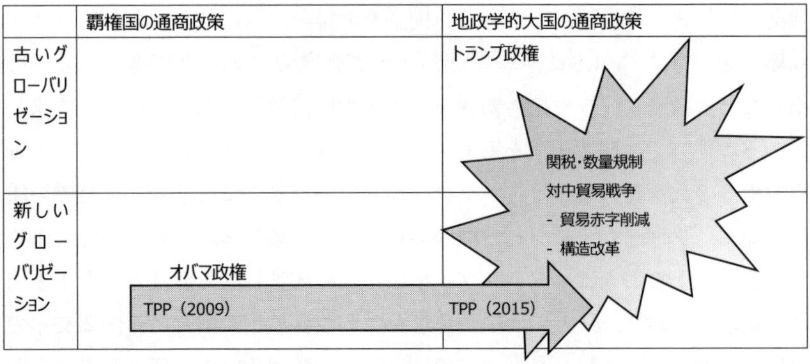

（出所）報告者作成。

の共和党は，小さな政府や伝統的価値観，強力な軍事力と自由貿易による対外関与といった価値観を掲げてビジネス団体や宗教保守などからの支持を得てきた。ゆえに，共和党の伝統的な理念を全く尊重しないトランプと共和党の主流派とは折り合いが悪く，大統領予備選の当初，トランプは泡沫候補の一人にすぎないとみなされていた。その一方で，共和党支持の一般有権者の多くは自由貿易に対して懐疑的であり（Smeltz, Daalder and Kafura 2014），むしろトランプの方が政治エリート層よりも党の支持基盤と考えが一致していた。したがって，トランプの選挙戦とそれ以降の政策の展開は，共和党から旧来の政治エリートを排除してグローバル化に反対するナショナリストの政党に作り替えるための党内闘争でもあり，とりわけ通商政策はその主戦場となった（Zakaria 2018）。

しかし，トランプが相互主義的な通商政策によって党内多数派の支持を獲得し続けられるかどうかはまだ不透明である。第一に，トランプ政権の通商政策は業界団体，とりわけ国際ビジネスに関わる団体からは繰り返し批判を受けている。ビジネス・ラウンドテーブルや全米製造業者協会，米中ビジネス協議会などの団体は，政権の通商政策のうち，中国経済の構造改革については賛成しつつも，そのための手段として関税を用いることについてはアメリカの消費者や企業の利益にはならず，事業の予測不可能性を高めるとして反対の姿勢を表明している。第二に，関税を主な手段とする貿易戦争によって白人労働者の支持をつなぎとめられるのかどうかも不確実である。多くの研究では，一般有権者が保護貿易を支持する理由は，グローバル化への反発などの経済的要因よりもむしろ，アイデンティティ政治や多文化主義への反発といった文化的要因の方が大きいとしている（Noland 2019）。彼らの多くにとって，自由貿易とは移民や社会的少数派に寛容な開かれた社会の象徴の一つにすぎず，実際に自由貿易の経済的痛みを感じて保護主義を支持しているわけではない。これまでのところ，トランプ政権の対中制裁関税は主に中間財を対象に時間をかけて賦課されてきたため，消費者でもある一般有権者が経済的な痛みを感じるほどの影響は生じていない。さらに，トランプは何度も貿易戦争の勝利は近いと騒ぎ立て，その後，交渉を棚上げしたり放置したりすることを繰り返してきたため，関税に対する不信は抑えられてきた（Bown 2019b）。したがって，今後，消費財に対する関税が実行に移され，一般有権者が物価上昇などの直接的な影響を受けるようになった場合，その痛みを甘受して政権の通商政策を支持し続けるのかどうかは判然としない。

国内コンセンサスについての議論をまとめよう。トランプ政権は，共和党の党内コンセンサスを破壊し，ビジネス団体や宗教保守，ナショナリストなどからなる新たな共和党を構築しようとしてきた。しかし，政権の通商政策に対する一般有権者の支持は未だ象徴的な価値観のレベルにとどまっており，トランプ個人の無節操なパフォーマンスに支えられているにすぎない。また，貿易戦争が深刻化して一般有権者が経済的損失を実感するような事態に至った場合，その損失をどのように補填するのかという議論も全くなされていない。したがって，国内コンセンサスの側面においても支持獲得のための制度的・体系的な仕組みは確立しておらず，むしろ政策の無秩序化を進めただけだと言えよう。

5. 結論――アメリカの通商政策はどこに向かっているのか

ポスト冷戦期のアメリカの通商政策は，当初はWTO，2001年以降はFTAを通じて旧社会主義国や第三世界の国々も含めた世界規模での貿易自由化を進めようとしてきた。それらの国々は，アメリカの進めるグローバル化に反発しつつも，可能な範囲でそのリーダーシップを受け入れ，貿易自由化の利益を享受してきた。他方，アメリカ国内では，民主・共和両党の激しい党派対立から自由化に向けたコンセンサスは解体していたが，歴代の大統領は自由貿易主義を堅持しており，大統領と共和党多数派議会との「コンセンサス」によって，貿易自由化が進められてきた。

しかし，トランプ政権はポスト冷戦期のコンセンサスを破壊し，政策を無秩序化した。国際的には，中国に対する大国間競争と，主要な同盟諸国を相手に貿易赤字の削減を求める二国間交渉とを同時に進め，アメリカと協調して中国の問題行動に対応し，ルールに基づく貿易秩序の再構築を求める同盟国とのコンセンサスを破壊した。また，国内的には大統領と共和党が共有していた貿易自由化コンセンサスを破壊し，均衡貿易を重視する保護主義的なコンセンサスに置き換えようとした。しかし，トランプの進める貿易戦争への支持は，トランプ個人の政治的パフォーマンスと「エリート主導のグローバル化」に対するイデオロギー的反発に支えられているにすぎない。確かに，トランプ政権はアメリカの通商政策を劇的に転換させつつあるが，彼らがどこに向かっているのか，また，21世紀にふさわしい国際貿易秩序の展望を打ち出させるのかどうかはまだ判然としない。

参考文献

G・ジョン・アイケンベリー（2017），「トランプから国際秩序を守るには――リベラルな国際主義と日独の役割」『フォーリン・アフェアーズ・リポート』第5号，22–32頁．
安全保障貿易情報センター（2019），「米国国防授権法2019の概要」1–15頁．
大澤淳（2019），「サイバー地政学をめぐる米中の相克」『海外事情』7・8月号，24–39頁．
金子実，永井寛之，中田理恵（2018），「中国の鉄鋼の過剰生産能力と米国の通商政策

――米国通商拡大法による輸入制限の中国以外への悪影響にも警戒が必要」大和総研，1–13 頁.

佐々木隆雄（1997），『アメリカの通商政策』岩波新書.

全米製造業者協会での聞き取り（2019 年 9 月 2 日）

内閣官房（2019），「日米貿易協定，日米デジタル貿易協定の概要」，1–6 頁.

藤木剛康（2017），『ポスト冷戦期アメリカの通商政策――自由貿易論と公正貿易論をめぐる対立』ミネルヴァ書房.

藤木剛康（2018），「リベラルな国際秩序とトランプ政権の国家安全保障戦略――普遍主義からの二重の「撤退」」『和歌山大学経済学会研究年報』第 22 号，1–21 頁.

イアン・ブレマー，御立尚資（2015），『ジオエコノミクスの世紀―― G ゼロ後の日本が生き残る道』日本経済新聞社.

米中ビジネス協議会での聞き取り（2019 年 9 月 5 日）

細川昌彦（2018），『暴走トランプと独裁の習近平に，どう立ち向かうか？』光文社新書.

細川昌彦（2019），「日米貿易協定から「自由貿易」が消えた！」日経ビジネスオンライン，10 月 16 日.

ギデオン・ローズ（2019），「リベラルな秩序・第 4 幕へ向けて――アメリカと国際主義の伝統」『フォーリン・アフェアーズ・リポート』第 2 号，6–23 頁.

Salman Ahmed and Alexander Bick (2017), Trump's National Security Strategy: A New Brand of Mercantilism, 1–40, Carnegie Endowment for International Peace.

Richard Baldwin (2012), WTO2.0: Global Governance of Supply-chain Trade, *CEPR Policy Insight*, 64: 1–24.

Richard Baldwin (2016), *The Great Convergence: Information Technology and the New Globalization*, Belknap Press.（遠藤真美訳（2018），『世界経済 大いなる収斂―― IT がもたらす新次元のグローバリゼーション』日本経済新聞出版社）

Richard Baldwin (2017), Trump's Anachronistic Trade Strategy, *Project Syndicate*, February 9.

Sanjaya Baru and Suvi Dogra eds. (2015), *Power Shifts and New Blocs in the Global Trading System*, The International Institute for Strategic Studies.

Robert D. Blackwill and Jennifer M. Harris (2016), *War by Other Means: Geoeconomics and Statecraft*, Council on Foreign Relations.

Chad P. Bown (2017), Steel, Aluminum, Lumber, Solar: Trump's Stealth Trade Protection, *Policy Brief* 17(21): 1–16.

Chad P. Bown (2018), The 2018 US-China Trade Conflict After 40 Years of Special Protection, *Working Paper* 19(7): 1–34.

Chad P. Bown (2019a), Trump's Fall 2019 China Tariff Plan: Five Things You Need to Know, Peterson Institute for International Economics, August 14.

Chad P. Bown (2019b), The Trade War Will Catch Up to Trump, *The Atlantic*, September 10, 2019.

Pratik Chougule (2019), The 2020 Politics Behind Trump's Trade War Against India, *The Diplomat*, July 12.

Richard N. Cooper (1987), Trade Policy as Foreign Policy, Robert Stern ed., *U.S. Trade Policies in a Changing World Economy*, 291–322, The MIT Press.

Geoffrey Gertz (2019), "Trump Can't Decide What He Wants from China," *Foreign Policy*, September 11.

Robert Gilpin (1981), *War and Change in World Politics*, Cambridge University Press.

Albert O. Hirschman (1945), *National Power and the Structure of Foreign Trade*, University of California Press.（飯田敬輔監訳（2011）『国力と外国貿易の構造』，勁草書房）

Alexander Hitch (2019), The Next Battleground in Trump's Trade War: Vietnam, *The Diplomat*, August 16.

Glenn Hubbard and Peter Navarro (2011), *Seeds of Destruction*, Pearson Education.

Douglas A. Irwin And Chad P. Bown, "Trump's Assault on the Global Trading System," *Foreign Affairs*, September/October 2019.

Keith Johnson (2019a), Capitol Hill Could Imperil Any New U.S.-U.K. Trade Deal, *Foreign Policy*, August 9.

Keith Johnson (2019b), Why Trump Still Can't Get USMCA Through Congress, *Foreign Policy*, October 23.

Arthur Kroeber (2019), "From Trade War To Decoupling," *Gavekal Dragonomics*, July 29.

Robert E. Lighthizer (2010), Testimony before the U.S.-China Economic and Review Security Commission: Evaluating China's Role on the World Trade Organization over the Past Decade, June 9.

Satoru Mori (2019), US-China: A New Consensus for Strategic Competition in Washington, *The Diplomat*, January 30.

Barry Naughton (2018), Economic Policy under Trade War Conditions: Can China Move Beyond Tit for Tat?, *China Leadership Monitor* 57: 1–12.

Peter Navarro (2015), *Crouching Tiger: What China's Militarism Means for the World*.（赤根洋子訳（2016），『米中もし戦わば――戦争の地政学』文藝春秋.）

Peter Navarro (2018), The Era of American Complacency on Trade Is Over, *The New York Times*, June 8.

Peter Navarro and Wilbur Ross (2016), "Scoring the Trump Economic Plan: Trade, Regulatory & Energy Policy Impacts, 1–31, September 29.

Marcus Noland (2019), Protectionism under Trump: The China Shock, Intolerance and the "First White President", *Working Paper* 19(10): 1–28.

Adam Posen (2018), An ill-advised trade war could turn out to be Trump's Afghanistan, *Prospect*, March 20.

Dina Smeltz, Ivo Daalder and Craig Kafura (2014), Foreign Policy in the Age of Retrenchment,

1–52, The Chicago Council on Global Affairs.
The New York Times (2018), "I am Part of the Resistance Inside the Trump Administration", September 5.
The White House (2017), National Security Strategy 2017, December 18.
The White House (2018), Presidential Memorandum on the Actions by the United States Related to the Section 301 Investigation, March 22.
The White House (2019a), Adjusting Imports of Automobiles and Automobile Parts into the United States, May 17.
The White House (2019b), Memorandum on Reforming Developing-Country Status in the World Trade Organization, July 26.
Donald Trump (2016), Declaring America's Economic Independence, June 28.
Michael Wolff (2018), *Fire and Fury*, Henry Holt & Co.（藤田美菜子他訳『炎と怒り――トランプ政権の内幕』早川書房）
USTR (2017a), The President's 2017 Trade Policy Agenda, *2017 Trade Policy Agenda and 2016 Annual Report*. 1–7.
USTR (2017b), The Summary of Objectives for the NAFTA Renegotiation.
USTR (2018a), "The President's 2018 Trade Policy Agenda," *2018 Trade Policy Agenda and 2017 Annual Report*. 1–33.
USTR (2018b), *Findings of the Investigation into China's Acts, Policies, and Practices Related to Technology Transfer, Intellectual Property, and Innovation under Section 301 of the Trade Act of 1974.*
USTR (2018c), Joint Statement on Trilateral Meeting of the Trade Ministers of the United States, Japan, and the European Union, May 31.
USTR (2018d), United States-Japan Trade Agreement (USJTA) Negotiations: Summary of Specific Negotiating Objectives, December.
USTR (2019a), United States- European Union Negotiations: Summary of Specific Negotiating Objectives, January.
USTR (2019b), United States-United Kingdom Negotiations: Summary of Specific Negotiating Objectives," February.
USTR (2019c), United States Will Terminate GSP Designation of India and Turkey, March 4.
White House Office of Trade and Manufacturing Policy (2018), How China's Economic Aggression Threatens the Technologies and Intellectual Property of the United States and the World.
Mark Wu (2016), The "China, Inc." Challenge to Global Trade Governance, *Harvard International Law Journal* 57(2): 261–324.
Fareed Zakaria (2018), Trade is the Republican Party's last Stand, *The Washington Post*, March 8.

Summary

Trade Policy of Trump Administration: The Destruction of Free Trade Consensus and its Chaotic Policy Process

Takeyasu Fujiki (Faculty of Economics, Wakayama University)

This paper analyzes how Trump administration has changed a free trade consensus both internationally and domestically. While the administration has shifted from the hegemonic state trade policy to a great power trade policy, Trump began trade war against both China and major democratic alliances. Domestically, he broke a free trade consensus between the Whitehouse and the Republican Congress but he gets fragile support only through his twitter performance and the ideological backlash against elite-driven globalization. Although he broke a post-Cold War consensus on free trade, he has brought confusion and chaos into the U.S. policy process at present.

投稿論文

世界のエネルギー転換シナリオと政策面での整合性確保の可能性

東京国際大学　武石　礼司 *

要旨

世界の主要なエネルギー研究機関等から出されている世界のエネルギー需給の将来シナリオを比較検討すると，シナリオの差異が大きく，将来の世界をいかに描くかにより，エネルギー供給と消費の内容が大きく異なる。世界各国は，エネルギー自給率の高低，国の脆弱性次第で，エネルギー政策に差異が生じており，OECD加盟国とそれ以外の発展途上国とを比べても，政策面での世界的な整合性を得ることは難しい状況がある。

キーワード：エネルギー需給，エネルギー供給シナリオ，化石燃料，再生可能エネルギー，地球環境問題

1. はじめに

化石エネルギーの多量な消費を脱し，低環境負荷のエネルギー源への転換をすべきだとの要請が高まっているが，世界各国は，経済発展の度合い，産業構造，エネルギー消費構造が各々異なるために，世界的な協調ある方針を提示することは難しい状況がある[1)]。しかも，世界の化石エネルギーの消費

* E-mail: takeishi@tiu.ac.jp

1) 2016年に発効したパリ協定は，2020年以降の温室効果ガスの排出削減を目指す国際的な取り決めであるが，あくまで，各国の自主的な取り組みを尊重する内容となっている。

量は膨大である上に，発展途上国を中心に，また米国等も含んで，世界のエネルギー消費量は現在も増大を続けており，エネルギー供給量の増大に向けた投資が必要とされている。石炭消費量を減らそうとした場合には，天然ガス消費量が石炭を代替する燃料として増える傾向がある。運輸用の石油消費量を減らそうとすると，天然ガスあるいは電力の消費量が増える可能性が高い。石油消費量が今後ピークを示し，その後減少に向かうとした場合，供給量の余剰分が一定程度存在すれば，供給量・消費量がピークをつけて減退が始まるまでの間に，価格の高騰は避けられる可能性が高いが，生産量維持のための投資が進まない場合には，供給不足と価格高騰が生じる可能性が高くなる。再生可能エネルギーの導入量は，インセンティブを与えて増やすことはできるが，いっそうの普及のためには，再度の新たなインセンティブの提供，あるいは，政策として支援が必要となる。エネルギー分野への今後必要となる投資額も考慮しながら適切なエネルギー・トランスフォーメーションに向かう必要がある。

各国が協議を重ねていくに際して，重要なのは，共通の認識を持つことが可能となる立場に各国があるかという点である。本稿では，エネルギーの自給率と，GDP当りの一次エネルギー供給量の関係を検討するとともに，Polity Programという世界各国の政治的安定性を検討している団体が発表した脆弱性指数（Fragile Index）とエネルギーの自給率との関係も検討し，各国が消費するエネルギー資源の選択を行うにあたって，各国の立場に差異が存在する点を指摘する。

2. エネルギー供給予測・シナリオ

2.1 予測シナリオの多様性

中長期のエネルギー予測シナリオが研究機関，企業等により作成されているが，近年発表された主立ったシナリオとしては表1のような各種のものをあげることができる。それらのシナリオにおける前提事項は，経済成長・人口増加とエネルギー消費動向，技術進歩，温室効果ガス排出量への配慮がある。

表１　世界エネルギーシナリオ [2)]

	発表	期間（まで）	予測／シナリオ名
OECD IEA	2018年11月	2040年まで	NewPolicy Scenario Sustainable Development Scenario Current Policy Scenario
シェル	2018年初め	2070年あるいは2100年	Sky Scenario
	2017年	2060年	World Energy Model
	2017年	2050年	Energy Scenario Germany
	2017年	2100年	Global Supply Model, Oil & Gas: A View to 2100
	2012年	2060年	Mountain & Ocean Scenarios and Lens
BP	2019年	2040年	Energy Outlook 2019
	2018年	2040年	Energy Outlook 2018
ExxonMobil	2018年	2040年	2018 Outlook for Energy: A View to 2040
DOE EIA	2018年	2040年	International Energy Outlook 2018
	2019年	2050年	Annual Energy Outlook 2019
エネ研	2018年	2050年	IEEJ Outlook 2019 レファレンス，技術進展，石炭火力新設禁止
IRENA	2019年	2050年	Global energy transformation, a roadmap to 2050

（資料）各シナリオ・ホームページ資料より作成

シナリオの設定期間は，20年程度から，長期では2100年までのシナリオでは80年程度の期間を予測している。技術進歩については，50年先，あるいは30年先ですら予測しきれないと考えられ，そのため，将来的にどのようになっていることが望ましいと考えて，その状態を達成するための筋道を考えるという規範的シナリオが作成される場合もある。特に，CO_2排出量を最大限削減しようというシナリオを作成すると，この将来の姿から逆算して

[2)] IRENAは，国際再生可能エネルギー機関でThe International Renewable Energy Agencyの略称。

シナリオを作成する傾向が強まる場合が多い[3)]。

2.2　OECD IEA シナリオ

2.2.1　一次エネルギー消費に関する OECD IEA シナリオ

OECDの国際エネルギー機関（IEA）発表の World Energy Outlook 2018 年版は，2040年までを見通した「New Policy」，「Sustainable Development」，「Current Policy」の3つのシナリオを作成し，発表している。

図1は，「New Policy」シナリオの世界の一次エネルギー消費予測である。2040年に向けて世界全体のエネルギー消費量は今後も増大し，石油が最も多い状態が続き，石炭消費量をガス消費量が抜き，第4位はバイオエネルギーとなり，第5位が（その他）再生可能エネルギー（含む，太陽光，風力等）である。最後に第6位が水力で，水力の伸び率は小さいと予測されている。

世界の人口は今後もインド，アフリカほかの諸国で増え続け，かつ，経済成長の余地が大きい国も多いため，世界のエネルギー消費量は増大すると見るのが多くのエネルギー問題の研究機関の一致した見方である[4)]。この増大する傾向を持つエネルギー消費量を逆転させて，削減を目指す場合には，何らかの強硬な措置を各国政府が導入するなど，大きな政策変更が必要となる。

図2はOECD IEAが作成した「持続可能シナリオ」で，世界のエネルギー消費量の総量を2040年に向けて増大させず，かつ，化石燃料の消費を大幅に抑制するシナリオとなっている。

石油と石炭の消費量が2017年以降すぐに大幅な削減となっている。エネ

---

3) 表1のシェル社の Sky Scenario は，2075年には CO_2 排出量をネットでゼロとするために，化石燃料の消費量をできるだけ早期に削減するとのシナリオとなっている。IRENA のシナリオも CO_2 排出量の削減を目指したエネルギー選択を行うシナリオとなっている。

4) 人口に関しては，国連 World Population Prospects が基本資料として引用されて議論が行われている。https://population.un.org/wpp/

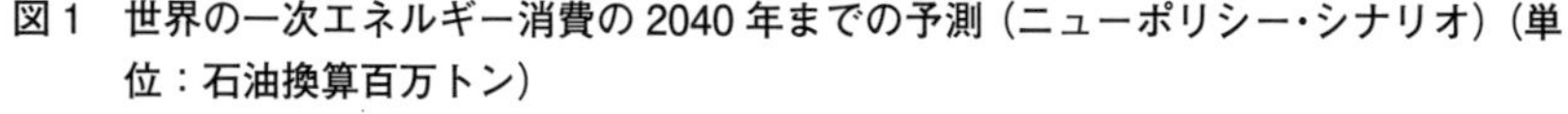

図1　世界の一次エネルギー消費の2040年までの予測（ニューポリシー・シナリオ）（単位：石油換算百万トン）

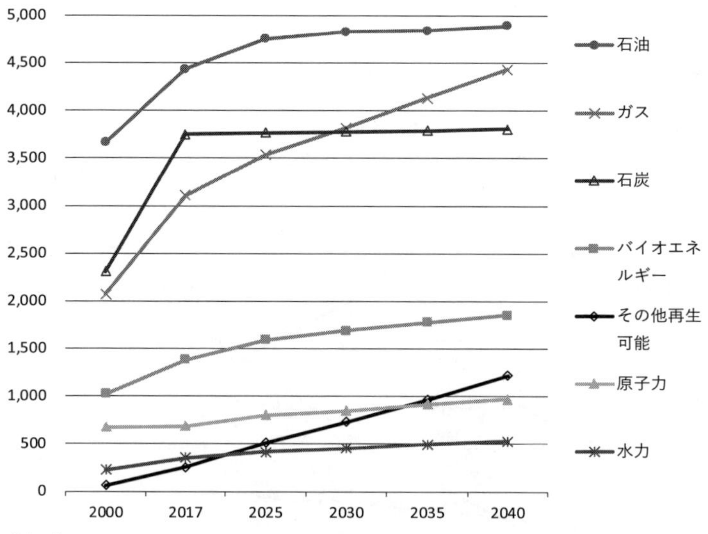

（出所）OECD IEA “World Energy Outlook 2018” データより作成

ルギーは，設備が整備された上で供給と消費がなされており，消費量が減るまでには，時間を要するのが普通である。したがって，市場でのコスト競争だけでは，石油，石炭の消費量の急減が生じることは難しい。石油と石炭の消費量を抑え，再生可能エネルギーの競争力を増すための（補助）制度，あるいは，各国政府による強い政策が導入されないと，図2のような大きな変化は生じない。

2.2.2　電力消費に関する OECD IEA シナリオ

電力消費に関する OECD IEA シナリオのうち，図3で示すニューポリシー・シナリオでは，2040年に向けて，石炭火力用の石炭消費が横ばい，ガス火力用のガス消費と，「その他再生可能エネルギー」が大幅増，原子力と水力が増大，石油はいっそうの減少となると予測されている。世界の電力需要の伸びを，ガスとその他再生可能エネルギーでカバーするという構図と

図2　世界の一次エネルギー消費の2040年までの予測（持続可能シナリオ）（単位：石油換算百万トン）

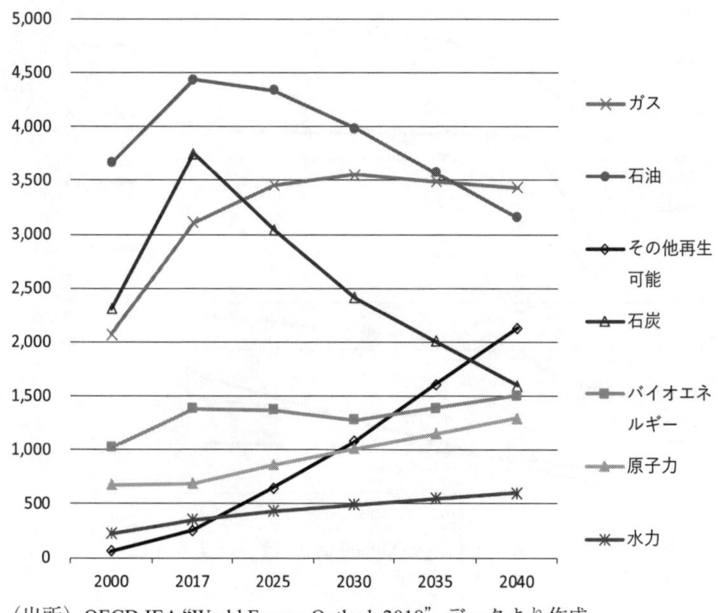

（出所）OECD IEA "World Energy Outlook 2018" データより作成

なっている。

ニューポリシー・シナリオを見ると，世界の電力消費の合計量は年率1%以上で増大していくと予測され，その増大部分をカバーするのは，ガスと再生可能エネルギーであるとみられている。地球環境問題で石炭火力の削減が強く要請される中，2040年まで，石炭火力の発電量は減らないとの見積もりとなっている点が注目される。発電コストが低いことが，大きなメリットとなっており，導入された石炭火力はできる限りベースロード電源としてフル運転が目指されていくと予想されている。

図3のニューポリシー・シナリオに対して，石炭，石油，さらにはガスの消費量も削減していくべきとするのが「持続可能シナリオ」である。このシナリオでは，世界のCO_2排出量を2040年に向けて大幅に削減することを目

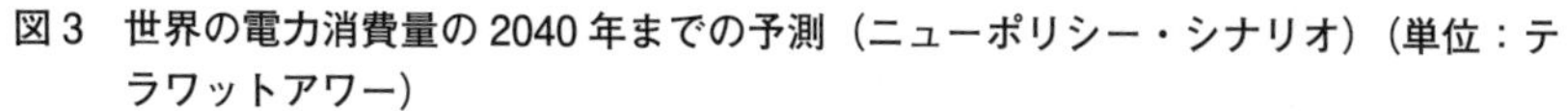

図 3　世界の電力消費量の 2040 年までの予測（ニューポリシー・シナリオ）（単位：テラワットアワー）

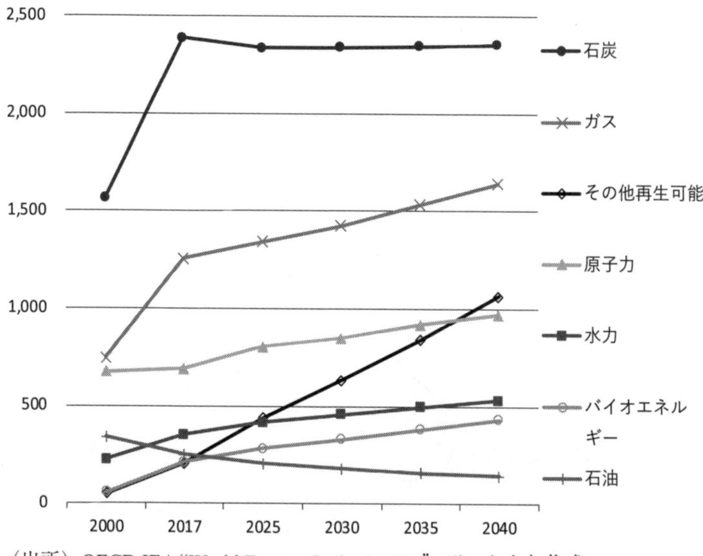

（出所）OECD IEA "World Energy Outlook 2018" データより作成

指している。世界の電力消費量は，今後増大が予測される国が多くあり，石炭，石油，ガス火力の発電量を減らしていく中，発電量を増やすのは，「その他再生可能」，および，原子力，水力，バイオエネルギーである。

現在，経済の好循環過程に入ってきているインドのような途上国が，自国で生産できる石炭の利用を制限されるシナリオを受け入れることは容易でないと考えられる。「持続可能シナリオ」は，大幅な変化をもたらす内容であり，実現可能性が大きな課題となる。

以上のように，「ニューポリシー・シナリオ」を目指すことも実際にはなかなか難しい状況があるが，さらに「持続可能シナリオ」を導入するためには，世界的な合意が得られることが必要であり，利害関係者の主張の中から合意点を探る必要がある。

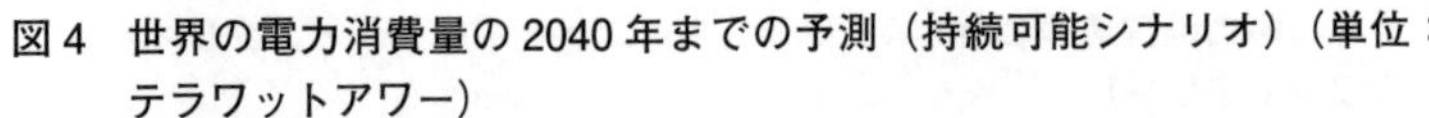
図4　世界の電力消費量の2040年までの予測（持続可能シナリオ）（単位：テラワットアワー）

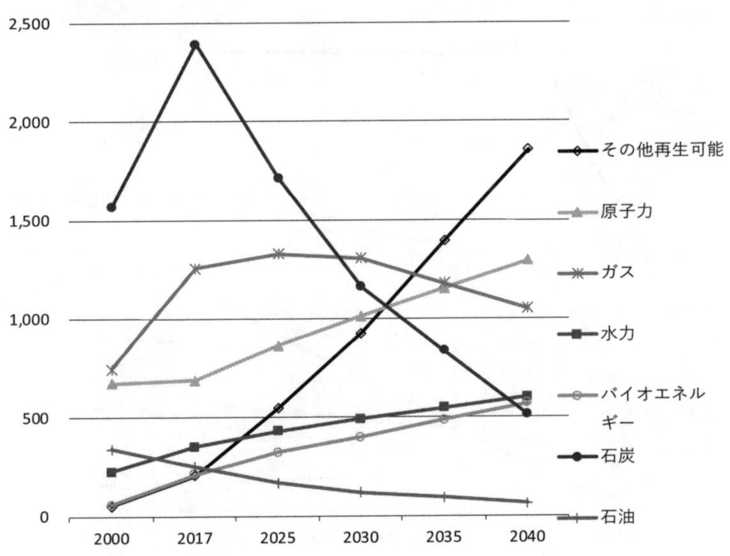

（出所）OECD IEA "World Energy Outlook 2018" データより作成

2.3　その他のシナリオと各国間の合意形成

表1で示したように，シェル社[5)]，BP社[6)]，エクソンモービル社[7)]，米国エネルギー省のエネルギー情報局（US DOE EIA）[8)]，日本エネルギー経済研究所，国際再生可能エネルギー機関（IRENA）など，多くの企業・組織がエネルギー需給の将来予測を発表している[9)]。

いずれのシナリオにおいても，エネルギー効率を上げ，CO_2排出量も同時に低減させようとの試みが行われることが前提となっているが，エネルギー

5) https://www.shell.com/.

6) https://www.bp.com/en/global/corporate/energy-economics/energy-outlook.html

7) ExxonMobil, 2018 Outlook for Energy: A View to 2040. https://corporate.exxonmobil.com/en/energy/energy-outlook/a-view-to-2040

8) https://www.eia.gov/outlooks/ieo/.

9) 各社・各組織の内容の分析と検討は武石（2019）において実施している。

インフラの整備等，様々な投資と政策的な後押しがあった上で可能となるため，大幅なエネルギー転換のためには，多くの時間を要する。特に，図2および図4において示した，化石燃料の急激な減少をもたらす各国の取り組みは実現していない。

しかも，国連気候変動に関する政府間パネル（IPCC）が発表した第5次報告書（2013年）に記載された図5で示されるように，気温上昇の停止（ハイエイタス：Hiatus）という現象が2010年前後に生じて，図中の黒実線で示す温度実測値は2010年前後に横ばいで推移して予測値の下限に位置し，温度の上昇傾向は生じなかった。このため，2050年に向けた多くの温暖化予測モデルの予測値が，2010年前後のそもそもの予測の出発点において実測値との間で乖離を示し，実測値に基づく計算のやり直しが必要となった。大幅なCO_2削減を目指す各国間の合意形成が，ますます進み難くなる情報が，IPCCの報告書で提供されている。人為的な温暖化と自然変動による温暖化の関係，およびそのそれぞれの影響の割合が，どの程度であると考えるべきかが議論されているところである[10]。

渡辺ほか（2014）により行われた研究によれば，2000年以降は，自然変動はむしろマイナス値を示しており，温室効果により，結果としてプラスが維持されており，気温上昇は停止した状態が出現したとされている。この研究によれば，1980年代，1900年代，2000年代の10年ごとの内部変動[11]の寄与はそれぞれ47%，38%，27%であると算出されている。

また，中川（2017）によれば，今後，自然変動が大きくなり，例えば，わずか数年で地球の温度が大きく変動する厳しい気候が出現する時代に入る可能性が示唆されている。

エネルギー分野においても，自然変動に対応するべく，エネルギー供給の

10) 田中（2015）は，自然変動が過小評価され，人為起源の温暖化を過大評価している可能性を指摘している。

11) 同論文によれば，人間活動とは無関係に生じる自然の変動のうち，気候システムの外部要因（太陽活動や火山噴火など）によらない現象を内部変動と呼ぶとしている。

図5　IPCC 発表の世界の RCP（放射強制力の代表的な経路）別の温暖化予測と実績値（太実線）（第5次報告書，2013年）

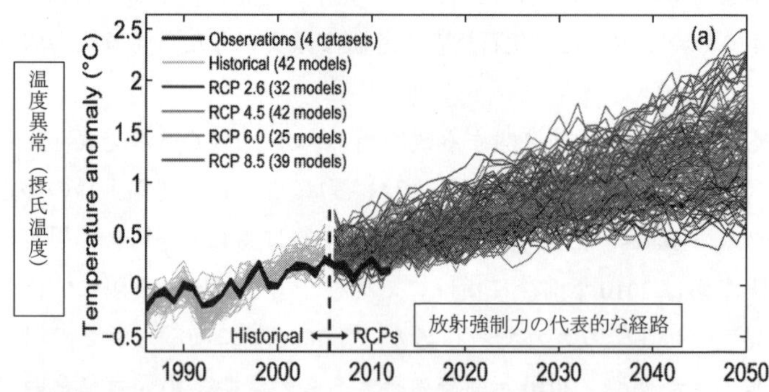

（出所）IPCC AR5 WG1, 2013, Figure TS.14 | Synthesis of near-term projections of global mean surface air temperature (GMST). P. 87 [12]

世界的なレベルでの強靱化，協力体制の整備，気候変化に対して脆弱な地域に住み，保護されるべき人々のことを考えて資金を振り向けていく必要がよりいっそう強く意識されるべきと言うことができる。

3. 再生可能エネルギー導入の課題

武石（2017）では，再生可能エネルギーの大量導入が生じるに際しては，価格設定においてインセンティブが整備されるなど何かの方法で導入が促進されている場合があることを指摘している。米国の場合は，税額控除の制度により再生可能エネルギーに対する国内投資の活発化が生じた。欧州においては，固定価格買取制度（FIT）の導入により再生可能エネルギーの急増が生じ，いったん導入が沈静化した後，再度，北海とバルト海での洋上風力の導入促進策により，北海に面した諸国での再度の導入量の増大が生じてい

[12] https://www.ipcc.ch/site/assets/uploads/2018/02/WG1AR5_TS_FINAL.pdf
図5の RCP は Representative Concentration Pathway（放射強制力の代表的な経路）を意味し，温室効果ガス排出による温室効果の強さである放射強制力の濃度の様々なケース 2.6〜8.5（W/m^2）による予測値を示している。

る。このようにインセンティブを提供する政策が導入されることで，再生可能エネルギーの急拡大が生じた。

太陽光発電は設備導入が容易で，日射量に恵まれた地域では，大量導入も生じた。しかし，ダックカーブと呼ばれる，日中の時間に，太陽光による発電量の急増と，午後遅くに，太陽光発電量の急減が生じてしまう場合が生じるようになった。日本では，特に日射量に恵まれた九州地域において，このダックカーブが生じることとなった[13)]。太陽光発電を除いた，その他の火力等の発電設備は，朝方の電力需要の急増に備えるとともに，夕方のさらに急速な需要増大に備える必要が生じた。太陽光発電量の変動をカバーするための発電容量を，それら太陽光以外の発電設備が，自らの設備が発電を行っていないときでも保有しておく必要性が生じている。このように，太陽光発電の広義のコストは，太陽光設備以外でも必要となることがわかってきた[14)]。

ガス，石炭，石油等の化石燃料による発電では，燃料代がかかるが，再生可能エネルギーでは太陽光，風力，水力など燃料代がかからないために，発電コストが安価となる。ただし，設備稼働率が低く，また，発電量が変動する電源であるために必要となる蓄電・バックアップ等のコストも必要であり，導入量を増やすためには，追加コストが必要となる。

設備稼働率は，太陽光発電は10%台から20%程度，風力発電で20%（陸上）から30%（洋上）程度となっており，設備投資コストの負担が，設備利用率が低い分だけ生じると言える。

4. エネルギー問題に対するコンセンサスの形成の可能性

各国のエネルギー問題に対するポジションが大きく異なる場合，エネルギー転換を図ろうとしても，同じ政策を導入することが困難になる可能性が生じる。

---

13) 九州電力，2017年度 経営計画の概要〔詳細版〕2017年6月，http://www.kyuden.co.jp/var/rev0/0076/5472/iyr09lk3.pdf

14) Andor et al.（2017）では，ドイツで家庭用の電力価格が上昇した事例を分析している。

OECD諸国（35カ国）のエネルギー問題に対する立場が，一致を見る可能性があるかにつき，以下で検討してみる。

重要な指標として，エネルギー自給率を見るとともに，一次エネルギー供給（TPES）が各国の経済において負担となっているかどうかを知るために，TPESをGDP（購買力平価（PPP）換算によるUSドル額）で除した比率を算出し考察を行った。

図6で，エネルギー自給率（横軸）が特異値であるオーストラリア，カナダ，ノルウェーを除き，また，縦軸の数値が0.35を超えているアイスランドを除くと図7が作成できる。

次に，OECD非加盟国109カ国による非OECD諸国のエネルギー自給率（横軸）と一次エネルギー供給（TPES）/GDP PPP比率（toe per thousand 2010 USD）（縦軸）の関係を図8で示す。

図8において，横軸の自給率が8倍に近い値を取る国は南スーダンである。5倍以上の値をとっている国はアンゴラ，ブルネイ，コンゴ，カタールであ

図6　OECD諸国（35カ国）のエネルギー自給率（横軸）と一次エネルギー供給（TPES）/GDP PPP比率（toe per thousand 2010 USD）（縦軸）の関係

購買力平価換算GDPに占める一次エネルギー供給（TPES）（単位：千ドル（2010年換算）当り石油換算トン）

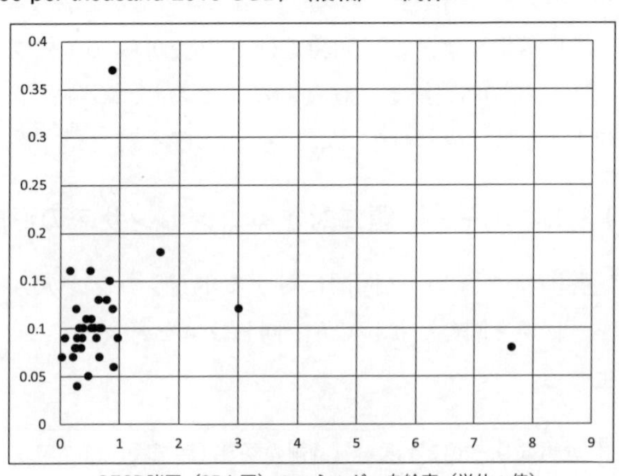

OECD諸国（35カ国）のエネルギー自給率（単位：倍）

（資料）OECD IEA, World Energy Balances, 2018データより作成

図7　OECD 諸国（31カ国）のエネルギー自給率（横軸）と一次エネルギー供給（TPES）/GDP PPP 比率（toe per thousand 2010 USD）（縦軸）の関係（図6よりオーストラリア，カナダ，ノルウェー，アイスランドを除いた図）

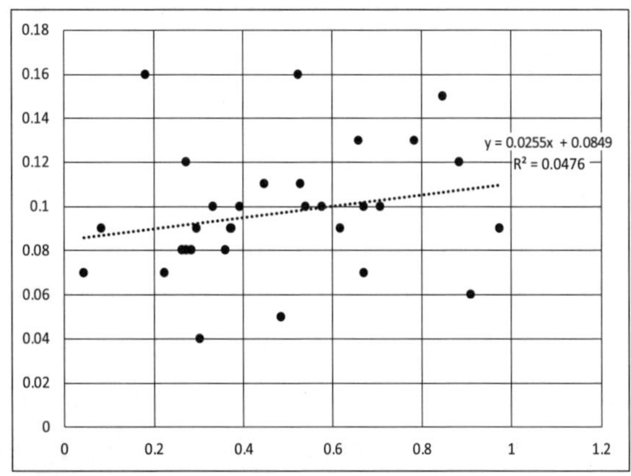

（出所）図6と同じ

図8　非 OECD 諸国（109カ国）のエネルギー自給率（横軸）と一次エネルギー供給（TPES）/GDP PPP 比率（toe per thousand 2010 USD）（縦軸）の関係

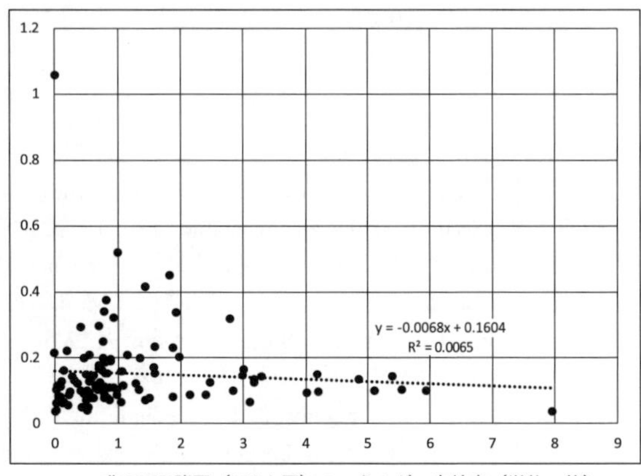

（出所）図6と同じ

る。1倍を超えて，エネルギー自給が達成されている国が，109カ国中に40カ国（37%）あり，自給率100%以上の国の数は3分の1を超えている。エネルギー（特に化石燃料）の輸出に経済が大きく依存している発展途上国が一定数あることを示している。

また，縦軸で1を超える値をとっているのは，南米のオランダ領のキュラーソである。

これらの大きな値を取る国はあるものの，エネルギーの自給が出来ていない国の方が世界の中では多い（109カ国中69カ国）。

その一方，一次エネルギー供給（TPES)/GDP PPPの比率（縦軸）が，一定のレベル（特に0.2）以下に止まる国が多く見られる。エネルギーの供給を輸入に頼りつつ，再生可能エネルギーを含めた新規投資を実施することは，自己資金のみでは制約がある発展途上国も多く存在する。

5. 政治の安定性（脆弱性指数）および政治民主化度（Polity指標）とエネルギー供給

政治の安定性をThe Center for Systemic Peace[15]が発表している脆弱性指数(Fragility Index)[16]で示し，エネルギー自給率との関係を見ると，OECD諸国の中で脆弱性指数（0から25の値をとる）が相対的に大きく，脆弱度が高いのは，トルコの9，イスラエルの7，メキシコの5，米国の3の順となって

15) https://www.systemicpeace.org/

16) 脆弱性指数（Fragility Index）は，有効性（Effectiveness）が低いと数値が大きくなる4つの指標（Security，Political，Economic，Social）（合計最大13ポイント，Security，Political，Socialの3指標は0から3ポイント，Economicのみ0から4ポイント）と，合法性（Legitimacy）が低いと数値が大きくなる4つの指標（上記と同じ分類のSecurity，Political，Economic，Social）（合計最大12ポイント，各指標とも0から3ポイント）の合計25ポイントにより示される。有効性と合法性は，ポイントは共に“no fragility”は0，“low fragility”は1，“medium fragility”は2，“high fragility”は3の各ポイントとし，有効性分野のEconomicのみ“extreme fragility”の4を設定している。中国，ブラジルは脆弱性指数が6，ベトナム，イスラエルで7，南アフリカ，サウジアラビア，インドネシアが8と評価される（図9および図10)。

図 9　OECD 諸国（35 カ国）のエネルギー自給率（横軸）と国の脆弱性指数（0 から 25）（縦軸）の関係

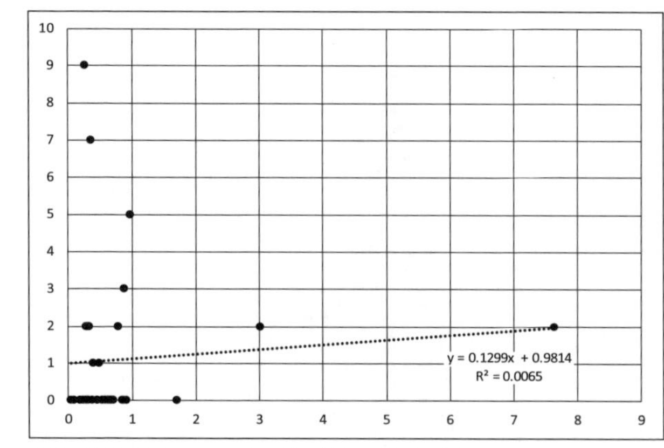

（出所）横軸データは図 6 と同じく OECD IEA, World Energy Balances, 2018 より。縦軸は Polity Program データより

いる。EU 諸国，日本，韓国，台湾はいずれも脆弱性指数はゼロである。OECD35 カ国中，23 カ国の脆弱性指数がゼロとなっている。米国の 3 のように，国外に軍隊を派遣しており海外での紛争に関与している国は，Security 面の脆弱性評価が若干高まる傾向がある。エネルギー自給率が高いのはノルウェー 7.6，オーストラリア 3.0 である。

非 OECD 諸国について見ると，脆弱性に関しては分布が大きく広がる傾向が存在する。脆弱性が大きく分布することは，統治が良好でない等の現象が発生している国が少なからずあることを意味している。

次に，民主化度を示すポリティ・データ[17]でエネルギー自給度との関係

[17] ポリティ・データで，10 は完全な民主制，−10 は完全な独裁制を表す。6 から 10 が民主制（democracies），−10 から −6 が独裁制（autocracies），−5 から 5 が民主制と独裁制の中間に位置する政体（anocracies）と分類される。民主化が進んだ段階は 6 以上を意味する。

図 10　非 OECD 諸国（102カ国）のエネルギー自給率（横軸）と国の脆弱性指数（0から 25）（縦軸）の関係

国の脆弱性指数
（0から25）

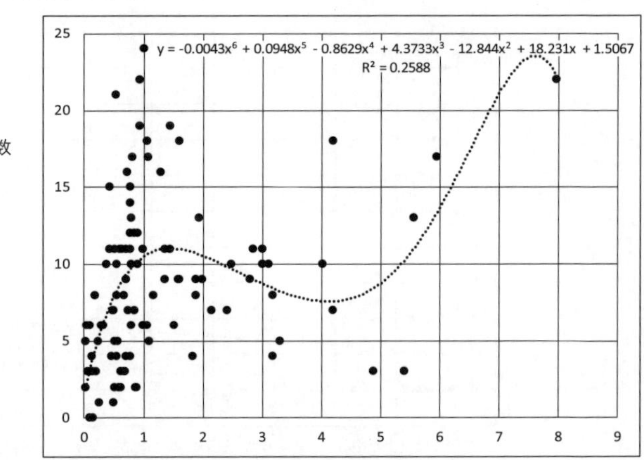

非OECD諸国（102カ国）のエネルギー自給率（単位：倍）

（出所）横軸データは図 6 と同じく OECD IEA, World Energy Balances, 2018 より。縦軸は Polity Program データより

図 11　OECD 諸国（35カ国）のエネルギー自給率（横軸）と民主化度（Polity 指標）（縦軸）の関係

民主化度
（Polity指標）

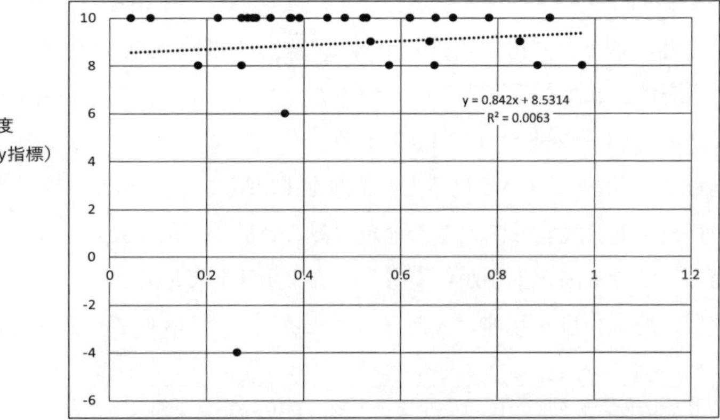

OECD諸国（35カ国）のエネルギー自給率（単位：倍）

（出所）横軸データは図 6 と同じく OECD IEA, World Energy Balances, 2018 より。縦軸は Polity Program IV，2016 年データより

図 12　非 OECD 諸国（99カ国）のエネルギー自給率（横軸）と民主化度（Polity 指標）（縦軸）の関係

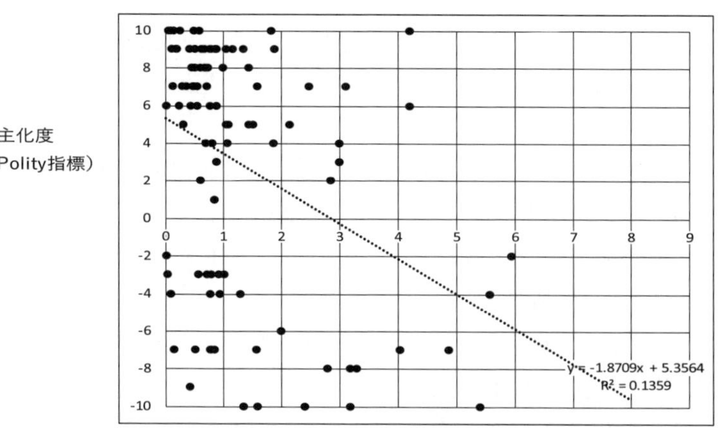

（出所）横軸データは図 6 と同じく OECD IEA, World Energy Balances, 2018 より。縦軸は Polity Program IV，2016 年データより

を見ると，OECD 諸国では民主化度がマイナスで，−4 であるトルコを除いては，エネルギー自給率が高いか低いかに大きな影響を受けずに，これら OECD 諸国はいずれも民主化が進んでいると言える。

一方，非 OECD 諸国においては，民主化度が低い諸国も多くあり，しかも傾向としてエネルギー輸出国で，しかも輸出比率が高くなるとともに，民主化度は低下する傾向が見られる。ロス（2017）が指摘した「石油の呪い」の状況が，エネルギー輸出国には出現する可能性があることが図 12 から確認できる。

6.　まとめと課題

本稿で行ったエネルギーシナリオの検討から，2040 年以降に向けた中長期予測を行う際には，各国政府の方針がどのように定まるか次第で，世界全体としてのエネルギー需給の状況が全く異なった様相を見せる可能性があることが示された。

エネルギー分野における投資額に関しては，エネルギーの高効率利用，温室効果ガス排出削減のための努力も継続しつつ，より強力に，エネルギー供給の世界的なレベルでの強靱化，協力体制の整備，気候変化に対して脆弱な地域に住み，保護されるべき人々に対する資金の支出が重視されるべきことを指摘することができる。

再生可能エネルギーの導入量に関しても，日本など国土面積が広大でない国では，一定程度まで導入されると，伸び率が低下する傾向が生じている[18)]。世界的に見ても，Bohringer et al.（2017）がドイツの事例で述べるように，失敗に学んで制度を変更してきた経緯がある。

次に，途上国においては，エネルギー支出がGDPに占める比率が，OECD諸国に比べ大きい傾向があり，エネルギー輸出国の場合，エネルギー輸出量が自国消費量に対して増えていくことで，国内エネルギー向けの支出が経済に与える負担は軽減されていく傾向がある。

OECD加盟の35カ国のうち，エネルギーの輸出国であるオーストラリア，カナダ，ノルウェーを除いた32カ国は，エネルギーのネット輸入のポジションにある。先進国であって，製造業が活発に輸出を行っている国が多いOECD加盟国においては，一次エネルギー供給（TPES)/GDP比率が小さい。つまり，OECD加盟国においては，途上国と比べて，エネルギー輸入が，経済的負担として大きくない状況がある。

各国の国としての脆弱性の検討を行ったことで，OECD諸国と非OECD諸国の間に明らかな格差が存在することが指摘できる[19)]。さらに，エネルギー輸出依存国，エネルギー非輸出国との間で，異なった立場があり得ることも分析から確認できた。立場が異なれば，主張内容も異なり，合意を得ようとしても利害が一致しない可能性が生じる。

---

18) 2012年に開始された固定価格買取制度（FIT）は，導入が容易な太陽光発電のみ導入が促進され，その後の買取価格の引き下げとともに，導入量の減少が生じた。

19) 脆弱性に関して，OECD諸国と非OECD諸国との間には，有意に差があることが指摘できる。民主化度に関しても，同じく有意な差を指摘できる。

民主化度とエネルギー自給率の関係を見ても，OECD 諸国のように，トルコを除いては，完成度が高い政治システムが確立されている諸国が多くある。

その一方で，非 OECD 諸国においては，エネルギー輸出比率が高くなるとともに，民主化度は低下する傾向が見られる。独裁度が高い場合に，大きな決断を要する政策が導入できる場合があり得るが，しかし，国そのものの発展が阻害されてしまう場合も生じ得るために，国際的なコンセンサスが必要な問題に，合意を取り付けることができるかどうかは，事案ごとに異なると考えられる。

また，エネルギー供給の持続性も重要である。例えば，中国では多量に石炭を消費しているが，自国生産の可採年数は 2019 年現在で 38 年分である（BP statistics 2019 [20]）。年々，可採年数が低下しており，ガス生産を増大させ，ガス輸入量を増やしても，石炭の消費量を代替することは困難な量である [21]。

さらに，エネルギー供給に関する安全保障の観点からの考慮も重要である [22]。

将来のエネルギー供給の問題に関するコンセンサスを得ていくためには，それぞれの国の置かれた立場，地球環境問題も含めた主張とその根拠の把握に努め，各国の発展戦略にも配慮しつつ，エネルギー需給に関する大きな転換期への対応を促していくことが必要となる。技術の後押しもあって，エネルギー転換が世界的に強く意識されているだけに，実際に変化が生じる分野と変化しない分野，変化に時間を要する分野などの様々な状況の違いに，各種シナリオを踏まえながら対応して行く必要が生じている。

参考資料

武石礼司（2019），「エネルギー転換シナリオおよびその評価」日本国際経済学会第 78 回全国大会，2019 年度発表論文集.

---

20) https://www.bp.com/en/global/corporate/energy-economics/statistical-review-of-world-energy.html

21) 中国の 2018 年のガス消費量は，石油換算 4,330 万トンで，一方，石炭消費量は，石油換算 19 億 670 万トンで，ガス消費量は石炭消費量のおよそ 8 分の 1 である（BP statistics, 2019 データより）。

22) 土肥ほか（2018）では，安全保障の効果を数量化する試みが行われている。

武石礼司（2018a），「エネルギー供給シナリオ分析とその評価」日本国際経済学会第77回全国大会，2018年度発表論文集.

武石礼司（2018b），「低炭素社会と中東産油国経済の将来」日本中東学会第34回年次大会，2018年度発表論文集.

武石礼司（2017），「固定価格買取（FIT）制度による再生可能エネルギー導入効果」日本国際経済学会第76回全国大会，2017年度発表論文集.

田中博（2015），「地球温暖化のハイエイタスが自然変動によるものならば人為起源の温暖化の将来予測は過大評価となる」（特集 今，地球はどうなっているのか？「地球規模の環境問題」）『伝熱』54巻，226号，12–15頁.

土肥英幸・杉村丈一（2018），「エネルギーセキュリティの費用化手法の検討」『日本エネルギー学会誌』97巻2号23–30頁.

中川毅（2017），『人類と気候の10万年史』講談社.

ロス，マイケル・L（2017）『石油の呪い』吉田書店.

渡辺雅浩ほか（2014），「地球温暖化の停滞現象（ハイエイタス）の要因究明～2000年代の気温変化の3割は自然の変動～」東京大学大気海洋研究所，https://www.aori.u-tokyo.ac.jp/research/news/2014/20140901.html（2019年11月30日アクセス）.

Bohringer, Christoph, Florian Landis and Miguel Angel Tovar Reanos (2017), Economic Impacts of Renewable Energy Promotion in Germany, *The Energy Journal*, Vol. 38, SI1: 189–209.

Andor, Mark A., Manuel Frondel and Colin Vance (2017), Germany's Energiewende: A Tale of Increasing Costs and Decreasing Willingness-To-Pay, *The Energy Journal*, Vol. 38, SI1: 211–228.

シナリオ参考資料

OECD IEA New Policy Scenario, Sustainable Development Scenario, Current Policy Scenario https://www.iea.org/

Shell, Sky Scenario, World Energy Model, Energy Scenario Germany, Global Supply Model, Oil & Gas: A View to 2100, Mountain & Ocean Scenarios and Lens Scenario, https://www.shell.com/energy-and-innovation/the-energy-future/scenarios.html

BP, Energy Outlook 2019, and, Energy Outlook 2018, https://www.bp.com/

ExxonMobil, 2018 Outlook for Energy: A View to 2040, https://corporate.exxonmobil.com/

US DOE EIA, International Energy Outlook 2018, Annual Energy Outlook 2019, https://www.eia.gov/outlooks/ieo/

日本エネルギー経済研究所，IEEJ Outlook 2019, https://eneken.ieej.or.jp/press/press181012.pdf

IRENA, Global energy transformation, a roadmap to 2050, https://www.irena.org/

The Center for Systemic Peace (CSP) http://www.systemicpeace.org/inscrdata.html（2019年8月30日アクセス）.

Summary

Scenarios of Energy Transformation and Evaluation of Those Expectations

Reiji Takeishi (Tokyo International University)

Transforming energy consumption reducing the use of fossil fuels and to lower CO_2: these are two goals that are being pursued around the world. Energy transformation will surely happen sooner or later. But each country shows different degrees of progress in terms of economic development, composition, structure of industries, and energy utilization. Therefore, compromises to reduce specific energy sources such as coal are difficult to achieve.

投稿論文

技術規制と企業の輸出活動：日本の製造業企業の実証分析＊

青山学院大学　小橋　文子＊＊

要旨

国連貿易開発会議（UNCTAD）の新しい非関税措置データベースを活用し，技術的な規制が日本の製造業企業の輸出活動にどのように影響を与えているのか検証する。規制の国家間差異が貿易を制限する可能性に注目し，企業が国内規制に加えて輸出先の規制を追加的に遵守するために直面する費用負担の指標を提案する。中小規模で生産性の低い企業の輸出意思決定に対して，北米市場における規制の遵守負担が負の影響を及ぼしている結果を得た。

キーワード：非関税措置，技術規制，企業の輸出活動

＊ 本稿は，（独）経済産業研究所（RIETI）におけるプロジェクト「企業成長と産業成長に関するミクロ実証分析」の成果の一部である。プロジェクトリーダーである細野薫教授（学習院大学）をはじめ，プロジェクトメンバーの皆様には，本研究の計画段階から有益なコメントをいただいた。ディスカッション・ペーパー検討会では，矢野誠所長，森川正之副所長，深尾京司プロジェクトディレクターをはじめとする方々に貴重なフィードバックをいただいた。データセットの作成にあたっては，経済産業省（METI）の企業活動基本調査および海外事業活動基本調査の調査票情報，RIETI提供による企活－海事コンバータを利用した。また，遠藤正寛教授（慶應義塾大学）より，企業活動基本調査の業種分類と関税率表の品目分類のコンバータを提供していただいた。そして，査読段階では，匿名の審査員の先生に建設的かつ有益な指摘をいただいた。ここに記して感謝の意を表したい。本文で引用している関連研究を共同で行っている鍋嶋郁准教授（早稲田大学）との議論から生まれたアイディアも反映されている。ただし，残る誤謬の責任は筆者に帰する。

＊＊ E-mail: obashi@sipeb.aoyama.ac.jp

1. はじめに

GATT/WTO交渉を通じて関税撤廃が着実に進められてきた一方で，技術的な基準および認証制度をはじめとする国内措置が非関税措置（Non-Tariff Measures: NTMs）[1)]として注目を集めている。貿易に係る技術的な規制の多くは，消費者の健康や安全の保護，環境保全といった公益の観点から品質要求や情報提供義務を課すものであり，必ずしも貿易制限を意図したものではない。しかし，似通った公共政策目的を達成するためであるにも関わらず，各国が独自のやり方で多種多様な政策手段を組み合わせて実施していることも事実である。各国が異なる規制体系を独自に設けていることで，実質上，国産品と輸入品が差別的に取り扱われると，非効率的に国際貿易を制限する要因となりうるだろう[2)]。反対に，国家間で規制体系を統一したり調和したりする方向で技術規制が設けられている場合には，貿易促進的な効果が期待されるだろう。

翻って，外国へ向けて自社製品を輸出することを検討している企業の視点に立てば，自国国内での生産および販売活動においてすでに遵守している国内規制に加え，外国市場に進出するにあたって新たに遵守しなければならない技術規制の存在は，輸出に際して費用負担を強いるものである。こうした

---

1) 輸入関税以外にも商品貿易の取引数量や価格に影響を及ぼす可能性のある政策措置は数多く存在し，そうした政策措置を総称して「非関税措置」という（UNCTAD/DITC/TAB/2009/3）。非関税措置には，国境での伝統的な水際措置（border measures）のみならず，商品の品質，性能，大きさといった特性や生産方法，製造工程などについて定められている「基準」およびその基準に適合しているかについて判断する「認証制度」をはじめとする国内措置（behind-the-border measures）も含まれる。水際措置は，数量制限・割当や価格統制といった明らかな貿易制限的措置であり，特に「非関税障壁」（Non-tariff Barriers: NTBs）とも呼ばれる。

2) さらに，国内規制の策定プロセスの不透明性や恣意的な運用により，外国企業に過剰な費用負担を強いている実態も指摘されている。また，表面上は正当な公益目的を掲げつつも，実際には国内産業を保護するための「偽装された保護主義（disguised protectionism）」として規制が濫用される可能性も懸念されている。

追加的な遵守負担は，固定費用としての側面が強く，ある特定の国へ向けて自社製品を輸出するかしないかという企業の輸出の意思決定と直接的に関わってくるので，企業の規模や生産性に応じて異なる影響をもたらすと考えられる。もしそうであるならば，輸出に際しての固定費用をまかなうことのできないような中小規模で生産性水準の低い企業ほど，大規模で生産性水準の高い企業に比べて，自国の国内規制と外国の規制体系の差異による負の影響を受けやすい可能性が懸念される。

本稿では，こうした問題意識の下，技術的な規制の国家間差異が貿易を制限する可能性に注目し，非関税措置が企業の輸出活動にどのように影響を与えているのかを検証する。具体的には，非関税措置に関するUNCTADの新しいデータベースを活用し，Nabeshima and Obashi（2020）に倣って，国および製品レベルで，日本の国内規制と比較して追加的に外国の規制体系が日本からの輸出に対して要求する遵守負担の程度を計測する指標（Additional Compliance Requirement Indicator: ACRI）を構築する。この追加的遵守負担の指標を日本の製造業の企業レベルデータと結び付けることで，各企業の売上高の業種別内訳を用いて，各企業がある特定の国へ向けて輸出する際に潜在的に直面する規制の遵守負担の程度を概算する。そして，企業レベルで，規制負担が日本の製造業企業の輸出意思決定および輸出規模に与える影響を実証的に明らかにする。企業の規模や生産性といった企業特性に応じて，規制負担が輸出パフォーマンスに異なる影響をもたらしているかどうかも検討する。

UNCTADの新しい非関税措置データベースでは，国境で実施される伝統的な通商政策手段だけでなく，衛生や環境保全を目的とする技術的措置や，その他の貿易に係る国内規制も含まれており，これまでになく網羅的で国際比較可能な形で非関税措置情報が整理されている[3)]。非関税措置が企業の輸

3) UNCTADは様々な国際機関と連携しながら非関税措置データベース構築を進めてきた。世界各国の法令文書から商品の輸出入に影響を与えうる強制的（mandatory）かつ公式な（official）措置が検出され，措置分類コード（UNCTAD 2015）に紐付けられ，↗

出活動に与える影響についての既存研究では，データの制約もあり，企業のアンケート調査結果を用いたり（Chen et al. 2006），個別の製品規格などの事例を対象にしたり（Reyes 2011）して実証分析することが多かった。WTOへの通報ベースのデータを用いた研究（Fontagné et al. 2015）もあるが，あくまでも規格などの貿易の技術的障害（technical barriers to trade: TBT）や衛生植物検疫（sanitary and phytosanitary: SPS）措置などの制定や改訂を機に，WTO加盟国がTBT/SPS協定の規定通りに通報した措置のみが対象であり，網羅性という意味では疑問符が残る[4]。こうした既存研究に対し，網羅的なUNCTADのデータベースを活用して，非関税措置が企業の輸出活動に与える影響の全体像を体系的に分析することの意義は大きい。

UNCTADの非関税措置データベースはオンラインで一般公開[5]されており随時アップデートされているものの，即時利用可能なデータフォーマットでの提供が開始されたのは2019年春からで，実証研究への活用は未だ限られている。筆者の知る限り，UNCTADの新しいデータベースを使用して実証分析を行っている既存研究は，UNCTADから最近出版された報告書（UNCTAD 2018）のほか，Cadot et al.（2015），Cadot and Ing（2015），Cadot and Gourdon（2016），Niu et al.（2018），Nabeshima and Obashi（2019, 2020）のみである。

また，既存研究の多くは，Kee et al.（2009）に倣って，非関税措置は貿易制限的であるという暗黙の前提の下，輸入国における非関税措置の存在を従価税に換算（ad valorem equivalent: AVE）して，貿易に対する影響を分析し

↗ 対象製品には各国の関税率表の品目分類コード，対象国には国分類コードを用いてデータベースが構築されている。

4) WTO加盟国は，TBT協定（第2.9条），SPS協定（第7条）の規定に基づき，規格や検疫措置などの制定や改正を行う際には，原則として，事前にWTO事務局へ通報しなければならない。たとえば，日本の場合，WTOへの通報に基づく既存のデータはUNCTADの新しいデータセットの3割に過ぎない（Nabeshima and Obashi 2018）。

5) https://trains.unctad.org/

てきた。たとえば，Cadot and Gourdon（2016）やNiu et al.（2018）は，TBTおよびSPS措置を対象にAVE手法を採用し，非関税措置の貿易制限的影響を分析している。しかし，TBT，SPS措置をはじめとする技術的な規制の場合，輸入国における措置の存在自体は必ずしも貿易制限的とは限らないことは冒頭でも述べた通りである。たとえば，自国で規制Aがあり，その輸出先の国では規制AとBが存在しているとしよう。AVE手法を採用する既存研究では，輸出先国の規制AとBが自国からの輸出に与える影響を従価換算して推計することが慣例となっている。しかしながら，自国の企業は国内での生産・販売活動において既に規制Aを遵守しているため，実際に自国企業の輸出活動に影響を与えるのは，追加的に遵守が必要となる規制Bだけのはずである。輸出活動に影響を与えるのは，輸出先国における規制の存在そのものではなく，企業が国内での生産・販売活動に加えて海外へ輸出する際に追加的に遵守しなければならない規制である。

そこで，AVEに基づく分析手法に代わるものとして，国内規制と比較して実質的に有効な外国規制の程度を数量的に把握する方法が求められる。Cadot et al.（2015）とCadot and Ing（2015）は，国内規制体系に対して外国にしか存在しない規制の種類を特定し，その数を実質的な外国規制の程度として貿易に与える影響を分析している。しかし，単純に追加的な規制を数える方法は，規制の種類がどのように，どの程度細分化されているかに依存する。また，UNCTADの非関税措置データベースにおいて技術規制の種類が階層構造でコーディングされている事実を鑑みると，単純に最も細分化されたレベルで追加的な規制数を数える方法は，同じ上層カテゴリーに含まれる似通った規制とそうでない規制を無分別にまとめて扱うことになってしまう。こうしたCadot et al.（2015）とCadot and Ing（2015）のアプローチの限界を克服するため，Nabeshima and Obashi（2020）は，国内規制体系のベクトルと外国市場へ進出する際に直面する規制体系のベクトルの類似度の尺度（コサイン類似度）を用いて，外国の規制体系が追加的に要求する遵守負担の程度を数量化することを提案している。本稿では，このNabeshima and

Obashi（2020）のアプローチに倣って，企業レベルで技術規制の追加的遵守負担を数量化し，その輸出パフォーマンスに対する影響を分析することを試みる。外国の技術規制の追加的遵守負担に注目したNabeshima and Obashi（2020）や本稿の斬新なアプローチは，AVEに基づく分析手法に優るものとして，今後の政策分析への適用が期待される。

本稿の一連のデータ分析から日本の製造業企業について観察された事実は以下の通りである。第一に，より多くの国に複数の業種にまたがって製造目的の直接投資を行っている企業ほど，また，労働生産性がより低い企業ほど，非関税措置に由来する費用負担に対する懸念を表明している。第二に，少なくとも北米向け輸出に限っては，中小規模の企業が潜在的に直面している技術規制の追加的遵守負担が大きいほど輸出確率は低く，実際に輸出している企業の間では規制負担が大きいほど輸出規模は小さい。一方で，追加的遵守負担の負の影響は企業の生産性が高いほど緩和される。こうした実証的事実は，とりわけ，中小規模で生産性の低い日本の製造業企業の輸出意思決定に対して，技術規制の遵守負担が負の影響を及ぼしていることを示すものである。中小企業が技術規制に円滑に適応し輸出活動を力強く展開できるような政府の支援策の必要性を示唆している。

本稿の構成は以下のとおりである。まず2節で，海外事業活動基本調査のアンケート調査結果に基づいて，どのような特性を有する企業にとって非関税措置に由来する費用負担が懸念材料となっているのかを概観する。3節では，企業が輸出する際に潜在的に直面している技術規制の追加的遵守負担の尺度を構築するとともに，UNCTADの新しい非関税措置データベースを用いて日本の貿易相手国・地域における技術規制の遵守負担を概観する。4節では，規制負担が日本の製造業企業の輸出意思決定および輸出額に与える影響を分析し，企業特性に応じて異なる影響をもたらすのか検討する。そして，5節で規制負担の貿易制限的影響とその政策的示唆について論じて締めくくる。

2. 非関税措置に由来する費用負担を懸念する企業の特性

第38回海外事業活動基本調査（2007年度実績）の本社企業調査では，自由貿易協定（FTA），経済連携協定（EPA）について，「貴社がFTAやEPAに期待するものは何ですか。次の中から該当するものすべての番号に○印を付けてください」というアンケート項目がある。2008年3月31日現在操業中の本社企業3,378社のうち，2,861社（84.7%）が本アンケート項目に何らかの回答を寄せている。表1では，1～13までの各選択肢を選んだ企業数と，回答企業2,861社に占める割合がまとめられている[6]。回答企業数が最も多いのは選択肢1で，回答企業の3分の2がFTAやEPAの締結を通じた関税の削減，撤廃を期待している。続いて多いのは選択肢8で，1,598社（55.9%）がFTAやEPAを通じて税関手続きが円滑化・簡素化されることを求めている。さらに，381社（13.3%）が選択肢7を選び，FTAやEPAによって基準・規格の相互承認が締結国間で促進されることを望んでいる。選択肢7あるいは8を選択した企業は，貿易相手国の製品規格や技術規制を遵守するための費用をはじめ，非関税措置に由来する費用が削減されることを期待しており，現在，非関税措置に由来する費用負担を相当程度強いられていると考えられる。

なお，選択肢14には自由回答欄が設けられており，2社が「米国からの輸出に対する規制撤廃」，「輸出の規制撤廃」とそれぞれ回答している。これら2社も，選択肢7あるいは8を選択した企業と同様，非関税措置に由来する費用の削減を期待していると見受けられる。以下では，選択肢7あるいは8を選択した企業と規制に関する自由回答をした企業をまとめて，非関税措置に由来する費用負担を懸念している企業群とし，それ以外の企業群と比較

---

[6] 後述する通り，選択肢14として自由回答欄も設けられているが，ここでは省略する。各企業は平均で2.79個の選択肢を選んでいるため，表1に記載されている回答企業延べ数は9,421社と，有効回答数（2008年3月31日現在操業中の本社企業）3,378社を上回っている。

表1　FTA/EPA締結を通じた非関税措置に由来する費用削減に対する期待

	選択肢	回答企業数	割合（%）
1	関税の削減，撤廃	1,896	66.3%
2	サービス分野の規制緩和・自由化	458	16.0%
3	投資の規制緩和・自由化，投資ルールの整備	951	33.2%
4	人の移動の規制緩和・自由化	627	21.9%
5	知的財産制度の整備	687	24.0%
6	ビジネス関係法の整備・透明性向上	886	31.0%
7	基準・規格の相互承認	381	13.3%
8	税関手続の円滑化・簡素化	1,598	55.9%
9	政府調達等の市場アクセスの改善	57	2.0%
10	紛争解決	110	3.8%
11	送金，CMSの容認等金融為替取引の規制緩和・自由化	967	33.8%
12	原産地証明手続きの簡素化・域内統一	590	20.6%
13	他国が締結したFTAやEPAによる不利な競争条件の解消	213	7.4%
	回答企業延べ数	9,421	

注釈：CMSはキャッシュ・マネージメント・サービスの略。
出所：第38回海外事業活動基本調査（2007年度実績）の本社企業調査におけるアンケート項目「貴社がFTAやEPAに期待するものは何ですか」の回答結果より筆者作成。

してどのような特徴があるのかを検討する。具体的には，海外事業活動基本調査（2007年度実績）の本社企業調査および現地法人調査，ならびに，企業活動基本調査（2007年度実績）から得られる情報を活用して，どのような特性を有する企業にとって非関税措置に由来する費用負担が懸念材料となっているのかを概観する。

表2の左欄では，製造業に分類される本社企業2,233社に限定して，「直接投資先国数」，「海外現地法人数」，「直接投資先国×業種数」，「資本金」，「従業者数」，「輸出額」，「労働生産性」のそれぞれの変数について，非関税措置を懸念する企業群とそれ以外の企業群の平均値を比較し，平均値の差の検定（Welchのt検定）のp値（片側）を示している。平均値の差は，非関税措置を懸念する企業群の平均値から，それ以外の企業群の平均値を引いた値が記

されている。「直接投資先国数」は，2008年3月31日現在操業中の製造目的の現地法人が存在する国の数である。海外事業活動調査（2007年度実績）では，日本標準産業分類（2007年改定）に準拠した業種分類表が採用されており，業種番号0401～1906が製造業に該当する。「海外現地法人数」は製造現地法人の合計数で，「直接投資先国×業種数」は製造現地法人が存在する国の数と4桁の業種番号の組合せの数である。「資本金」は2008年3月末時点の払込済資本金の額または出資金の額，「従業者数」は常時従業者数（有給役員と常用雇用者の合計人数）で，いずれも企業規模の指標として用いる。「輸出額」は自社名義で通関手続きを行って直接輸出した額で，商品の輸出のみが含まれる。「労働生産性」は，労働者1人あたり付加価値額で，企業活動基本調査の報告書で用いられている定義[7]に倣って算出した。

より多くの国に製造目的の直接投資を行って進出し，より多くの現地法人を保有し，複数の業種にまたがって複数の国に進出している企業ほど，非関税措置に由来する費用負担を懸念している。また，資本金については非関税措置を懸念する企業群の平均値の方が高いが，従業者数，輸出額については非関税措置を懸念する企業群の平均値の方が低くなっており，統計的には有意ではないものの，従業者数，輸出額に基づく企業規模の小さな企業ほど非関税措置に由来する費用負担を懸念する傾向も読み取れる。さらに，労働生産性の低い企業ほど非関税措置に由来する費用負担を懸念している。

表2の中欄と右欄では，製造業に分類される本社企業のうち，それぞれ，直接輸出を行っている1,888社と製造目的の現地法人を1社でも有している1,995社について，左欄と同様，非関税措置を懸念する企業群とそれ以外の企業群の平均値を比較している。平均値の差の検定において統計的有意性が失われている変数もあるが，全体的な傾向は左欄で観察されたとおりである。新たな変数として，2007年まで継続して輸出してきた年数である「輸

---

[7] 労働生産性＝付加価値額÷常時従業者数
付加価値額＝売上高－（売上原価＋販売費および一般管理費）＋減価償却費＋給与総額＋福利厚生費＋動産・不動産賃貸料＋租税公課

表 2　非関税措置を懸念する企業群とその他企業群の特性の比較：平均値の差の検定

	製造業本社企業すべて				直接輸出を行う企業				製造現地法人を有する企業			
	非関税措置懸念企業	その他企業	差	p 値	非関税措置懸念企業	その他企業	差	p 値	非関税措置懸念企業	その他企業	差	p 値
直接投資先国数	2.447	2.287	0.160	0.110	2.575	2.423	0.152	0.154	2.724	2.591	0.133	0.172
	1,220	972			1,053	811			1,096	858		
海外現地法人数	3.536	3.110	0.426**	0.047	3.732	3.330	0.402*	0.084	3.936	3.523	0.413*	0.070
	1,220	972			1,053	811			1,096	858		
直接投資先国	2.723	2.487	0.236*	0.074	2.862	2.639	0.224	0.113	3.031	2.817	0.214	0.114
×業種数	1,220	972			1,053	811			1,096	858		
資本金（百万円）	10,127	9,197	930	0.308	10,765	9,311	1,454	0.246	10,797	10,049	748	0.359
	1,239	994			1,066	822			1,115	880		
従業者数（人）	1,085	1,258	−173	0.131	1,148	1,339	−192	0.141	1,149	1,363	−214	0.108
	1,238	983			1,065	817			1,114	870		
輸出額（百万円）	23,800	32,889	−9,089	0.198	27,462	39,371	−11,909	0.175	25,647	36,076	−10,429	0.194
	1,230	984			1,066	822			1,107	872		
労働生産性	11.488	12.244	−0.756**	0.044	11.671	12.265	−0.594	0.106	11.185	12.175	−0.990**	0.014
	1,004	825			880	706			901	726		
輸出経験年数					7.105	7.317	−0.212	0.153				
					911	725						
現地法人の日本向け輸出額（百万円）									5,177	3,127	2,050**	0.041
									962	713		

注釈：第 38 回海外事業活動基本調査（2007 年度実績）の本社企業調査におけるアンケート項目「貴社が FTA や EPA に期待するものは何ですか」において選択肢 7 あるいは 8 を選択した企業，および，規制に関する自由回答をした企業を「非関税措置懸念企業」と定義する。上の表には，最左列の各変数について「非関税措置懸念企業」と「その他の企業」の平均値とその差がまとめられている。平均値の下段の数値は，平均値の算出にあたって分析対象とした企業数である。「p 値」欄には，平均値の差の検定（Welch の t 検定）の p 値（片側）が記載されており，「差」の値の添え字 * は 10%，** は 5%，*** は 1% 有意水準の下での統計的有意性を示す。

出所：第 38 回海外事業活動基本調査（2007 年度実績），平成 20 年企業活動基本調査（2007 年度実績）を用いて筆者作成。

出経験年数」の平均値も比較したところ，輸出経験の浅い企業ほど非関税措置に由来する費用負担を懸念している傾向があるものの，有意水準10%の下で統計的に有意ではない。他方，製造目的で海外に現地法人を設立し，「現地法人の日本向け直接輸出額」が多い企業ほど，非関税措置に由来する費用負担を懸念している。国境をまたいで製造部品，完成品の取引を双方向に活発に行う企業ほど，直面する非関税措置の費用負担も無視できないほどまで累積することを示唆している。

以上のアンケート調査結果に基づいた分析では，非関税措置に由来する費用負担に対する懸念を表明している企業の特徴をその他の企業との比較から考察することはできるものの，非関税措置に由来する費用に直面しながらもその費用負担を苦にしていない企業の情報は掴むことができない。そこで，より一般的な見地から，次節では各企業が潜在的に直面している非関税措置に由来する費用負担の代理指標の構築を試みる。

3. 輸出における技術規制の遵守負担

以下では，非関税措置に由来する費用として，輸出先国の製品規格など技術的な規制を遵守するために，企業が実質的な費用負担をどの程度強いられているかに注目する。そこで，日本の製造業企業が外国へ向けて自社製品を輸出する際に，日本国内での生産および販売活動においてすでに遵守している国内規制に加え，追加的に遵守しなければならない外国の規制を特定したい。次項ではまず，製品レベルで輸出の原産国・仕向国ペアごとに追加的な遵守負担をACRI（Additional Compliance Requirement Indicator）として指標化したNabeshima and Obashi（2020）の手法を適用する。3.2項では，UNCTADの新しい非関税措置データベースを使用してACRIを算出し，日本と貿易相手国の技術規制の現状を概観する。続く3.3項では，ACRIを応用して，各企業がある外国へ向けて自社製品を輸出しようとする際に潜在的に直面している技術規制の追加的遵守負担の尺度を提案する。

3.1 輸出先国における技術規制の追加的遵守負担の指標

業種 h に該当する製品を生産，販売するにあたって日本国内で遵守しなければならない技術規制のベクトルを

$$F_h^D = \left(F_{h1}^D, \cdots, F_{hk}^D, \cdots, F_{hK}^D\right)$$

とする。本稿では，Nabeshima and Obashi（2020）と同様，技術的措置を 17 種類のグループ（$K=17$）に分ける。ベクトルの要素 F_{hk}^D は，実施されている技術的措置のうち，グループ k に該当する措置の数である[8)]。同様に，ある業種 h に該当する製品を生産，（輸入品を含め）販売するにあたって外国 d において遵守しなければならない技術規制を

$$F_{dh}^F = \left(F_{dh1}^F, \cdots, F_{dhk}^F, \cdots, F_{dhK}^F\right)$$

とし，ベクトルの各要素 F_{dhk}^F は実施されている種類 k の技術的措置数とする。後者の外国 d の規制ベクトル F_{dh}^F は，日本の企業が外国 d へ向けて業種 h に該当する自社製品を輸出する際に遵守することを要求される規制体系を表している。輸出活動に従事する企業は日本国内でも何らかの生産，販売を行っていると仮定すると，日本の企業が国内での事業活動に加えて外国 d の市場へ進出する場合，日本の国内規制と外国 d の規制の両方を遵守しなければならないことになる。そこで，外国 d の市場へ進出する際に直面する規制のベ

8) F_{hk}^D は 0 から（技術的措置の種類 k によって異なる）最大可能数の間の整数値をとる。詳細は Nabeshima and Obashi（2020）を参照。なお，業種レベルではもちろん，より詳細な製品レベルでも，多くの場合，同時に複数の技術的措置の対象となっている。2015 年に世界 57 カ国で実施された技術的措置を整理した研究によると，国々は，ある原産国からのある HS（Harmonized Commodity Description and Coding System）6 桁レベルの品目の輸入に対して，平均して，4.9 種類の異なる技術的措置を同時に実施している（Nabeshima and Obashi 2020）。別の角度からも，たとえば日本では，HS9 桁レベルで 8 割近くの品目は 3 つかそれ以上の非関税措置の対象となっている（Nabeshima and Obashi 2018）。

クトルを以下の通り定義する。

$$F_{dh} = \left(F_{h1}^{D} + F_{dh1}^{F}, \cdots, F_{hk}^{D} + F_{dhk}^{F}, \cdots, F_{hK}^{D} + F_{dhK}^{F} \right)$$

次に，日本の国内規制ベクトルF_h^D，および，外国dの市場にも進出する場合の規制ベクトルF_{dh}を用いて，追加的に遵守しなければならない実質的な規制の程度を数量化する。実質的な規制の程度は，コサイン類似度と呼ばれるベクトルの類似度の尺度を用いて，国内規制ベクトルF_h^Dと「国内＋外国」規制ベクトルF_{dh}がどの程度異なっているかによって計測する。F_h^DとF_{dh}のコサイン類似度は，

$$\mathrm{Cos}(\theta)_{dh} = \frac{F_h^D \cdot F_{dh}'}{\left\| F_h^D \right\| \left\| F_{dh} \right\|} = \frac{\sum_{k=1}^{K} F_{hk}^D F_{dhk}}{\sqrt{\sum_{k=1}^{K} \left(F_{hk}^D \right)^2} \sqrt{\sum_{k=1}^{K} F_{dhk}^{\ 2}}}$$

で，2つの規制ベクトルの内積とそれらベクトルの大きさによって表される。θは，2つの規制ベクトルがなす角の大きさで，0°（完全一致）から90°（直交）の間の値をとる。コサイン類似度の値が低いほど，国内規制ベクトルF_h^Dと「国内＋外国」規制ベクトルF_{dh}があまり相関しておらず，実質的な規制の程度が大きいことを意味する。

そして，追加的に遵守しなければならない実質的な規制の程度が大きければ大きいほど，その費用負担も大きくなると仮定して，業種hに係る外国dにおける追加的遵守負担の指標（Additional Compliance Requirement Indicator: ACRI）を

$$ACRI_{dh} = 1 - \mathrm{Cos}(\theta)_{dh}$$

と定義する。実質的な規制の程度を表す$1 - \mathrm{Cos}(\theta)_{dh}$が大きく算出されているほど，$ACRI_{dh}$は0から1の間でより高い値をとる。日本と外国$d$の両方で業種$h$に係る何らかの規制が存在する場合は，必ず，$\mathrm{Cos}(\theta)_{dh} \in (0,1]$と算出されるので，$ACRI_{dh} \in [0,1)$となる。特殊ケースとして，日本の国内規制べ

クトルF_h^Dと外国の規制ベクトルF_{dh}^Fが完全に同じである場合は，$\mathrm{Cos}(\theta)_{dh}=1$なので，$ACRI_{dh}=0$となる[9)]。外国$d$において業種$h$に係る規制が存在しない場合も，$F_{dh}^D=F_{dh}$より，$\mathrm{Cos}(\theta)_{dh}=1$なので，$ACRI_{dh}=0$となる。なお，日本国内に業種$h$に係る規制が存在しない場合は$\mathrm{Cos}(\theta)_{dh}$を算出することはできないので，外国$d$において業種$h$に係る規制が存在する場合は$ACRI_{dh}=1$，存在しない場合は$ACRI_{dh}=0$とおく。

3.2 日本の貿易相手国における技術規制の追加的遵守負担

それでは，日本の貿易相手国dおよび業種hごとに$ACRI_{dh}$を算出し，技術規制の追加的遵守負担の傾向を概観しよう。各国dの業種hの規制ベクトルを構築する際，技術的措置数を17種類グループ別にカウントするにあたっては，UNCTADの非関税措置データベースを活用する。本稿で用いるデータセットは，2017年3月時点でUNCTADのデータベースから収集した非関税措置情報を整理したもので，2015年に日本とその他56カ国によって実施された技術的措置を含む。

UNCTADのデータベースでは，各国において実施されている技術的措置について，当該措置の種類ならびに対象国のほか，HSに基づく品目コードを用いて対象製品が特定されている。そこで，HSに基づく品目分類を企業活動基本調査で用いられている業種分類に紐付けてから，業種hごとに技術的措置数をカウントする必要がある。平成28年企業活動基本調査では大分類「製造業」に該当する業種分類番号（091～320）の数はもともと60あるが，HSに基づく品目分類と企業活動基本調査の業種分類を対応させるにあたって，50業種に編成し直した。

図1では，日本の貿易相手国56カ国それぞれについて50業種ごとに$ACRI_{dh}$を算出し，6つの地域別に追加的遵守負担の分布の中心的傾向を箱ひげ図によって図示している。地域分類については，企業活動基本調査（2015

[9)] コサイン類似度の計算においては，名目の頻度（技術的措置数）ではなく，相対頻度（技術的措置の総数に対する当該種類の措置数）が重要となる。

図 1　輸出先における技術規制の追加的遵守負担（ACRI）の概観

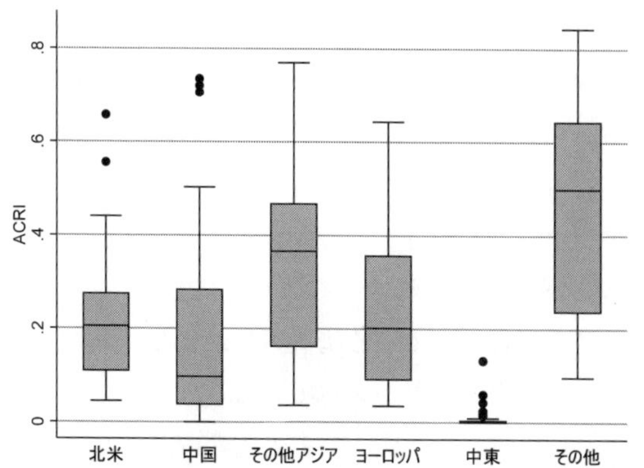

注釈：日本の貿易相手国 56 カ国それぞれについて 50 業種ごとに算出した ACRI の分布の中心的傾向を 6 地域別に示している。箱ひげ図の上部にあるプロットは外れ値を示す。地域分類は，平成 28 年企業活動基本調査（2015 年度実績）の定義に従う。
出所：UNCTAD Non-tariff Measures Database を用いて筆者作成。

年度実績）の「売上高の取引状況」から得られる地域別の直接輸出額（自社名義で通関手続きを行った商品輸出額）の情報に基づく。調査票では，アジア，中東，ヨーロッパ，北米，その他の地域，計 5 つの地域に分かれており，アジアについては，中国（含，香港）のみ独立した欄が別途設けられている。そこで，「（中国以外の）その他アジア」，「中国」，「中東」，「ヨーロッパ」，「北米」，「その他」地域として再編成し，計 6 地域を考慮する。次節以降の分析においては「北米」と「中国」市場向けの輸出に焦点を絞ることから，特にこの 2 つの市場における日本の国内規制体系と比較した実質的な規制の程度に注目しよう。なお，「北米」には米国とカナダの 2 カ国が含まれるが，この 2 国の技術規制体系が比較的似通っていることは Nabeshima and Obashi (2019) でも観察されており，以下では，「北米」を規制体系上あたかも一つの国として扱うことにする。

日本国内で実施されている規制をすでに遵守している日本企業にとっては，「中国」市場よりも「北米」市場へ進出する際の方が，平均的には，より大きな実質的な規制負担を強いられていることが分かる。また，「中国」市場においては，日本企業にとっての実質的な規制の程度のばらつきが業種間で大きく，極度に右に偏った分布となっている。実質的な規制の程度が限定的な業種も多い一方で，いくつかの業種では日本の国内規制とは大きく異なる規制体系が存在していることを示している。なお，「その他」地域ならびに「その他アジア」諸国の分布の幅が大きい背景としては，多様な規制体系を有する複数の国々が含まれていることに留意されたい。「中東」諸国においては，そもそも報告されている措置の数が少ないため，定義より，算出された値は軒並み低い水準にとどまっている。

図1を補完するものとして，図2の濃灰色の棒グラフでは「北米」と「中国」市場における50業種ごとの規制負担を示している。各市場において上から順にACRIが高い業種が並んでいるが，タイヤをはじめ，鉄鋼，繊維製品といった業種ではいずれの市場においても日本企業が直面する規制負担が大きいことが分かる。一方で，北米市場とは対照的に，中国市場では産業用機械，事務用機器，光学機器，輸送用機械，電子部品・機器といった機械産業においての規制負担が大きいことが特徴的である。

図2では，各業種のACRIと比較して，関税率および非従価関税適用の傾向も概観できる。薄灰色の棒グラフは，UNCTADのTRAINSデータベース[10]から入手した国定税率レベルの従価税率を業種別に単純平均をとって算出した平均関税率を示している。また，ある業種において非従価関税が適用されている国定税率がある場合には，当該業種名の末尾に＊印が付与されている。北米市場では，中国に比べ，従価関税率は軒並み低い水準となっている。繊維・同製品や紙加工品など，規制負担が大きく，従価関税率も高く，非従価関税も適用されている業種がある一方で，パルプ・紙，印刷，鋳鍛造品など，規制負担は大きいが無税の業種も存在する。対照的に，中国市場では，家具，その他木製品に加え，食料品関連の業種など，規制負担が比較的小さい業種で従価関税率が高い傾向が見られる。ただし，電子部品・機器は，

[10] https://trains.unctad.org/

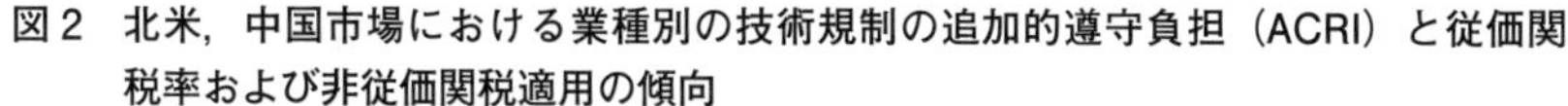

図2　北米，中国市場における業種別の技術規制の追加的遵守負担（ACRI）と従価関税率および非従価関税適用の傾向

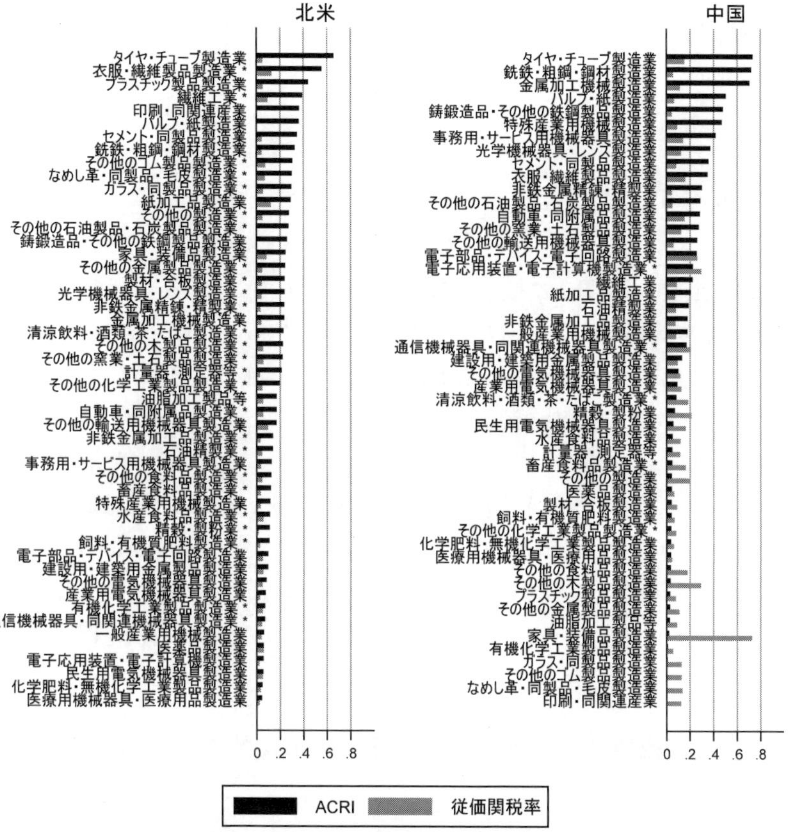

注釈：各業種の従価関税率は，国定税率レベルの従価税率を業種別に単純平均をとって算出した。ある業種において非従価関税が適用されている国定税率がある場合には，当該業種名の末尾に＊印が付与されている。

出所：UNCTAD Non-tariff Measures Database を用いて筆者作成。

ACRI の水準でも上位となっているが，従価関税率も家具，その他木製品に次いで高い水準となっている。また，中国市場では，北米とは異なり，非従価関税が適用されているのは電子機器，通信機器など5業種に限定されている。

3.3　企業が潜在的に直面する技術規制の追加的遵守負担の指標

次に，国 d および業種 h ごとの技術規制の追加的遵守負担の指標である $ACRI_{dh}$ を応用して，企業 i が外国 d へ向けて自社製品を輸出しようとする際に潜在的に直面している規制負担の尺度として，$FACRI_{id}$ を新たに構築しよう。

$$FACRI_{id} = \sum_h \left(\frac{Y_{ih}}{\sum_h Y_{ih}} ACRI_{dh} \right)$$

Y_{ih} は，企業 i の業種 h に該当する製品の売上高である。企業活動基本調査（2015年度実績）の「売上高の内訳」に関する情報のうち，製造品に関係する自社鉱産品・製造品売上高および加工賃収入額に注目して，（各企業にとって主要な）業種別の製造品売上高およびそのシェアを得た。すなわち，$FACRI_{id}$ は，企業ごとに業種別売上高シェアでウェイト付けした $ACRI_{dh}$ の加重平均である。このように定義された $FACRI_{id}$ は，実際に国・地域 d へ向けて輸出している企業はもちろん，実際には輸出していない企業についても算出することができる利点がある。$FACRI_{id}$ を用いれば，実際には輸出していない企業も考慮して，潜在的な規制負担が企業の輸出の意思決定に与える影響を検証することができる。

4.　企業が潜在的に直面する技術規制の追加的遵守負担と輸出パフォーマンス

本節では，まず，どのような特性を有する企業が非関税措置に由来する費用負担に直面しながらも輸出しているのかを概観する。そして，潜在的な非関税措置に由来する費用負担が企業の輸出の意思決定，輸出額に与える影響も分析し，企業規模や生産性といった企業特性に応じて異なる影響をもたらしているのかについて検証する。以下で詳述するように，データの制約上，2015年時点において日本の製造業企業が北米または中国へ輸出する際に潜在的に直面する規制負担の尺度であるFACRIに注目し，2015年における企業の輸出活動に与える影響をクロスセクションで分析する。

4.1 技術規制の追加的遵守負担と企業特性：輸出企業と非輸出企業の比較

企業が潜在的に直面する技術規制の追加的遵守負担と企業特性の関係について，実際に輸出している企業と輸出していない企業の傾向を比較しておこう。以下では，多様な複数の国々が一緒くたに含まれている地域カテゴリーについて懸念されるノイズの問題を回避するため，「北米」と「中国」市場への輸出に焦点を絞る。それぞれの市場における各企業の潜在的な規制負担と企業特性との関係を観察し，当該企業が実際に当該市場向けに輸出しているかどうかによって異なる傾向が見出せるのか，検討する。2015年時点の対北米および対中国のFACRI，ならびに，注目する企業特性の変数である2015年時点の資本金，2014年の労働生産性の対数値，2014年までの輸出経験年数の記述統計量は，表3にまとめられている。

図3は，技術規制の追加的遵守負担と労働生産性の関係を，北米向け輸出，中国向け輸出それぞれについて，企業規模別にプロットして概観している。企業規模については，中小企業基本法によって定められている定義に従い，

表3 企業が潜在的に直面する技術規制の追加的遵守負担（FACRI）と企業特性の基本統計量

変数		観測値数	平均値	標準偏差	最小値	最大値
FACRI（2015年）	対北米	12,182	0.204	0.117	0.045	0.657
	対中国	12,182	0.175	0.170	0	0.735
資本金（百万円，2015年）		12,182	2,021	15,788	30	707,038
労働生産性の対数値（2014年）		11,614	1.966	0.529	−1.292	4.812
輸出経験年数（1997年から2014年まで）		12,182	3.326	5.797	0	18

注釈：本文で説明されている通り，FACRIは実際に当該市場へ輸出しているかどうかに関わらず，全企業を対象に算出されているので，対北米FACRIと対中国FACRIの観測値は同数である。

出所：平成10〜28年企業活動基本調査（1997〜2015年度実績），UNCTAD Non-tariff Measures Databaseを用いて筆者作成。

資本金3億円以下，または，常時従業者300人以下の企業を「中小企業」，それ以外を「大企業」と分類した。濃灰色のバブルプロットは2015年に当該国へ実際に輸出している企業（以下，輸出企業と呼ぶ）を，薄灰色のプロットは輸出していない企業（非輸出企業）を示している。縦軸は，潜在的な規制負担の尺度であるFACRIで，2015年の情報を基に作成されている。横軸は，付加価値ベース労働生産性の対数値で，定義は2節で用いたものと同様である。内生性を懸念して，生産性については1年ラグを取り，2014年のデータを用いた。各プロット図において，実際に輸出している企業の濃灰色

図3　企業が潜在的に直面する技術規制の追加的遵守負担（FACRI）と生産性の関係：輸出企業と非輸出企業の比較，輸出先×企業規模別

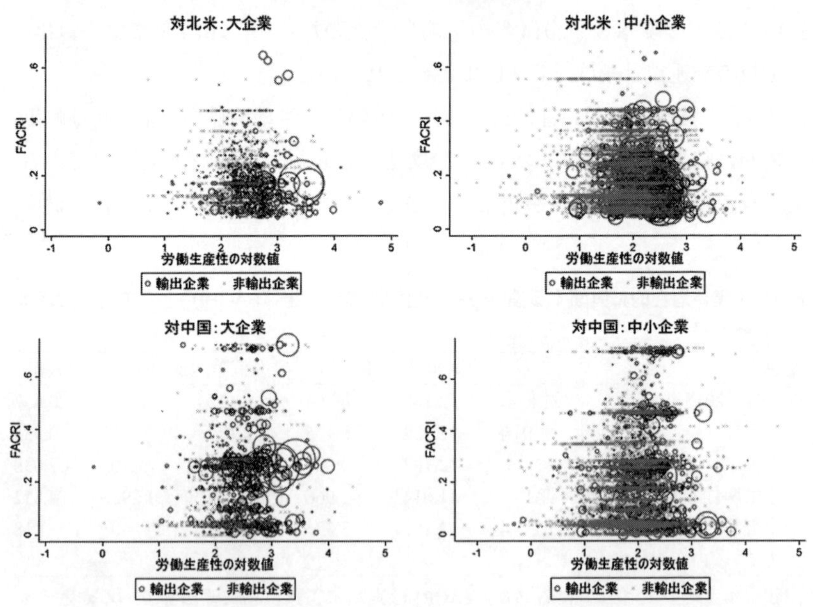

注釈：各図において，バブルの大きさは当該規模の企業の当該市場向け輸出額の相対規模を表す。

出所：平成27，28年企業活動基本調査（2014，2015年度実績），UNCTAD Non-tariff Measures Database を用いて筆者作成。

バブルの大きさは各企業の輸出額の相対的規模を示している。

まず，中小企業と比較すると，大企業の方が非輸出企業（薄灰）の割合が少ないことが分かる。また，いずれのプロット図においても，非輸出企業（薄灰）は左に，輸出企業（濃灰）は右に偏って散らばっている。そして，輸出額を示す濃灰バブルは右側に位置するほど大きい傾向にある。多くの既存研究でこれまで指摘されてきたように，中小企業よりも大企業の方が，また生産性水準が高い方が，輸出企業の割合が増え，輸出額の規模も大きい傾向が確認できる。

次に，特に右上の「対北米：中小企業」のプロット図において，FACRIが高くなる上部ほど輸出企業（濃灰）の割合が少なく，上部ほど濃灰バブルが右側へ偏って位置している。潜在的な規制負担が大きいほど輸出企業の割合は減る傾向があるものの，生産性の高い企業は規制負担の負の影響を克服して輸出市場へ参入できているように見受けられる。また，輸出企業（濃灰）のみに注目した場合，FACRIが低くなる下部ほど比較的大きなバブルが目立っている。直面する規制負担が小さいほど輸出額の規模が大きい傾向が見られる。しかし，下段の中国向け輸出についての2つのプロット図では，FACRIが高くなるほど輸出企業の割合が減る傾向も，高い生産性の企業に限定される傾向も確認できない。

以上の，とりわけ北米市場において観察された事実を踏まえ，次項では，企業特性の差異に着目しながら，技術規制の追加的遵守負担が輸出するかしないかの意思決定や輸出規模に与える影響を実証的に明らかにする。

4.2　技術規制の追加的遵守負担と輸出意思決定

本稿ではデータの制約からクロスセクション分析を行う。具体的には，北米向け輸出と中国向け輸出それぞれについて，日本の製造業企業が潜在的に直面している技術規制の追加的遵守負担が輸出の意思決定および輸出額に与える影響をロジスティック回帰およびOLS回帰によって推計する。被説明変数は企業レベルの変数で，ロジスティック回帰では2015年において北米

（あるいは中国）向けに自社製品を輸出している場合は1，輸出していない場合は0の値をとる二値変数を，OLS回帰では2015年における北米（中国）向けの輸出額の対数値を用いる。

説明変数も企業レベルの変数で，特に注目するのは，2015年時点において北米（中国）へ輸出する際の潜在的な規制負担の尺度であるFACRIである。FACRIは企業ごとに業種別売上高シェアでウェイト付けしたACRIの加重平均として定義しているので，FACRIの差異は企業間の売上構造の差異を捉える。似通った生産活動を行う企業間で，規制遵守負担が大きい業種のシェアが大きいほど輸出確率は低く，輸出額は少ない傾向があるのかどうかを検討するにあたり，すべての回帰式で業種ダミーを含める。企業活動基本調査では，各企業の業種は売上高シェアの最も大きい業種として定義されている。

加えて，2014年における企業特性の説明変数として，資本金の対数値およびFACRIとの交差項，労働生産性の対数値およびFACRIとの交差項，輸出経験年数の対数値およびFACRIとの交差項を用いる。また，FACRIでは捉えられない貿易制限的措置の影響を制御するため，企業が直面する従価関税率の対数値，企業の製品が非従価関税の対象となっている程度を示す指標も含める。

輸出経験年数は，2014年に輸出していない場合を0年とし，2014年に輸出している場合は2014年まで途切れることなく継続して輸出している年数をカウントした。データの制約上，北米（中国）向けに輸出していたかどうかは1997年実績までしか判別できないため，輸出経験年数は最大18年である（表3を参照）。なお，輸出経験年数の変数については，モデル特定化のためのLinktestの結果を基に，OLS回帰においてのみ説明変数として含めた[11)]。

関税率は，FACRIの定義に準ずる方法で，業種別の単純平均従価関税率（図2の薄灰色棒グラフで示されている値）を各企業の業種別売上高シェア

11) 輸出経験の有無のダミー変数を代わりに用いても結果は質的に変わらず，ロジスティック回帰ではLinktestをパスしなかった。また，北米向け輸出の回帰式において，北米に限定しない輸出経験ダミーや年数の変数を用いても同様であった。

でウェイト付けして，企業ごとに加重平均を算出したものである。

非従価関税指標については，まず業種ごとに非従価関税の対象となっている場合に1，そうでない場合に0の値をとる二値変数（図2の業種名の末尾の*印に対応）を作成した。その二値変数を各企業の業種別売上高シェアでウェイト付けして加重平均をとり，当該企業の製品が輸出されるときに非従価関税の対象となっている程度の尺度とした。

まず，表4の列[1]では，2015年に北米向けに自社製品を輸出している場合は1，輸出していない場合は0の値をとる二値変数を被説明変数に用いて，すべての企業規模の製造業企業を対象としたロジスティック回帰によって得られたオッズ比（指数換算した回帰係数），そして括弧内にロバスト標準誤差が記載されている。オッズ比で説明変数の効果を評価しているので，値が1より大きい場合には当該説明変数が（非輸出確率に対する）輸出確率のオッズに対して正の効果を，値が1より小さい場合には負の効果を有することを示している。推定されたオッズ比より，企業の資本金規模が大きく労働生産性が高いほど輸出確率が高まる一方，企業が直面するFACRIが高いほど輸出確率は低いことが読み取れる。また，労働生産性とFACRIの交差項のオッズ比は，企業の生産性が高くなるほど，FACRIの負の影響が緩和されることを示している。なお，資本金とFACRIの交差項のオッズ比は有意水準10%の下で統計的に有意ではなく，資本金水準に基づいた企業規模に応じてFACRIの輸出確率に対する効果が異なる可能性を示唆している。

そこで，列[2]と[3]では，サンプルを資本金水準に基づいて大企業と中小企業に分け，（資本金に関する変数を除いて）列[1]と同じ説明変数のセットのロジスティック回帰から得られた推定結果が報告されている。中小企業を分析対象とした列[3]では，FACRIも，労働生産性およびFACRIとの交差項も，全企業を対象とした列[1]と同様の方向の影響を示している。とりわけ，輸出確率に対するFACRIの負の効果と労働生産性の正の効果については有意水準1%の下でも統計的に有意である。他方，大企業を対象とした列[2]では，影響の方向こそ中小企業と同じであるものの，輸出確率に対する

表4　企業が潜在的に直面する技術規制の追加的遵守負担（FACRI）が輸出意思決定と輸出額に与える影響：対北米

推定方法：	Logit			OLS	
被説明変数：	輸出＝1			輸出額対数値	
	[1]	[2]	[3]	[4]	[5]
分析対象：	すべて	大企業	中小企業	大企業	中小企業
説明変数：	exp(b)	exp(b)	exp(b)	b	b
FACRI	0.000***	0.020	0.000***	−6.931	−11.303***
	(0.001)	(0.081)	(0.000)	(6.754)	(4.047)
資本金の対数値	1.627***				
	(0.055)				
×FACRIとの交差項	0.963				
	(0.158)				
労働生産性の対数値	1.290**	1.368	2.004**	1.536***	0.657**
	(0.159)	(0.352)	(0.279)	(0.436)	(0.257)
×FACRIとの交差項	4.253**	2.034	3.069*	0.951	1.602
	(2.580)	(2.682)	(2.086)	(2.394)	(1.174)
輸出経験年数の対数値				0.468**	−0.013
				(0.192)	(0.120)
×FACRIとの交差項				−0.246	0.255
				(0.900)	(0.569)
関税率の対数値	1.195	1.803	1.207	0.412	−0.230
	(0.403)	(0.823)	(0.511)	(0.661)	(0.520)
非従価関税指標	1.689*	1.016	2.179**	−0.161	0.586
	(0.459)	(0.464)	(0.734)	(0.653)	(0.529)
業種ダミー	YES	YES	YES	YES	YES
観測値数	11,568	1,753	9,654	943	1,375
疑似決定係数（Pseudo R^2）	0.227	0.122	0.126		
決定係数（R^2）				0.280	0.107
Linktest (hatsq) p-value	0.072	0.412	0.739	0.076	0.409

注釈：列[1]〜[3]には，ロジスティック回帰によって得られたオッズ比，そして括弧内にロバスト標準誤差が記載されている。列[4]，[5]には，OLS回帰によって得られた係数，そして括弧内にロバスト標準誤差が記載されている。定数項ならびに業種ダミー変数の係数の推定値は省略する。係数の添え字*は10%，**は5%，***は1%有意水準の下での統計的有意性を示す。

出所：平成10〜28年企業活動基本調査（1997〜2015年度実績），UNCTAD Non-tariff Measures Databaseを用いて筆者作成。

いずれの説明変数の効果も有意水準10%の下で統計的に有意ではない。FACRIの定義に留意すると，大企業とは異なり，中小企業の場合は，同一業種として分類されている企業のなかで，北米の技術規制を遵守するための追加的負担が大きい業種の売上高シェアが大きいほど北米への輸出確率は低い傾向にある。

さらに，列[4]と[5]では，輸出企業のみに注目し，企業の輸出額の対数値を被説明変数に用いたOLS回帰によって得られた回帰係数およびロバスト標準誤差が記載されている。中小企業を対象とした列[5]からは，労働生産性が低く，直面するFACRIが高いほど，輸出額の規模は小さいことが読み取れる。なお，労働生産性とFACRIの交差項の係数も，輸出経験年数の係数も，統計的に有意な結果は得られていない。他方，大企業を対象とした列[4]では，FACRIの効果の統計的有意性は失われている。ただし，輸出経験年数の係数はプラスで，有意水準5%の下で統計的に有意である。

次に，中国向け輸出について表4と同様の分析を行って得られた結果が表5にまとめられている。北米向け輸出の分析結果において観察された輸出確率および輸出額に対するFACRIの負の効果は，中小企業の中国向け輸出では検知されなかった。むしろ，大企業の中国向け輸出について推定されたオッズ比は，企業が直面するFACRIが高いほど輸出確率も極めて高いという予想に反する結果である。中国市場では，北米とは対照的に，日本の輸出の中心的役割を担う機械関連業種でACRIが高い（図2参照）ことが一因として考えられる。

より重要な点として，日本の中国向け輸出の多くは中間財であり，中国での加工・組立工程を経て再び日本，あるいは，第三国へ輸出されているケースが多いことにも注意が必要である。統計上計算される日本企業が直面するFACRIの値が高いとしても，（最終的に）中国国内で販売・消費されないのであれば中国の規制の対象とはならない。関税についても，輸出を目的とした中間財の輸入の場合は減税・免税対象となっている可能性が高い。本稿ではデータの制約上，中国での輸出加工目的の輸出かどうかを区別することは

表5　企業が潜在的に直面する技術規制の追加的遵守負担（FACRI）が輸出意思決定と輸出額に与える影響：対中国

推定方法：	Logit			OLS	
被説明変数：	輸出＝1			輸出額対数値	
	[1]	[2]	[3]	[4]	[5]
分析対象：	すべて	大企業	中小企業	大企業	中小企業
説明変数：	exp(b)	exp(b)	exp(b)	b	b
FACRI	4.263	232.968**	3.025	2.769	0.035
	(4.192)	(560.698)	(3.367)	(3.698)	(1.624)
資本金の対数値	1.488***				
	(0.038)				
×FACRI との交差項	1.066				
	(0.105)				
労働生産性の対数値	1.520***	2.423***	1.783***	1.455***	0.626***
	(0.133)	(0.504)	(0.168)	(0.318)	(0.144)
×FACRI との交差項	0.726	0.097***	1.320	0.106	1.138**
	(0.244)	(0.078)	(0.482)	(1.356)	(0.548)
輸出経験年数の対数値				0.262**	0.200***
				(0.126)	(0.068)
×FACRI との交差項				0.556	0.055
				(0.526)	(0.252)
関税率の対数値	1.914**	2.101	1.748*	0.818	0.691
	(0.528)	(1.114)	(0.574)	(0.647)	(0.467)
非従価関税指標	1.156	1.142	1.569	−0.625	0.862
	(0.506)	(0.883)	(0.841)	(0.837)	(0.838)
業種ダミー	YES	YES	YES	YES	YES
観測値数	11,607	1,756	9,787	1,010	1,997
疑似決定係数（Pseudo R^2）	0.185	0.128	0.115		
決定係数（R^2）				0.260	0.115
Linktest (hatsq) p-value	0.078	0.135	0.638	0.728	0.063

注釈：列 [1]〜[3] には，ロジスティック回帰によって得られたオッズ比，そして括弧内にロバスト標準誤差が記載されている。列 [4]，[5] には，OLS 回帰によって得られた係数，そして括弧内にロバスト標準誤差が記載されている。定数項ならびに業種ダミー変数の係数の推定値は省略する。係数の添え字 * は 10%，** は 5%，*** は 1% 有意水準の下での統計的有意性を示す。

出所：平成 10〜28 年企業活動基本調査（1997〜2015 年度実績），UNCTAD Non-tariff Measures Database を用いて筆者作成。

できないが，北米と中国の推定結果の違いの背景要因についてさらなる検証が求められる。

以上より，少なくとも北米向け輸出に限っては，中小規模で生産性の低い日本の製造業企業の輸出意思決定，そして輸出額の規模に対して，技術規制の追加的遵守負担が負の影響を及ぼしているという結果を得た。OLS推定値については，具体的には，同一業種として分類されている中小企業のなかで，北米における規制遵守負担の大きい業種の売上高シェアが大きくFACRIが0.1高い企業の場合，北米向け輸出額は平均して約68%（$e^{-11.303\times0.1}-1=-0.677$）低い傾向にあることが読み取れる。北米におけるFACRIの0.1の差は，たとえば，電子部品から光学機器中心への売上構造のシフトや民生用電気機器から事務用機器への売上構造のシフトに対応する（図2を参照）。

しかし，推定されたオッズ比（表4）からは中小企業の北米向け輸出確率に対するFACRIの負の影響を把握しにくい。そこで，視覚的にFACRIの限界効果の理解を促すために作成した図4を見てみよう。まず，図4の上段左には，あるFACRIの値の下で予測される輸出確率が実線で示されており，その周囲の領域は95%信頼区間である。参考として，分析対象の中小企業が2015年に実際に直面しているFACRIの最小値0.045と最大値0.657を垂直線で示した。FACRIの平均値0.204の下で予測される輸出確率は0.149で，FACRIが高いほど輸出確率は低い傾向が確認できる。上段右図では，あるFACRIの値の下でのFACRIの輸出確率に対する平均限界効果が95%信頼区間領域とともに図示されている。FACRIの平均値0.204の下での平均限界効果は−0.715で，FACRIが高いほど限界効果の絶対値の大きさが小さい傾向は直観にも適う。平均的な水準のFACRIに直面している企業にとって，予測される輸出確率は0.149であるが，仮にFACRIが0.1高いと，その他の状況が同一であるならば，輸出確率は平均して0.072ポイント低くなる（=0.715*0.1）。

労働生産性とFACRIの交差項のオッズ比についても，図4下段の2つの図から考察することができる。下段左図は，あるFACRIの値の下での労働

図４　中小企業の北米向け輸出意思決定に対する技術規制の追加的遵守負担（FACRI）の影響

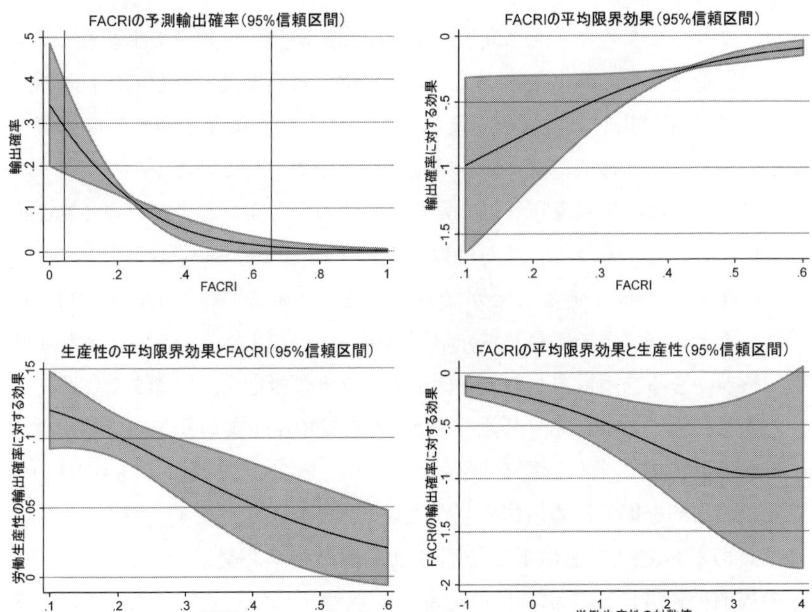

出所：平成 27，28 年企業活動基本調査（2014，2015 年度実績），UNCTAD Non-tariff Measures Database を用いて筆者作成。

生産性の輸出確率に対する平均限界効果を95%信頼区間領域とともに示している。一方，下段右図は，ある労働生産性水準の下でのFACRIの平均限界効果とその95%信頼区間を示している。企業が直面するFACRIが高いほど，労働生産性の正の限界効果は低い一方，企業の生産性がある程度高い場合は，信頼区間の領域が広がってはいるものの，FACRIの負の限界効果が減退するように見受けられる。

5. おわりに

本稿では，技術規制の国家間差異が貿易を制限する可能性に注目し，非関税措置が日本の製造業企業の輸出行動にどのように影響を与えているのか，一連のデータ分析を行った。まず，非関税措置に由来する費用負担への懸念を表明しているのは，より多くの国に複数の業種にまたがって製造目的の直接投資を行って進出しており，労働生産性がより低い企業であることが観察された。次に，非関税措置に由来する費用として，輸出先の技術規制を遵守するためにどの程度実質的な費用負担を企業が強いられているかに注目して，実証分析を行った。少なくとも北米向け輸出において，中小規模の企業が潜在的に直面する追加的遵守負担が大きいほど輸出確率が低い一方，追加的遵守負担の負の影響は企業の生産性が高いほど緩和されることが分かった。実際に輸出している企業の間では，追加的遵守負担が大きいほど輸出規模が小さいことも確認された。

ただし，データの制約上，本稿の分析は粗い業種分類でのクロスセクション分析にとどまっている点に留意されたい。本稿で指標化している企業レベルの技術規制の追加的遵守負担の差異は企業間の売上構造の差異に起因しており，規制遵守負担の大きい業種の売上高シェアが大きいほど指標の値も高くなる。規制負担の変化が企業の輸出パフォーマンスをどう変化させるのかについては，非関税措置データのさらなる整備に基づいた今後の研究が待たれる。また，輸出先国の情報も限られているため，本稿は北米または中国向け輸出のみに注目している。しかし，仮にA国の規制とB国の規制が似通っている場合，A国に輸出経験のある企業はA国の規制をすでに遵守しているため，B国に輸出する際の遵守負担が実質的には軽減されると考えられる。そうした第三国効果の可能性についても今後の研究課題としたい。

本稿の一連の分析結果は，中小規模で生産性の低い日本の製造業企業にとっては，輸出に際して直面する技術規制の追加的な遵守負担が輸出規模に対してだけでなく輸出意思決定に対しても負の影響を及ぼしていることを示している。こうした結果を，企業が直面する追加的遵守負担を削減するために国家間で技術規制を統一しなければならないという主張に短絡的に結びつけるつもりはない。無論，各国が正当な政策目的に基づいて独自の国内規制を策定し運用する権限は尊重されなければならない。また，気候や地理的な理由あるいは根本的な技術的制約によって，国家間で規制を統一することが必ずしも合理的ではないケースもあるだろう。とはいうものの，各国が多様な独自の規制を策定し複雑に運用することで，実質的に国産品と輸入品が差別的に取り扱われ，WTOの基本原則である無差別原則（内国民待遇）が満たされない状況は避けなければならない。自由で公正な国際貿易を保証するために，国家間で規制をすり合わせ，不必要な規制の差異をなくし，規制をなるべく調和させていくような各国の努力と国際協調が求められる[12)]。

さらに，中小企業が輸出に際して直面する技術規制の追加的遵守負担の負の影響を最小限に抑えるためには，中小企業が外国の技術規制に円滑に適応し輸出活動を力強く展開できるような政府の支援策が期待される。まずは，諸外国における技術規制の実態を把握し，日本の企業に向けた情報公開を積極的に進めるとともに，貿易に係る技術規制をめぐって企業が抱える懸念やニーズを引き出すことが求められるだろう。

参考文献

Branstetter, L. (2006), Is Foreign Direct Investment a Channel of Knowledge Spillovers? Evidence from Japan's FDI in the United States, *Journal of International Economics* 68(2): 325–344.

Cadot, O., A. Aspilla, J. Gourdon, C. Knebel and R. Peters (2015), Deep Regional Integration and Non-Tariff Measures: A Methodology for Data Analysis, Conference on Trade and Development (UNCTAD) Policy Issues in International Trade and Commodities Research Study Series 69, New York and Geneva: United Nations.

Cadot, O. and J. Gourdon (2016), Non-tariff Measures, Preferential Trade Agreements, and Prices: New Evidence, *Review of World Economics* 152(2): 227–249.

Cadot, O. and L.Y. Ing (2015), Non-Tariff Measures and Harmonization: Issues for the RCEP,

12) 国際規格の採用などを通じて国家間で規制を統一したり，整合化を図ったりすることの重要性は，TBT協定（第2.4条）のなかでも言及されている。また，各国がFTAにおいて規格の適合性評価の結果を相互に承認する制度（相互認証制度）などを定めることで，重要な貿易相手国との間で規制を調和させる動きもある。日本がこれまで締結してきたEPAも例外ではない。

ERIA Discussion Paper Series, ERIA-DP-2015-61, Jakarta: Economic Research Institute for ASEAN and East Asia (ERIA).

Chen, M.X., T. Otsuki and J.S. Wilson (2006), Do Standards Matter for Export Success? Policy Research Working Paper Series, No. 3809, Washington, DC: World Bank.

Fontagné, L., G. Orefice, R. Piermartini and N. Rocha (2015), Product Standards and Margins of Trade: Firm-level Evidence, *Journal of International Economics* 97(1): 29–44.

Jaffe, A.B. (1986), Technological Opportunity and Spillovers of R&D: Evidence from Firms' Patents, Profits, and Market Value, *American Economic Review* 76(5): 984–1001.

Kee, H.L., A. Nicita and M. Olarreaga (2009), Estimating Trade Restrictiveness Indices, *The Economic Journal* 119(534): 172–199.

Nabeshima, K. and A. Obashi (2018), Non-tariff Measures in Japan, forthcoming in the ERIA-UNCTAD NTM Project Report.

Nabeshima, K. and A. Obashi (2019), Regulatory Dissimilarity: A First Look at the Newly Collected Non-Tariff Measure Database, ERIA Discussion Paper Series, ERIA-DP-2018-12, Jakarta: ERIA.

Nabeshima, K. and A. Obashi (2020), Impact of Regulatory Burdens on International Trade, WIAPS Discussion Paper 2020-E-1, Waseda University Institute of Asia-Pacific Studies.

Reyes, J.-D. (2011), International Harmonization of Product Standards and Firm Heterogeneity in International Trade, Policy Research Working Paper Series, No. 5677, Washington, DC: World Bank.

UNCTAD (2015), *International Classification of Non-Tariff Measures*, New York and Geneva: United Nations.

UNCTAD (2018), *Non-Tariff Measures: Economic Assessment and Policy Options for Development*, Geneva: United Nations.

Summary

Technical Regulations and Margins of Trade: Evidence from Japanese Manufacturing Firms

Ayako Obashi (Aoyama Gakuin University)

This paper utilizes a newly created dataset of non-tariff measures by UNCTAD to see whether and how technical regulations affect the export performance of Japanese manufacturing firms. We construct an indicator measuring the degree of cost burden each firm faces in order to comply with technical regulations implemented in the export destination country in addition to Japanese domestic regulations, focusing on the possibility that cross-country regulatory differences may diminish trade. Our empirical findings show, among other things, that the additional regulatory compliance requirements in North American markets adversely affect the export decisions of small and medium-sized, low-productivity firms.

投稿論文

知識集約型ビジネス・サービス（KIBS）を利用した製造業の高付加価値化とその比較優位*

立命館大学大学院経済学研究科博士後期課程　藁谷　達至**

要旨

本稿では，製造業における高価格・高付加価値（HVA）製品の比較優位とサービス（とりわけKIBS）部門との関係を検討する。従来の議論に従えば，生産性上昇率が低く高価格なサービスは比較優位に不利な影響を与える。しかしながら，所得上昇に伴う需要の高度化によって，KIBS部門はHVA製品の生産・比較優位に資するようになる。パネルデータ分析の結果，KIBS部門からの投入の増大はHVA製品の比較優位に正の関係をもつことが示された。

キーワード：高品質製品，KIBS，需要の高度化，プロダクト・イノベーション，オープン・イノベーション

はじめに

従来の比較優位概念は，当該製品の価格が世界（国際）価格よりも低ければ輸出が行われることを想定している。すなわち，その製品は，輸出される

* 日本国際経済学会の第78回全国大会では多くの貴重なコメントを頂きました。また，論文審査の際にはレフェリーから有益なコメントを頂きました。記して感謝申し上げます。なお，本稿の誤りについては筆者のものです。

** E-mail: ec0320kx@ed.ritsumei.ac.jp

際の基軸通貨への価格の変換を経てもなお世界価格より低くなる場合に輸出される（Samuelson 1964）。

また，一般的に，非貿易財を生産するサービス業の生産性上昇率は製造業に比べて低いため，経済成長（所得上昇）に伴って製造業製品に対する相対価格が高くなる（Balassa 1964）。これはサービスの生産および消費の性質に由来する。たとえば，音楽や舞台演劇，教育，保育・介護，R&D 等のサービスは機械化することが容易でなく，さらに，生産性上昇のために時間を短縮することはそのサービスの質を著しく低下させてしまう。実際に，先進国と発展途上国を比較した場合，サービス価格は所得が低い後者の方で低価格なことが知られている（Kravis et al. 1983）。もしそうであれば，先進国では生産性上昇率が高い製造業が比較優位，低いサービスは比較劣位となるであろう。

しかしながら，実際には世界経済でサービスそのものの輸出が増加しており，それに伴って先進国におけるサービスの重要性は年々高まっている。例えば，サービスそれ自体を最も輸出しているのはアメリカであり，イギリス，ドイツがそれに続く（WTO 2018）。さらに先進国の製造業はサービス業からの中間投入割合を高めることでその輸出を促進している（Evangelista et al. 2015; Lodefalk 2014）。このように，先進国ではサービスが直接・間接的に比較優位の形成に関わっていることがわかる。

本稿では，とりわけ間接的な影響，すなわち，サービスが中間投入として利用されることを通じて製造業の比較優位を形成することについて取り上げる。その際，次の 2 点に注目する。第 1 に，所得の上昇に伴って先進国を中心に価格よりも製品の質・機能等を重視する需要が台頭してきている点である。第 2 に，サービスが知識集約型ビジネス・サービス（Knowledge-Intensive Business Services: KIBS）部門から製造業に中間投入されることによって，高品質・高機能かつ高価格な貿易財が生産されるようになっていることである。この KIBS が製造業の生産過程に投入されるとプロダクト・イノベーションが発生し，既存製品の質的・機能的な改善または新製品の創出によって高価格製品がもたらされると考える。もちろん，KIBS は製造業の生産効率を改善して既存製品の価格を低下させるプロセス・イノベーションにも影響を与えるであろう。このような関係は後述のFaini（1984）やOulton（2001）が指摘しているが，本稿では捨象される。

したがって，本稿では，所得上昇に伴う高度な需要を背景に，KIBS部門からの中間投入と製造業の高品質・高機能で高価格な製品の比較優位との関係を実証的に分析する。論文構成は以下の通りである。第1節では，従来とは異なって高価格であっても高品質・高機能な製品に対する需要が台頭し，プロダクト・イノベーションの重要性が高まっていることを指摘する。第2節では，そのプロダクト・イノベーションと製造業に対して新知識を供給するKIBS部門との関係，さらにKIBS部門活動の各国固有性を明らかにしながら，それが高価格製品の比較優位に関係するという仮説を導く。第3節ではこの仮説を実証的に検討する。最後に，おわりにで本稿の結論と今後の課題を述べる。

1. HVA製品需要とプロダクト・イノベーション

まず，従来の比較優位論の枠組みの中でサービス業と製造業の関係について議論しているFaini（1984）の検討から始める。Faini（1984）は製造業の貿易財生産にサービス業からの中間投入が与える影響を示している。そこでは，サービス業の生産過程のみで収穫逓増が存在するため，その価格は生産性上昇により低下していく。したがって，そのサービスは中間投入先である製造業の製品価格を引き下げることによって，その製品の輸出つまり比較優位に貢献する。

しかしながら，このようなサービスとして実際に当てはまるものはほんの一部であり，例えば，流通サービスが挙げられる。Jorgenson and Timmer（2011）によると，1980年から2005年までの約25年間で，EU，アメリカ，日本の流通サービスの生産性上昇率はいずれも製造業並みに高かった一方で，その他のいわゆるビジネス・サービスの生産性上昇率はごくわずかであった。すなわち，サービスの生産性上昇率が製造業並みかそれ以上に高い場合に限って，製品価格を低下させることができるのであるが，ビジネス・サービスはそのようなサービスに含まれない。

それに対して，Oulton（2001）は，たとえサービス業の生産性上昇率が低かったとしても中間投入先である製造業の生産性上昇に寄与する点を指摘している。これは例えば，産業用ロボットや機械のシステム調整，企業マネジメントや組織変革へのアドバイス等にサービスが関わることである。このような場合，サービスの生産性上昇率が低くても製造業でのプロセス・イノベーションが発生して製品価格は低下する。したがって，Faini や Oulton はサービスが製造業でのプロセス・イノベーションを促進することを通じた，製品価格の低下とそれによる比較優位の形成を念頭に議論している。

これは価格の低下した分だけその消費量が増加するような需要を想定していることによる。しかしながら，仮に自動車が 1 台数百万円から数十万円になったとき，消費者がその購入量を 1 台から 10 台に増やすような需要は経験的に考えにくい（Bradford 1969）。すなわち，実質所得の上昇に伴って需要構造は変化するととらえるのが妥当であろう。

その変化のパターンは一般的に次の 2 つが見られる。まず，より長期的で大きな変化として，所得弾力性が高く今まで消費していなかった全く新しい製品を消費するようになる。例えば，Clark（1951）は所得上昇に伴って，第 1 次産業から第 2 次産業，第 3 次産業の製品へと消費が拡大することを指摘している。2 つ目は同一製品であっても質的に進化したものに対する需要の増加である（Cowen 1996）。ここでの製品の質的進化とは，例えば，自動車部門で起こっているような基本的な機能のみを備えた大衆車から空調・オーディオセット・ナビゲーション・安全システム等を備えた自動車，環境に配慮して電気等の燃料も使用するハイブリッド車，AI を用いた自動運転車というこれら一連の流れを表している。そして，近年はこうした製品の質的進化に対する需要が拡大していると考えられる。

さらに，高所得国である先進国を中心に，さらなる所得上昇に伴って最低限度の生活物資を購入してもなお余りある「余剰」所得がより増加したことで，新たな需要が台頭してきている（Hallak 2006）。すなわち，それは大量生産による低価格製品ではなく，高価格でも高機能で高品質に進化した製品に対する需要である。このことは，効用関数が単に消費量に依存するだけでなく，差別化された製品の質にも依存することを意味する。

このような状況では，供給者は高品質製品の需要に応じて価格を設定しうるために，高い価格付けが行える（Baldwin and Harrigan 2011）。そのため，高価格によって製品の付加価値を高めることができる。本稿ではこのような高価格で，高品質・高機能・高付加価値な製品を高付加価値（High Value-Added: HVA）製品とする[1)]。また，HVA製品への需要が台頭してくると，その生産量および価格が市場の需要に依存するため，このような生産形態は需要牽引型となる。これは，先にも示した「余剰」所得の拡大に照応して促進される。したがって，需要牽引型を背景としたHVA製品の生産が台頭してくれば，供給側は製品価格の低下よりもむしろ製品の質的進化に取り組むことが肝要となり，それが主要な課題となるであろう。すなわち，製品価格の低下を促進しているプロセス・イノベーションではなく，製品の質的進化を図るプロダクト・イノベーションが要求される。

プロダクト・イノベーションはどこまでをそれに含むのかによってさまざまに定義される。Bresnahan and Gordon（1997）は，新製品がそれに関連する産業を創出するほど大規模な革新をプロダクト・イノベーションとする。彼らは，このイノベーションを画期的な出来事（landmark events）と呼び，エジソンによる電球の発明，フォードによるT型モデルの導入，ツヴォルキンによるブラウン管の発明，ウォズニアックとジョブズが共同開発したApple IIを例として挙げる（p.4）。しかしながら，本稿では発生回数が限られる画期的な出来事だけではなく，既存製品の質的進化を促進してHVA製品を創造するイノベーションも含めてプロダクト・イノベーションとする。

1) これは高価格製品に関する先行研究（Baldwin and Harrigan 2011; Dingel 2017; Fontagné and Paillarcar 2007; Hallak 2006; Schott 2004）と同様に，高価格な製品はその品質および機能が高度であると前提していることを意味する。

そこで次節では，製造業に中間投入されることで，HVA製品のプロダクト・イノベーションに寄与するサービス，より具体的にはKIBS部門について論じる。

2. プロダクト・イノベーションにおけるKIBS部門の役割

既存製品はプロダクト・イノベーションによって新たな知識が付加されることでHVA製品となる。例えば，AIを用いた自動運転の開発には，少なくともAIに関する技術的な新知識が必要であろう。そして，その新知識を創造するのがまさにサービス，とりわけ，多くの知識を用いてその創造活動を行うサービスである（Cowen 1996; Cowen and Grier 1996）。

この知識創造的なサービスは，その活動内容から知識集約型ビジネス・サービス（Knowledge-Intensive Business Services: KIBS）部門と具体的に考えることができる。KIBSは一般的な定義が確立されているわけではない。ただし，その共通認識として，高い知識集約度，他の組織に対するサービス，非ルーティンな活動が挙げられる（Muller and Doloreux 2009, p.65）。これはKIBS部門が製造業企業の固有に抱える課題に対してカスタマイズされた知識（解決策）を提供することを意味する（Muller and Doloreux 2009; Muller and Zenker 2001; Strambach 2001）。すなわち，KIBS部門は特定の専門分野に特化した知識サービスを製造業に供給することによりプロダクト・イノベーションを促している[2)]。例えば，従来のプログラム制御を伴った既存の自動車は，AI等の情報処理機能に関する知識をKIBSから付加されてスマート・カーという質的な進化をとげる。

さらに，このようなKIBS部門と製造業との関係はオープン・イノベー

---

2) KIBS部門は顧客となる製造業にカスタマイズした知識を供給するため，その活動は機械化どころかルーティン化さえも難しい。したがって，これは生産性上昇率が非常に小さく，その価格が上昇していくという本稿が注目する特徴を備えたサービス活動といえる。また，KIBS部門の特定は統計分類に依存することが多く，基本的には，コンピューター関連サービス，R&Dサービス，その他ビジネス・サービスがそれに相当する（J-Figueiredo et al. 2017）。

ションとして考えることができる。オープン・イノベーションとは，一般的に，組織が技術革新を続けるために組織内部の知識と組織外部の知識を有意義に統合させて新たな知識を創造することである（Chesbrough 2003; Chesbrough et al. 2006）。ただし，ここではその新知識が既存の製品と結合・融合してHVA製品がもたらされるまでの過程を念頭に置いている。よって，本稿では，KIBS部門と製造業という異なる産業間の分野横断的な情報交換関係に基づくプロダクト・イノベーションを指して，オープン・イノベーションとする。

しかしながら，このようなオープン・イノベーションは世界的に見て偏在しており，KIBS活動も先進国でより多くなる傾向がある。図1は全労働者に対するKIBS部門従事者の割合を示している。1995年と2007年を比較するとすべての国で増加しており，最も多いオランダとフランスは2007年時点でそれぞれ18.6%，16.2%となっている。さらに，図2は各国のKIBS部

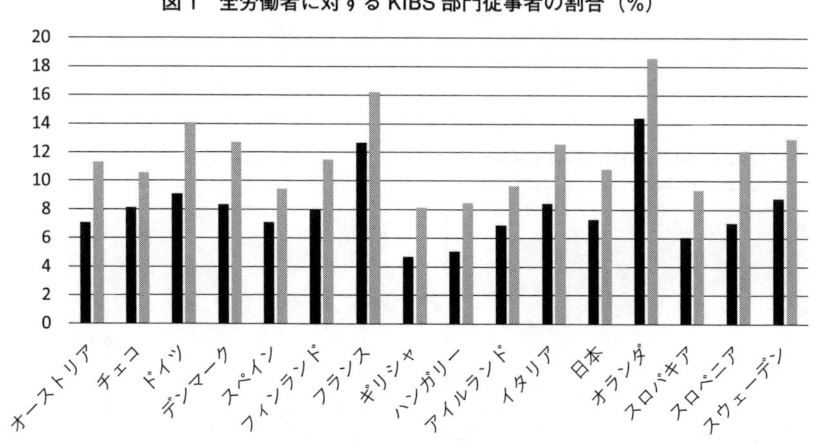

OECD STAN Industrial Analysis（ISIC Re.3）より筆者作成。データの関係上，16か国を報告している。アイルランドは1996年のデータ。

図2　各国のKIBS投入／労働比率と1人当たりGDPの関係（2004年）

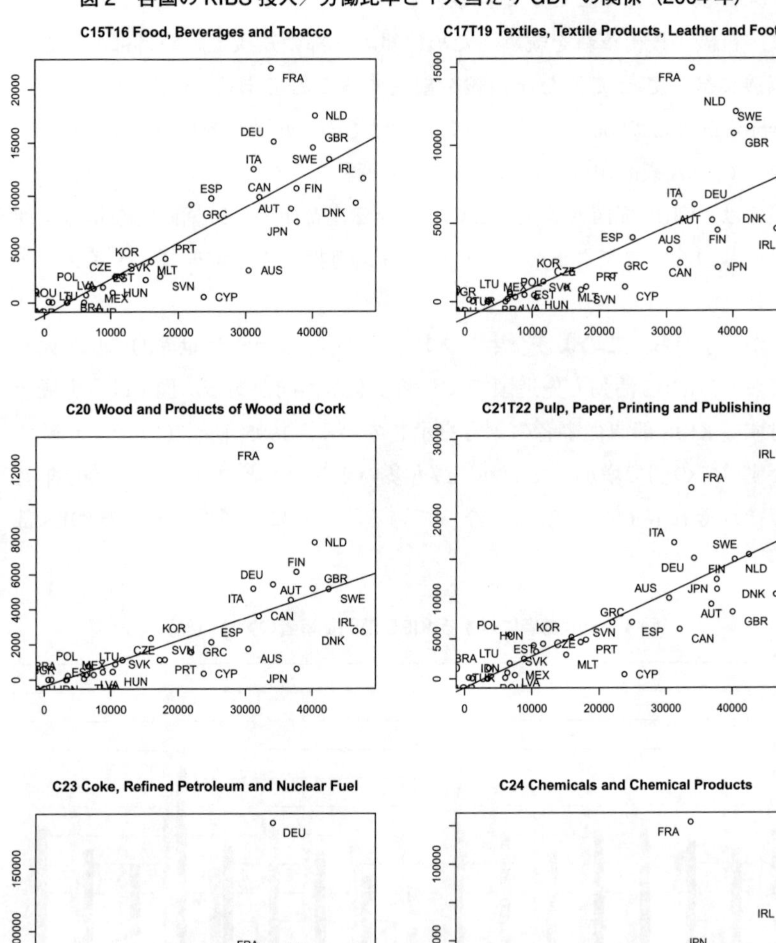

[縦軸：KIBS投入／労働比率（*KIBS/L*）　横軸：1人当たりGDP（2004年USドル）]
WIOD, Socio Economic Account, World Bankのデータを使用して筆者作成。

図２　[続き]

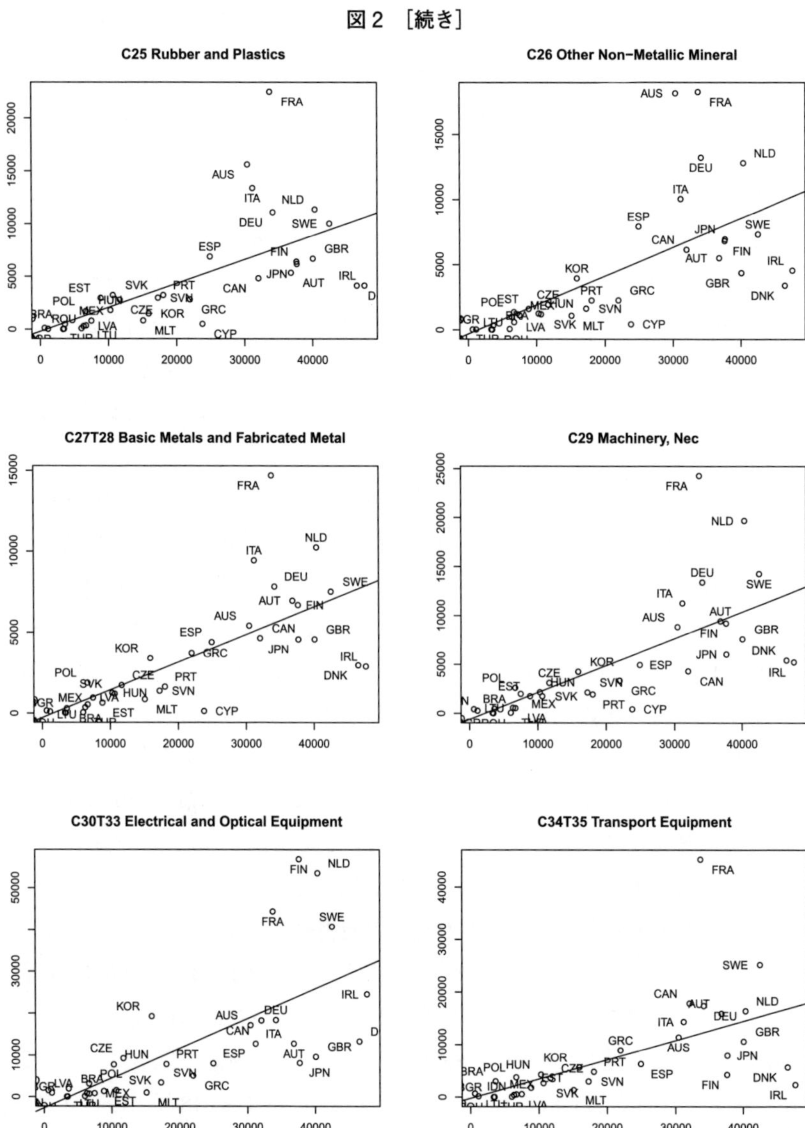
C25 Rubber and Plastics
C26 Other Non−Metallic Mineral
C27T28 Basic Metals and Fabricated Metal
C29 Machinery, Nec
C30T33 Electrical and Optical Equipment
C34T35 Transport Equipment

門のKIBS投入／労働比率（*KIBS*投入量/労働者数）と1人当たりGDPの関係を表したものである[3)]。これによると，すべての製造業部門で経済の発展が進んだ国ではKIBS比率が増加することが確認される。

このように先進国にKIBS部門が集中するのは，法制度の質的差異が企業間の中間投入に影響するためである。例えば，企業間での契約の実施において問題（とりわけ，ホールドアップ問題）が発生したときに，法制度の質が高い場合はそれを処理するコストが低下していくことになり，それが低い場合はそのコストが高くなるために自社でより多くの生産工程を賄うようになる（Boehm 2018）。したがって，法制度の質が向上するほど取引費用が低下していくため，カスタマイズされた中間投入が増加するほど法制度の質が重要となってくる（Nunn and Trefler 2014）。

さらに，KIBSは各先進国の固有性と深く結びついている（Stehrer et al. 2015）。一般的にKIBS部門はT-KIBS部門とP-KIBS部門に分けて分析される。T-KIBSは先端技術の知識に特化したサービスを意味し，テレコミュニケーション，コンピューター関連サービス，R&Dサービスがそれにあたる。P-KIBSは従来からの専門的なビジネス・サービスであり，法律，税・会計サービス等のその国の法制度と密接に関係する活動である。

T-KIBSの技術は単に，ある技術が特定の国だけに存在するということだけでなく，その技術が当該国で機能するためには，それに最適な制度や社会的文脈を必要とする。さらに，法制度は技術よりも固有性が強いため，それに関連するサービスを提供するP-KIBSも当該国で固有な活動となろう。例えば，各国の様々な規制等は新たな技術の使用や新たな製品を市場に投入する際に検討されなければならない。このように，T-KIBSおよびP-KIBSはどちらかの使用だけではなく，1つのセットとして製造業部門に知識サービスを供給することを通じてそのプロダクト・イノベーションを図ることができる。したがって，本稿ではKIBS部門をT-KIBS部門とP-KIBS部門のパッケージとしてとらえることが必要であるとし，さらに，そのKIBS部門の活動は

3) KIBS投入量とGDPはそれぞれ2004年のUSドルで表されている。

当然各国で固有性が強いものであると考えられる[4)]。

以上から，KIBS部門は先進国に遍在するオープン・イノベーションの中で製造業に各国固有で顧客にカスタマイズされた知識を供給することとなる。これにより，既存製品は質的変化から新しくHVA製品となって，「余剰」所得が大きくなっている他の先進諸国へと輸出されると考えられる。したがって，次のような仮説を導くことができる。製造業には，KIBS部門からの知識サービスを利用することによってHVA製品について比較優位を獲得している部門が台頭している。そして，その輸出先はHVA製品に対する需要が拡大している1人当たり所得水準が高い先進国である。第3節では，この仮説に対してパネルデータを用いた検証を行う。

3. 仮説検証

前節までの考察で導出された仮説は，製造業はKIBS部門からの知識サービスを利用することによってHVA製品に比較優位を持ちつつあるということであった。換言すれば，単純な価格競争において有利となる製品ではなく，高品質・高機能・高付加価値，しかも高価格な製品が輸出財の地位を獲得しつつあり，それはKIBS部門の利用により支えられていると言える。本節では以上の仮説について検証を行う。

3.1 HVA製品の比較優位指標および検証モデル

HVA製品とは，高品質・高機能嗜好の需要を前提とした標準世界価格よりも高い価格が付与される製品のことである。二国間貿易において各国が輸出する各製品の価格は単価指数（輸出額［ドル］／輸出量［トン］）で表し，そのうちHVA製品の特定にはEmlinger and Piton（2014）に基づいて計算さ

4) KIBS部門からの中間投入は視点を変えれば様々な生産要素を使用して生産されるKIBS部門の産出である。すなわち，本来，内生変数として扱われるものであり，一般的な生産要素とはその性質がやや異なる。しかしながら，各国の固有性が強いという特徴が比較優位の決定に関係し得ると考えられる。

れた*World Trade Flows Characterization*を使用した。また，5000種以上の商品データで構成されるHS（Harmonized System）の1996年分類コードは，WITS（World Integrated Trade Solution）の*Product Concordance*を用いてISIC（The International Standard Industrial Classification of All Economic Activities）Rev.3の産業レベルに統合した[5]。

Emlinger and Piton（2014）は各期における各製品の単価指数に関して加重中央値を取って，それを各期各製品の世界価格としている。さらに，製品の価格帯は二国間貿易において各国が輸出している製品の単価指数UV_{jcd}（jは製品，cは輸出国，dは輸入国を表す）と各製品の世界価格w_jに基づいて，次のように決定される。$UV_{jcd} > 1.15w_j$, $1.15w_j \geq UV_{jcd} \geq (1/1.15)w_j$, $(1/1.15)w_j > UV_{jcd}$の場合，それぞれHigh価格製品（すなわち，本稿でのHVA製品），Middle価格製品，Low価格製品となる。

HVA製品は高価格であるためにその所得弾力性が非常に大きいと考えられ，それが輸出される先は所得水準の高く「余剰」所得が大きい先進国であろうと予想される。現に，Hallak（2006）は1人当たり所得が高い国は我々の定義するHVA製品をより多く輸入していることを示している。そこで本稿では，「余剰」所得が非常に大きく，さらにより多くの情報を得るという観点から，先進諸国の中で輸入額が最大であってより多数の諸国と多くの財・サービス貿易をしているアメリカをHVA製品の輸出先市場として考える。

ここで，ある国の特定製品が比較優位を持つということは，アメリカの輸入市場でその製品における輸出当該国のシェアがより大きいということを意味する（Romalis 2004）[6]。すなわち，その国がHVA製品に比較優位を持つと

[5] ただし，本稿の分析では最終消費財だけでなく中間投入財も含まれている。

[6] このような定義は，本来，当該国内における産業間の相対的な関係の中で決まる比較優位の概念と異なる。比較優位の指標として，例えばRCA（Revealed Comparative Advantage）が挙げられる。ただし，HVA製品の需要はとりわけ先進国で大きくなることから，ここではアメリカ輸入市場のデータを用いた比較優位指標を参考にする。また，本稿ではHVA製品は差別化されており，当該国のみが生産していると前提している。これにより所得水準が似た国であってもいわゆる産業内貿易が発生する。↗

いうとき，HVA製品のアメリカ輸入市場において当該国の占める割合が大きくなると考えられる[7]。したがって，各国各産業についてのHVA製品の比較優位を表す指標を，第c国の第i製造業部門におけるHVA製品のアメリカ市場に対する輸出割合（ExShare）として次のように定義する。

$$ExShare_{ict} = \frac{\sum_h Ex_{hict}}{\sum_c \sum_h Ex_{hict}} \tag{1}$$

ここで，Exはアメリカへの輸出額，hはHVA製品[8]，tは期間を表す。

そして，本稿では仮説検証として資本，人的資本，KIBSの労働に対する比率に注目する。一般的に，労働に対する資本ストックや人的資本が比較優位の決定に関わるとされる。さらに，本稿ではHVA製品は中間投入としてKIBSをより多く必要とすると考えるため，KIBSの中間投入に対する考察を中心的な課題としている。KIBS部門は当該国の法律や制度，社会的な文脈に基づいた固有の技術および知識に関係しているため，その活動は各国個別の比較優位を形成すると考えられる。したがって，ここではKIBS部門からの中間投入の比率を基本指標とする。

以上から，次のようなモデルを使用する。

$$\ln\left(ExShare_{ict}\right) = \beta_0 + \beta_1 \ln\left(\frac{KIBS}{L}\right)_{ict} + \beta_2 \ln\left(\frac{K}{L}\right)_{ict} + \beta_3 \ln HC_{ict} + \varepsilon_{ict} \tag{2}$$

$KIBS$はKIBS部門からの中間投入量，Lは労働投入量，Kは資本ストック量，HCは人的資本の代理変数として各部門の総労働時間に対する高技術労働者の労働時間割合である。

↗ このことからも，本稿の比較優位指標は差別化された製品についてアメリカ輸入市場のデータを用いて作成したRomalis（2004）の指標が適していると考えられる。

7) このような需要（本稿ではアメリカ市場）の変化に着目する指標は，質的な競争力を表すものとして一般的に用いられている（Dingel 2017）。

8) 後に見るように，本稿ではMiddleおよびLowの価格帯における比較優位についても分析を行っている。その際には，各価格帯についてこの指標を作成している。

3.2 データ

使用データは，期間が2000–2007年，対象国を次の34か国とするパネルデータである。オーストラリア，オーストリア，ブラジル，ブルガリア，カナダ，キプロス，チェコ，デンマーク，エストニア，フィンランド，フランス，ドイツ，ギリシャ，ハンガリー，インド，インドネシア，アイルランド，イタリア，日本，韓国，ラトビア，リトアニア，マルタ，メキシコ，オランダ，ポーランド，ポルトガル，ルーマニア，スロバキア，スロベニア，スペイン，スウェーデン，トルコ，イギリス。

また，KIBS部門に関してはOECDのICIO（Inter-Country Input-Output Tables），ISIC Rev.3から，国内におけるKIBS部門からの製造業への中間投入量（後述のデフレーターを用いて1995年の固定価格に調整した）を使用する。具体的には，「C64: Post and telecommunications」「C72: Computer and related activities」「C73T74: R&D and other business activities」を統合してKIBS

表1　部門分類

Code	Sector	KIBS
C15T16	Food, Beverages and Tobacco	
C17T19	Textiles, Textile Products, Leather and Footwear	
C20	Wood and Products of Wood and Cork	
C21T22	Pulp, Paper, Printing and Publishing	
C23	Coke, Refined Petroleum and Nuclear Fuel	
C24	Chemicals and Chemical Products	
C25	Rubber and Plastics	
C26	Other Non-Metallic Mineral	
C27T28	Basic Metals and Fabricated Metal	
C29	Machinery, nec	
C30T33	Electrical and Optical Equipment	
C34T35	Transport Equipment	
C64	Post and Telecommunications	○
C72	Computer and Related Activities	○
C73T74	R&D and Other Business Activities	○

WIOD, 2013 Release および ICIO SNA93, ISIC Rev.3 より筆者作成。

部門とした。

さらに，労働者数（人），粗資本ストック量（1995年の固定価格），高技能技術者の割合（人的資本の代理変数として総労働時間に占める高技能労働者[9]の労働時間），中間投入量に対するデフレーターはWIOD（World Input Output Database）の*Socio Economic Account* 2013年リリースバージョン（ISIC Rev.3）からデータを抽出した。ただし，使用データ期間におけるICIOとWIODは同じISIC Rev.3を使用して部門を分類しているが，その報告レベルがやや異なる[10]。このような部門については，基本的にはWIODの分類に合わせ，「C17T19: Textiles, textile products, leather and footwear」はKIBS部門データの関係上ICIO分類に合わせた。

3.3　分析および解釈

パネルデータ分析の結果は表2に示されている。ここでは，ハウスマン検定により採択された固定効果モデルから得られた各係数と，括弧内の数値としてロバスト標準誤差を示した。また，(2) 式は製品の各価格帯について推計され，ここでのHighが本稿で議論されているHVA製品にあたる。

結果は，KIBSの労働に対する比率についてMiddle価格帯が統計的に有意な正の係数をとり，Low価格帯が負の係数をもち統計的に有意となっている。すなわち，KIBS比率はMiddle価格帯のアメリカ輸入市場でのシェアを高めてその比較優位に影響を与えるのに対して，Low価格帯の比較優位には負の作用をもつといえる。また，その一方で，HVA製品の比較優位に対するKIBS比率については，統計的に有意ではないが，負の係数を示している。これは本稿で最も関心があるもので仮説において正の係数を予想していた

---

9) 高技術労働者は1997 International Standard Classification of Education（ISCED）におけるLevel 5およびLevel 6の教育を受けた労働者として定義される（Erumban et al. 2012）。

10) 例えば，WIODでは「C34T35: Transport equipment」となっているのに対して，ICIOでは「C34: Motor vehicles, trailers and semi-trailers」と「C35: Other transport equipment」に分類が分かれている。

表2　各価格範囲の比較優位に関する回帰結果【従属変数：$\ln(ExShare_{ict})$】

VARIABLES	(High) ＝HVA 製品	(Middle)	(Low)
ln(KIBS/L)	−0.0764	0.255**	−0.198***
	(0.0800)	(0.109)	(0.0763)
ln(K/L)	0.317	−0.351	0.125
	(0.209)	(0.287)	(0.243)
ln(HC)	0.506***	0.473	−0.0563
	(0.175)	(0.349)	(0.223)
サンプル数	3,064	2,592	2,840
国×部門	383	324	355
決定係数	0.012	0.010	0.007

括弧内の数値はロバスト標準誤差。ハウスマン検定の結果，固定効果モデルが採択される。

*** $p < 0.01$, ** $p < 0.05$, * $p < 0.1$

が，それとは逆の結果となっている。

資本・労働比率についてはHVA製品と価格帯がLow価格帯製品の係数が正，Middle価格帯の係数が負をとるものの，全ての価格帯において統計的に有意となっていない。また，人的資本についてはHVA製品の比較優位に正の影響を与えていることが確認できるが，価格帯がMiddle範囲のものの係数は正，Low範囲は負となっており，いずれも有意ではない。

HVA製品の比較優位に対するKIBS比率の係数が予想と異なるものとなった背景には，KIBS部門の与える影響が製造業部門ごとに異なることが考えられる。Francois and Woerz（2008）は，すべての製造業部門においてKIBS比率が経済発展（1人当たりGDPの上昇）とともに増加する傾向をもつ一方で，その程度は各部門で明確に異なることを示している。このことは，KIBS投入の重要性が製造業部門間で異なり，それがHVA製品の比較優位に与える影響の差異として現れる可能性を示唆している[11]。

[11] 本稿のデータにおいても部門間の違いが確認できる。例えば，「C17T19: Textiles, Textile Products, Leather and Footwear」と「C24: Chemicals and Chemical Products」↗

そこで，次にKIBS比率の作用が各製造業部門で異なるという仮説を加え，(3) 式の推計を行う。ここで，部門ダミーはKIBS部門からの知識投入がHVA製品のアメリカ市場のシェアに与える効果の程度について，各製造業部門で異なることを反映している。

$$\ln\left(ExShare_{ict}\right)=\beta_0+\left(\beta_1+\beta_{2\sim12}D_{ic}\right)\ln\left(\frac{KIBS}{L}\right)_{ict}+\beta_{13}\ln\left(\frac{K}{L}\right)_{ict}+\beta_{14}\ln HC_{ict}+\varepsilon_{ict} \tag{3}$$

Dは各製造業部門のダミー変数を表す。

まず表3が示すのは，KIBS部門の利用が特にHVA製品の比較優位に与える影響について，各製造業部門によって異なるということである。ベースとなっている「C15T16: Food, Beverages and Tobacco」と比較して，とりわけ，「C21T22: Pulp, Paper, Printing and Publishing」「C25: Rubber and Plastics」「C27T28: Basic Metals and Fabricated Metal」「C30T33: Electrical and Optical Equipment」「C34T35: Transport Equipment」は有意にその影響が異なることを示している。

さらに，表4は各製造業部門のKIBS比率とその比較優位との関係について示したものである。ここでも各部門の特徴が明確に異なることを確認できる。まず，「C21T22: Pulp, Paper, Printing and Publishing」「C25: Rubber and Plastics」について，HVA製品で正の有意性，Low価格帯において負の有意性を示している。これはKIBS比率が大きくなるほどHVA製品で比較優位を獲得し，Low価格製品では比較劣位となる傾向を表す。これらの部門はその産出製品からローテクやミディアムテク部門に分類できるが（Lall 2000），その製品は質的進化を見せている（Fontagné and Paillarcar 2007）。例えば，医療用のプラスチック製品は高度に進化しており，また，湿度や酸素から内容物を守るコーティングが施された紙製の容器や感熱紙も高度な技術を要す

↗について比較した場合，HVA製品の比較優位に対するKIBS比率の係数がそれぞれ0.12，0.89と大きく異なることが分かる（Appendix 1，図A1参照）。

表3　各部門の違いを考慮した各価格範囲の比較優位に関する回帰結果
【従属変数：ln($ExShare_{ict}$)】

	(High) ＝HVA 製品	(Middle)	(Low)
ln(KIBS/L)【ベース＝C15T16】	−0.335*	0.303	−0.344*
	(0.185)	(0.185)	(0.190)
ln(KIBS/L)×dummy(C17T19)	0.229	−0.699***	0.205
	(0.199)	(0.237)	(0.307)
ln(KIBS/L)×dummy(C20)	0.341	0.337	0.227
	(0.272)	(0.672)	(0.338)
ln(KIBS/L)×dummy(C21T22)	0.781***	−0.458*	−0.127
	(0.257)	(0.241)	(0.314)
ln(KIBS/L)×dummy(C23)	−0.351	0.244	0.0729
	(0.391)	(0.804)	(0.334)
ln(KIBS/L)×dummy(C24)	0.127	−0.0820	0.126
	(0.231)	(0.260)	(0.234)
ln(KIBS/L)×dummy(C25)	0.782***	−0.0972	−0.125
	(0.246)	(0.244)	(0.282)
ln(KIBS/L)×dummy(C26)	0.0497	−0.422	0.256
	(0.199)	(0.336)	(0.339)
ln(KIBS/L)×dummy(C27T28)	0.442**	−0.409	0.0367
	(0.222)	(0.326)	(0.303)
ln(KIBS/L)×dummy(C29)	0.311	0.194	0.300
	(0.206)	(0.269)	(0.216)
ln(KIBS/L)×dummy(C30T33)	0.599***	0.288	0.667***
	(0.207)	(0.315)	(0.219)
ln(KIBS/L)×dummy(C34T35)	0.521*	0.837*	0.0687
	(0.282)	(0.462)	(0.291)
ln(K/L)	0.302	−0.420	0.0854
	(0.228)	(0.300)	(0.254)
ln(HC)	0.428**	0.544	−0.0478
	(0.172)	(0.341)	(0.223)
サンプル数	3,064	2,592	2,840
国×部門	383	324	355
決定係数	0.040	0.027	0.016

括弧内の数値はロバスト標準誤差。ハウスマン検定の結果，固定効果モデルが採択される。

*** $p < 0.01$, ** $p < 0.05$, * $p < 0.1$

表 4　各製造業部門の KIBS 比率（*KIBS/L*）と比較優位の関係

	(High) ＝HVA 製品	(Middle)	(Low)
β_1【C15T16】	−0.335*	0.303**	−0.344*
$\beta_1+\beta_2$【C17T19】	−0.106	−0.396	−0.139
$\beta_1+\beta_3$【C20】	0.006	0.640	−0.117
$\beta_1+\beta_4$【C21T22】	0.446**	−0.155	−0.471**
$\beta_1+\beta_5$【C23】	−0.686**	0.547	−0.271
$\beta_1+\beta_6$【C24】	−0.208	0.221	−0.218*
$\beta_1+\beta_7$【C25】	0.447***	0.206	−0.469**
$\beta_1+\beta_8$【C26】	−0.285**	−0.119	−0.088
$\beta_1+\beta_9$【C27T28】	0.107	−0.106	−0.307*
$\beta_1+\beta_{10}$【C29】	−0.024	0.497**	−0.044
$\beta_1+\beta_{11}$【C30T33】	0.264**	0.591**	0.323***
$\beta_1+\beta_{12}$【C34T35】	0.186	1.140**	−0.275

*** $p < 0.01$, ** $p < 0.05$, * $p < 0.1$
C17T19 から C34T35 までは各係数の和がゼロという制約に対する F 検定の結果を表している。

る。したがって，従来の一般的な分類がローテクやミディアムテク部門であったとしても，各製品は KIBS 部門からの知識投入を通じたプロダクト・イノベーションによって HVA 製品へと進化を続けており，また，そのような製品の生産に特化していると考えられる。

一方で，「C15T16: Food, Beverages and Tobacco」「C23: Coke, Refined Petroleum and Nuclear Fuel」「C26: Other Non-Metallic Mineral」は HVA 製品に対して負の有意性を示している。とりわけ，「C23: Coke, Refined Petroleum and Nuclear Fuel」「C26: Other Non-Metallic Mineral」のコークス，石油，核燃料，ガラスや非金属鉱物の資源製造に関する部門は KIBS 比率が高まることで HVA 製品について比較劣位となると言える。

また，「C29: Machinery, nec」「C34T35: Transport Equipment」は，KIBS 比率の増加により Middle 価格帯において比較優位となっていることがわかる。これは KIBS 部門からの中間投入がプロダクト・イノベーションだけでなく，プロセス・イノベーションにも寄与している可能性を示している。KIBS活動は機械やコンピューターの効率化を図り，既存製品の価格を低下させるプロセス・イノベーションを促進することも十分に考えられる。さらに，このことは，HVA製品とKIBS部門との関係が有意に認められない部門について，5000種程度の商品データではプロダクト・イノベーションとプロセス・イノベーションへの効果が混在して価格に対する効果が相殺されている可能性を示唆している。

そして，「C30T33: Electrical and Optical Equipment」はどの価格帯においてもKIBS比率を高めることで比較優位を獲得する傾向を示す。この部門はコンピューターおよびそれに関連する知識集約的な製造業部門を含み，そこではいわゆるムーアの法則が示すように，既存製品の価格低下が顕著に見られる。したがって，「C30T33: Electrical and Optical Equipment」はKIBS比率を高めることで製品進化を経たHVA製品に比較優位をもつ一方で，KIBSからの知識投入がプロセス・イノベーションを通じてこの部門の十分な価格競争力の形成に寄与している可能性を示している。

また，資本ストックについては，(2) 式の推計と同様に，HVA製品および価格帯がLow範囲の係数は正，Middle範囲の係数は負を示しているが，どの価格帯においても有意性は認められない。それに対して，HVA製品の比較優位に人的資本が与える影響は (2) 式の推計に対して，その係数の大きさおよび有意水準が低下しているものの，依然，正の有意性が認められる。これは次のことを意味していると考えられる。オープン・イノベーションでは，単に当該組織外の知識に頼るのではなく，それら外部知識と社内の知識を結合させることが必要となる。そして，この結合（イノベーション）の方向性については当該組織がコントロールする必要があり，これをも外部に依存するとイノベーションは失敗する可能性が高くなる（Chesbrough 2003）。したがって，HVA製品の生産およびその比較優位においても，人的資本を備えた労働力が当該組織内で重要となっていることが反映されているであろう。

以上から，KIBS部門の中間投入がプロダクト・イノベーションだけでなく，一部の部門ではプロセス・イノベーションへ影響し，さらにその影響は製造業部門間で異なるものの，総じてKIBS活動とHVA製品の比較優位とが関係を持つことが分かった。すなわち，KIBS部門の中間投入は製造業一般におけるHVA製品の比較優位に関係するといった当初の仮説は支持されないものの，その影響が各製造業部門で異なることを考慮すれば，HVA製品の比較優位に対してKIBS比率が影響する製造業部門は確かに存在するといえる。

おわりに

本稿では，今日の製造業がKIBSからの知識サービスを利用することによってHVA製品に比較優位を持ちつつあるという仮説を導出し，実証的に分析した。これにより製造業のKIBS利用とHVA製品の比較優位の関係は部門ごとに異なるものの，仮説を支持する結果を得た。ただし，今後の課題として以下4点が挙げられる。

1. KIBS部門とプロダクト・イノベーションまたはプロセス・イノベーションとの関係をより詳しく分析する必要がある。今回はKIBS部門の知識サービスが製造業のプロダクト・イノベーションを促すとして議論した。ただし，実証分析の結果からも示唆されるように，KIBS部門は製造業のプロセス・イノベーションにも関係しているであろう。このような各イノベーションとKIBS部門との関係性はCIS（Community Innovation Survey）を用いたデータ分析により，定量的かつより詳細に明らかになる可能性がある。

2. 本稿ではT-KIBSとP-KIBSがそれぞれ特定分野の知識に特化しているため，2つが同時に作用することで，プロダクト・イノベーションが発生し，HVA製品となるとした。そのため，これらを1つのセットとして扱い，KIBSを1つの部門単位として分析を行った。しかしながら，イノベーション・プロセスにおけるT-KIBSとP-KIBSの関係の仕方については先行研究においても十分に明らかにされていない。したがって，KIBS部門内のT-KIBS部門とP-KIBS部門の結合方法を分析的にとらえることで，その関係性が詳細になると期待できる。

3. KIBS部門は顧客企業と物理的に近接する（Potter and Martinez-Fernandez 2015）。KIBS部門は顧客に対してカスタマイズされた知識を供給するため，その知識サービスは顧客との間で高頻度な情報交換の中で生まれる。すなわち，本稿で定義したようなオープン・イノベーションには狭い範囲での空間が存在することになり，それは具体的に地域空間を指す。よって，地域空間を導入することを通じてそこでのKIBS部門の役割，言い換えれば，地域経済発展への寄与を分析することが可能である。

4. 本稿の実証分析では，HVA製品の比較優位指標として第c国の第i製造業部門におけるHVA製品のアメリカ市場に対する輸出割合とした。一方で，輸出に占めるHVA製品割合で見た場合，その割合はKIBS部門からの中間投入比率が低い国でも高くなることが確認できる。図3は「C34T35 Transport Equipment」について，アメリカ市場への輸出に占めるHVA製品の割合（$Ex_h/\sum Ex_{h\text{-}l}$）[12]とKIBS投入／労働比率（*KIBS/L*）の関係を表したものである。これによると，移行諸国であるハンガリーやチェコ，リトアニアはKIBS比率が低いにもかかわらず，アメリカ市場に対してHVA製品の輸出に特化している[13]。これは欧州を中心に発達している自動車部門のGVC（Global Value Chain）を反映しているものであると考えられる。すなわち，欧州先進国の製造業はKIBS部門からの高度な知識投入を埋め込んだHVA製品を中間財として発展途上国である東欧諸国に輸出しており，その後，東欧諸国からアメリカ市場へ輸出されている可能性が考えられる。このように

[12] *Ex*はアメリカ市場への各国輸出量，添え字*h*，*m*，*l*はそれぞれ製品の価格帯を示す。

[13] ここではフィンランドを除外して考えている。それは移行諸国ではKIBS比率が総じて小さいのに対して，フィンランドは他の製造業部門（例えば，「C29 Machinery, nec」や「C30T33 Electrical and Optical Equipment」等）においてKIBS比率が大きくてアメリカ市場への輸出に占めるHVA製品の割合を高めるという関係が見られるためである。これはフィンランドが小国であるがゆえに，C34T35部門においてHVA製品輸出の特化が大きいことから説明でき，移行諸国の論理に当てはまらないと考えられる。

図 3　各国の KIBS 投入／労働比率（*KIBS/L*）とアメリカ市場への輸出に占める HVA 製品の割合（$Ex_h/\sum Ex_{h\sim l}$）の関係（2004 年）

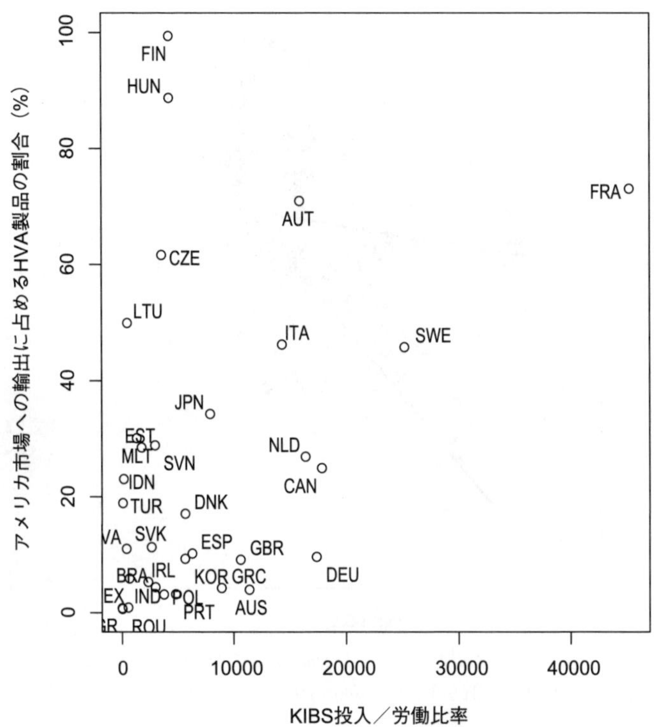

先進国の KIBS 部門が 1 国経済だけではなく，他の周辺国経済にも与える影響を明らかにすべきである[14]。

14）このように，製品に付加された形で輸出されるサービスは GATS の規定していない新たなサービス貿易モード（モード 5）とされる。Cernat, Kutlina-Dimitrova（2014）は，このモード 5 の重要性が近年増大しており，それが経済発展や貿易政策に与える影響を分析することが必要であると指摘している。

Appendix 1.
図 A1　KIBS 比率が HVA 製品の比較優位に与える影響の部門間比較

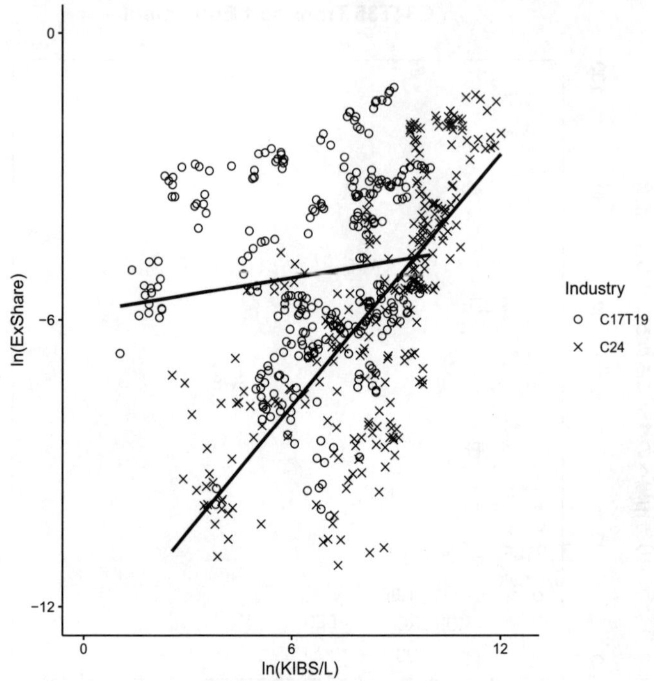

C17T19 についての回帰直線：$\ln(\mathit{ExShare}) = -5.84 + 0.12\ \ln(\mathit{KIBS/L})$
C24 についての回帰直線：$\ln(\mathit{ExShare}) = -13.16 + 0.89\ \ln(\mathit{KIBS/L})$

Appendix 2.　表 A2　各変数の記述統計

【High Price-Range】

Sector	ln[ExShare]	ln[KIBS/L]	ln[K/L]	ln[HC]
C15T16	−5.53	7.55	11.9	−2.22
	2.75	2.04	2.38	0.68
	−14.43	2.05	6.91	−3.65
	−1.44	10.28	18.4	−1.13
C17T19	−5.04	6.65	11.19	−2.28
	1.99	2.05	2.55	0.71
	−10.11	1.03	5.61	−3.65
	−1.13	9.98	18.1	−1.13
C20	−5.19	6.53	11.43	−2.24
	2.23	2.2	2.47	0.74
	−12.9	0.32	5.96	−4.27
	−0.85	9.73	18.04	−0.93
C21T22	−5.83	7.87	11.96	−2.08
	2.7	1.91	2.52	0.68
	−14.58	1.75	6.56	−3.65
	−0.91	11.42	18.32	−0.93
C23	−5.3	8.47	13.51	−1.95
	2.58	2.12	2.88	0.68
	−13.28	1.79	8.13	−3.65
	−0.79	12.13	20.25	−0.95
C24	−5.71	8.41	12.51	−2.04
	2.67	2.17	2.63	0.72
	−14.79	2.53	6.64	−3.65
	−1.29	12.01	19.02	−1.02
C25	−5.34	7.4	11.73	−2.19
	2.32	1.98	2.36	0.7
	−12.06	1.45	5.96	−3.65
	−0.99	10.41	17.68	−1.06
C26	−4.87	7.24	11.99	−2.2
	2.02	1.96	2.57	0.68
	−11.76	2.61	6.21	−3.65
	−1.22	10.04	18.93	−1.13
C27T28	−5.53	7.15	11.77	−2.18
	2.75	1.73	2.58	0.66
	−14.3	2	6.74	−3.65
	−1.39	9.77	18.78	−1.13
C29	−5.65	7.54	11.27	−2.11
	2.7	1.81	2.42	0.67
	−13.68	1.99	5.72	−3.65
	−1.22	10.42	17.49	−0.94
C30T33	−5.45	8.22	11.53	−2.13
	2.52	1.95	2.5	0.73
	−12.52	2.22	5.63	−3.65
	−1.09	11.45	18.83	−0.94
C34T35	−6.08	7.87	11.9	−2.15
	2.92	2.08	2.46	0.69
	−13.09	1.13	6.35	−3.65
	−0.59	10.95	18.31	−1.01
Total	−5.46	7.55	11.85	−2.15
	2.54	2.08	2.58	0.7
	−14.79	0.32	5.61	−4.27
	−0.59	12.13	20.25	−0.93

注）順に平均値，標準偏差，最小値，最大値を示している。

表 A2 （続き）

【Medium Price-Range】

Sector	ln[ExShare]	ln[KIBS/L]	ln[K/L]	ln[HC]
C15T16	−5.66	7.68	12.05	−2.2
	2.77	1.99	2.38	0.65
	−15.54	2.05	6.91	−3.65
	−0.75	10.28	18.4	−1.13
C17T19	−6.04	6.65	11.19	−2.28
	2.59	2.05	2.55	0.71
	−14.59	1.03	5.61	−3.65
	−1.1	9.98	18.1	−1.13
C20	−5.69	6.31	11.88	−2.3
	3.12	2.02	2.45	0.79
	−12.57	1.35	6.55	−4.27
	−0.71	9.73	18.04	−0.93
C21T22	−6.57	8.02	12.46	−2.05
	3.09	1.89	2.57	0.67
	−14.91	1.75	6.56	−3.65
	−0.21	10.47	18.32	−0.93
C23	−4.46	8.89	14.34	−1.75
	3.04	2.05	2.4	0.68
	−14.73	3.18	11.47	−3.65
	−0.73	11.76	20.25	−0.95
C24	−5.57	8.38	12.56	−2.04
	2.74	2.2	2.58	0.72
	−16.07	2.53	6.64	−3.65
	−0.99	12.01	19.02	−1.02
C25	−5.51	7.54	11.98	−2.1
	2.32	1.92	2.39	0.64
	−13.73	1.45	5.96	−3.65
	−0.65	10.41	17.68	−1.06
C26	−4.67	7.43	12.2	−2.2
	2.12	1.93	2.45	0.69
	−13.15	2.61	7.88	−3.65
	−0.85	10.04	18.93	−1.13
C27T28	−5.52	7.21	11.83	−2.15
	2.36	1.75	2.65	0.64
	−12.44	2	6.74	−3.65
	−0.65	9.77	18.78	−1.13
C29	−5.36	7.81	11.59	−2.1
	2.48	1.62	2.37	0.67
	−12.23	2.85	5.72	−3.65
	−0.91	10.42	17.49	−0.94
C30T33	−6.11	8.44	11.74	−2.09
	2.84	1.77	2.43	0.72
	−16.68	2.22	5.63	−3.65
	−0.42	11.45	18.83	−0.94
C34T35	−6.15	8.42	12.28	−1.98
	3.32	1.43	2.19	0.58
	−14.86	3.35	7.73	−3.65
	−1.15	10.95	18.31	−1.01
Total	−5.66	7.71	12.06	−2.12
	2.76	2.01	2.53	0.69
	−16.68	1.03	5.61	−4.27
	−0.21	12.01	20.25	−0.93

表 A2 （続き）

【Low Price-Range】

Sector	ln[ExShare]	ln[KIBS/L]	ln[K/L]	ln[HC]
C15T16	−5.81	7.55	11.9	−2.22
	2.39	2.04	2.38	0.68
	−13.33	2.05	6.91	−3.65
	−0.59	10.28	18.4	−1.13
C17T19	−6.05	6.64	11.2	−2.29
	2.28	2.08	2.58	0.71
	−12.48	1.03	5.61	−3.65
	−0.61	9.98	18.1	−1.13
C20	−6.01	6.6	11.56	−2.17
	2.81	2.01	2.29	0.8
	−13.07	1.35	6.55	−4.27
	−0.33	9.73	18.04	−0.93
C21T22	−5.94	8.21	12.27	−2.03
	2.78	1.58	2.14	0.62
	−14.49	3.87	7.68	−3.65
	−0.52	11.42	18.32	−0.93
C23	−4.96	8.41	14.11	−1.91
	2.41	2.26	2.98	0.75
	−12.86	0.89	8.41	−3.65
	−0.53	11.76	20.25	−0.95
C24	−5.35	8.34	12.46	−2.04
	2.41	2.17	2.61	0.71
	−12.23	2.53	6.64	−3.65
	−0.9	12.01	19.02	−1.02
C25	−5.76	7.43	11.75	−2.15
	2.32	2	2.4	0.67
	−13.49	1.45	5.96	−3.65
	−0.56	10.41	17.68	−1.06
C26	−5.08	7.26	12.05	−2.22
	2.23	1.98	2.59	0.68
	−14.07	2.61	6.21	−3.65
	−0.96	10.04	18.93	−1.13
C27T28	−5.03	7.2	11.87	−2.15
	2.12	1.76	2.62	0.65
	−14.52	2	6.74	−3.65
	−0.99	9.77	18.78	−1.13
C29	−5.42	7.54	11.27	−2.11
	2.46	1.81	2.42	0.67
	−12.22	1.99	5.72	−3.65
	−1.29	10.42	17.49	−0.94
C30T33	−6.07	8.22	11.53	−2.13
	2.66	1.95	2.5	0.73
	−14.47	2.22	5.63	−3.65
	−0.46	11.45	18.83	−0.94
C34T35	−5.81	7.86	11.82	−2.13
	2.84	2.05	2.46	0.69
	−14.94	1.13	6.35	−3.65
	−1.09	10.95	18.31	−1.01
Total	−5.62	7.6	11.9	−2.14
	2.5	2.05	2.56	0.7
	−14.94	0.89	5.61	−4.27
	−0.33	12.01	20.25	−0.93

参考文献

Balassa, B. (1964), The Purchasing-Power Parity Doctrine: A Reappraisal, *Journal of Political Economy* 72(6): 584–596.

Baldwin, R. and J. Harrigan (2011), Zeros, Quality, and Space: Trade Theory and Trade Evidence, *American Economic Journal: Microeconomics* 3: 60–88.

Boehm, J. (2018), *The Impact of Contract Enforcement Costs on Value Chains and Aggregate Productivity*, Discussion Papers 1382.

Bradford, D.F. (1969), Balance on Unbalanced Growth, *Zeitschrift für Nationalökonomie* 29: 291–304.

Bresnahan, T.F. and R.J. Gordon (1997), Introduction, in *The Economics of New Goods*, Edited by T.F. Bresnahan and R.J. Gordon, Chicago: The University of Chicago Press, Introduction: 1–25.

Cernat, L. and Z. Kutlina-Dimitrova (2014), Thinking in a Box: A 'Mode 5' Approach to Service Trade, *DG TRADE Chief Economist Note* 1.

Chesbrough, H. (2003), *Open innovation: the new imperative for creating and profiting from technology*, Boston: Harvard Business School Press（大前恵一郎 訳（2004），『ハーバード流イノベーション戦略のすべて』産能大学出版部）

Chesbrough, H., W. Vanhanverbeke and J. West (2006), *Open Innovation: Researching a New Paradigm*, Oxford: Oxford University Press（PRTM 監訳（2008），『オープンイノベーション：組織を越えたネットワークが成長を加速する』英治出版）

Clark, C. (1951), *The Conditions of Economic Progress*, London: MacMillan（大川一司，小原敬士，高橋長太郎，山田雄三 訳（1955），『経済進歩の諸条件』勁草書房）

Cowen, T. (1996), Why I Do Not Believe in the Cost-Disease: Comment on Baumol, *Journal of Cultural Economics* 20: 207–214.

Cowen, T. and R. Grier (1996), Do Artists Suffer from a Cost Disease?, *Rationality and Society* 8(1): 5–24.

Dingel J.I. (2017), The Determinants of Quality Specialization, *Review of Economic Studies* 84: 1551–1582.

Emlinger, C. and S. Piton (2014), World Trade Flows Characterization: Unit Values, Trade Types and Price Ranges, *CEPII Working Paper* 26.

Erumban, A.A., R. Gouma, G. de V., K. de V. and M. Timmer (2012), *WIOD Socio-Economic Accounts (SEA): Sources and Methods*.

Evangelista, R., M. Lucchese and V. Meliciani (2015), Business Services and the Export Performances of Manufacturing Industries, *Journal of Evolutionary Economics* 25(5): 959–981.

Faini, R. (1984), Increasing Returns, Non-traded Inputs and Regional Development, *The Economic Journal* 94(374): 308–323.

Francois, J. and J. Woerz (2008), Producer Services, Manufacturing Linkages, and Trade, *Journal of Industry, Competition and Trade* 8: 199–229.

Fontagné, L. and R. Paillarcar (2007), China Is Shipping More Products to the United States Than Germany, *La Lettre du CEPII* 270.

Hallak, J.C. (2006), Product Quality and the Direction of Trade, *Journal of International Economics* 68: 238–265.

J-Figueiredo, R., J.V. Neto, O.L.G. Quelhas and J.J. de M. Ferreira (2017), Knowledge Intensive Business Services (KIBS): Bibliometric Analysis and Their Different Behaviors in the Scientific Literature: Topic 16 – Innovation and services, *RAI Revista de Administração e Inovação* 14(3): 216–225.

Jorgenson, D.W. and M.P. Timmer (2011), Structural Change in Advanced Nations: A New Set of Stylised Facts, *The Scandinavian Journal of Economics* 113(1): 1–29.

Kravis, I.B., A.W. Heston and R. Summers (1983), The Share of Services in Economic Growth, Global econometrics: Essays, in *Global econometrics: essays in honor of Lawrence R. Klein*, Edited by F.G. Adams and B.G. Hickman, Cambridge: The MIT Press, Chapter 10: 188–218.

Lall, S. (2000), The Technological Structure and Performance of Developing Country Manufactured Exports, 1985–98, *Oxford Development Studies* 28(3): 337–369.

Lodefalk, M. (2014), The Role of Services for Manufacturing Firm Exports, *Review of World Economics* 150: 59–82.

Muller, E. and D. Doloreux (2009), What We Should Know about Knowledge-Intensive Business Services, *Technology in Society* 31: 64–72.

Muller, E. and A. Zenker (2001), Business Services as Actor of Knowledge Transformation: The Role of KIBS in Regional and National Innovation Systems, *Research Policy* 30: 1501–1516.

Nunn, N. and D. Trefler (2014), Domestic Institutions as a Source of Comparative Advantage, in *Handbook of International Economics*, Edited by G. Gopinath, E. Helpman and K. Rogoff, North-Holland: Elsevier, Chapter 5: 263–315.

Oulton, N. (2001), Must the Growth Rate Decline? Baumol's Unbalanced Growth Revisited, *Oxford Economic Papers* 53: 605–627.

Potter, J. and C. Martinez-Fernandez (2015), Knowledge Intensive Business Services and Regional Policy, in *Handbook of Research on Global Competitive Advantage through Innovation and Entrepreneurship*, Edited by Luís M. Carmo Farinha, João J.M. Ferreira, Helen Lawton Smith and Sharmistha Bagchi-Sen, Hershey: IGI Global, Chapter 7: 91–112.

Romalis, J. (2004), Factor Proportions and the Structure of Commodity Trade, *The American Economic Review* 94(1): 67–97.

Samuelson, P.A. (1964), Theoretical Notes on Trade Problems, *The Review of Economics and Statistics* 46(2): 145–154.

Schott, P.K. (2004), Across-Product Versus Within-Product Specialization in International Trade, *The Quarterly Journal of Economics* 119(2): 647–678.

Stehrer, R., P. Baker, N. Foster-McGregor, J. Schricker, T. Strobel, H. Vieweg, J. Vermeulen and A. Yagafarova (2015), The Relation between Industry and Services in Terms of Productivity and Value Creation, *Research Report* 404.

Strambach, S. (2001), Innovation Processes and the Role of Knowledge-Intensive Business Services (KIBS), in *Innovation Networks – Concepts and Challenges in the European Perspective*, Edited by K. Koschatzky, M. Kulicke and A. Zenker, Heidelberg: Physica-Verlag, Chapter 4: 53–68.

WTO (2018), *World Trade Statistical Review 2018*, Geneva: WTO.

Summary

The Relationship between Comparative Advantage in High Value-Added Products and Knowledge-Intensive Business Services (KIBS)

Tatsushi Waragai (Graduate School of Economics, Ritsumeikan University)

This paper considers the relationship between exporting high-price HVA (High Value-Added) products and Knowledge-Intensive Business Services (KIBS). We expect that services with low-productivity and high-price affect comparative disadvantage directly or indirectly. However, increasing demand for high-quality varieties with growing income, KIBS contribute to manufactures, especially in advanced countries, innovating HVA products and having comparative advantage in them. The empirical analysis conducts using panel data for 34 states and 12 manufacture sectors from 2000 to 2007. According to the results, using KIBS intermediate in manufacture importantly relates to comparative advantage in HVA products.

会　報

【日本国際経済学会第78回全国大会】

日本国際経済学会第78回全国大会は，2019年9月28日（土）・29日（日）の2日間にわたって日本貿易振興機構（ジェトロ）アジア経済研究所において開催されました。多くの会員の参加があり，本大会も例年と同様に活発な研究報告や諸種行事が執り行われました。また，共通論題では連鎖する世界経済における開発について，貿易・労働・金融の諸側面から多面的に報告が行われました。具体的なプログラム内容は以下の通りです。なお，報告者の後に（**E**）がついている場合は英語で報告が行われたことを，また（**J**）が付いている場合は求職活動の一環として報告が行われたことをそれぞれ表しています。

【大会第1日目】

★午前の部　自由論題（9：30～12:00）

第1分科会　米中貿易摩擦（会場：C21会議室）

座　長　学習院大学　伊藤　匡

The Impact of US-China Trade War on Japanese Multinational Corporations

報告者　経済産業研究所　張　紅詠

討論者　日本貿易振興機構アジア経済研究所　田中　清泰

TPPと米中経済摩擦

報告者　環日本海経済研究所　中島　朋義

討論者　九州大学　清水　一史

Global Value Chains and Trade Response to Trade War

報告者　名古屋市立大学　板倉　健

討論者　日本貿易振興機構アジア経済研究所　孟　渤

第2分科会　国際金融（会場：SIAP-1会議室）

座　長　一橋大学　小川　英治

An Assessment of the ECB's Unconventional Monetary Policies

報告者　無所属（静岡県立大学大学院修了）　鈴木　弘隆

討論者　関西大学　高屋　定美

The Effects of International Capital Flows on Domestic Savings, Investment and Growth: Changes in the 'F-H Puzzle' in Emerging Economies

報告者　立命館大学　大田　英明

討論者　東京外国語大学　出町　一恵

第3分科会　国際政治経済（会場：SIAP-2会議室）

座　長　高崎経済大学　矢野　修一

東アジアの多国間主義とその意義

報告者　明治大学　小林　尚朗

討論者　日本貿易振興機構アジア経済研究所　浜中　慎太郎

穀物法から自由貿易へ

報告者　四国大学　蔵谷　哲也

討論者　同志社大学　久松　太郎

オフショア金融センターを分析する視点

報告者　内閣府経済社会総合研究所　星野　智樹

討論者　明海大学　宮崎　礼二

第4分科会　貿易政策の理論（会場：A31教室）

座　長　名古屋市立大学　川端　康

Joint R&D and a New Downstream Entry in a Vertically Related Market: The Effects of R&D and Export Subsidies

報告者　京都産業大学　川越　吉孝　(E)

討論者　福島大学　荒　知宏

貿易政策の所得再分配効果に関する一考察

報告者　京都産業大学　大川　良文

討論者　兵庫県立大学　西山　博幸

第5分科会　企業立地の理論（会場：A32教室）

座　長　東北大学　曽　道智

Two Types of Export-Platform FDI with Heterogeneous Firm including Communication Cost

報告者　一橋大学　佐藤　邦彦　(E)

推薦者　一橋大学　石川　城太

討論者　大阪大学　加藤　隼人

Firm Location, Consumption Pollution and Environmental Tax

報告者　一橋大学　成　海涛　(E)

推薦者　一橋大学　石川　城太

討論者　大阪市立大学　高塚　創

昼食　　　12：00 ～ 13：30
理事会　　12：15 ～ 13：15（会場：幕張国際研修センター 4 階 4014 号室）
学会賞授与式・受賞者記念講演　13：30～14：30
（会場：幕張国際研修センター 2 階 レセプションホール渚）
第 14 回小島清賞研究奨励賞・受賞記念講演
「地域経済統合は何をもたらすのか」
京都大学　神事　直人

★午後の部　共通論題（14：40 ～ 18：10）

共通論題　連鎖する世界経済における開発―貿易・労働・金融の諸側面から―
（会場：幕張国際研修センター 2 階 レセプションホール渚）
座　長　立命館大学　中本　悟
日本貿易振興機構アジア経済研究所　平野　克己
グローバル・バリュー・チェーンにおける途上国の貿易構造高度化
報告者　中央大学　伊藤　恵子
討論者　慶應義塾大学　木村　福成
持続可能性認証と国際貿易：パーム油の事例
報告者　日本貿易振興機構アジア経済研究所　道田　悦代
討論者　関西学院大学　東田　啓作
新興国が抱える国際資本移動のリスク
報告者　神奈川大学　奥山　聡子
討論者　久留米大学　伊豆　久

★懇親会　18：30 ～ 20：30（会場：Y's（ワイズ）バイキングレストラン海浜幕張店）

【大会第 2 日目】

★午前の部　自由論題／企画セッション（9：30 ～ 12：00）

第 6 分科会　貿易分析のフロンティア（会場：SIAP-1 会議室）
座　長　中央大学　阿部　顕三
Love of Novelty and Economic Growth
報告者　中京大学　古川　雄一【小田賞受賞者】
討論者　早稲田大学　内藤　巧

Tourism Infrastructure, the Environment, and International Trade

報告者　兵庫県立大学　清水　隆則

【小島清賞優秀論文賞受賞者】

討論者　愛 知 大 学　藪内　繁己

Deep Regional Trade Agreements and Cross-border Technology Transfer

報告者　京 都 大 学　神事　直人

討論者　日本貿易振興機構アジア経済研究所　早川　和伸

第 7 分科会　貿易の実証分析 1（会場：SIAP-2 会議室）

座　長　近 畿 大 学　丸山　佐和子

Global Value Chains and Aggregate Income Volatility

報告者　一 橋 大 学　杉田　洋一　(E)

討論者　早稲田大学　浜野　正樹

The Impact of International Competition on Executive Compensation: Evidnce from Japanese Firms during the Global Trade Collapse

報告者　弘 前 大 学　桑波田　浩之

討論者　近 畿 大 学　丸山　佐和子

Tariffs, Vertical Oligopoly and Market Structure: Empirical Investigation

報告者　福 島 大 学　荒　知宏　(E)

討論者　大 阪 大 学　Lianming Zhu

第 8 分科会　【企画セッション】歴史的岐路に直面するエネルギー問題：将来指針構築の課題（会場：A32 会議室）

座　長　東京国際大学　武石　礼司

エネルギー転換シナリオおよびその評価

報告者　東京国際大学　武石　礼司

討論者　日本エネルギー経済研究所　末広　茂

国際制度を通じたエネルギー転換に係る政策普及

報告者　京 都 大 学　服部　崇

討論者　日本貿易振興機構アジア経済研究所　道田　悦代

エネルギー資源経済と移民：湾岸アラブ型エスノクラシー

報告者　宇都宮大学　松尾　昌樹

討論者　日本貿易振興機構アジア経済研究所　齋藤　純

第 9 分科会　アジア経済（会場：C21 会議室）

座　長　立命館大学　中川　涼司

一帯一路と南アジア地域の政治経済

報告者　東洋大学　深澤　光樹（J）

討論者　拓殖大学　椎野　幸平

ミャンマーにおける中国元の国際化

報告者　日本貿易振興機構アジア経済研究所　久保　公二

討論者　日本大学　曽根　康雄

アジアの地域通貨単位（RMU）利用による為替リスクヘッジの考察

報告者　亜細亜大学　赤羽　裕

討論者　文京学院大学　絹川　直良

第10分科会　海外直接投資（会場：A31会議室）

座　長　青山学院大学　小橋　文子

日系多国籍企業による「共生」産業社会構築可能性の研究

報告者　名古屋工業大学　竹野　忠弘

討論者　拓殖大学　吉野　文雄

Multinational Firm's Location Decision: Distance vs. Connectivity

報告者　一橋大学　チャン　チャン　(E)(J)

推薦者　一橋大学　石川　城太

討論者　慶應義塾大学　松浦　寿幸

昼食　12：00～13：20

理事会　12：15～13：15（会場：幕張国際研修センター4階4014号室）

会員総会　13：20～13：50（会場：幕張国際研修センター2階 レセプションホール渚）

会長講演　14：00～14：30（会場：幕張国際研修センター2階 レセプションホール渚）

★午後の部　自由論題／企画セッション（14：40～17：10）

第11分科会　【企画セッション】　米トランプ政権誕生の背景と経済政策に関する研究（会場：A31会議室）

座　長　立教大学　山縣　宏之

ラストベルト分析と「徒弟訓練」政策：トランプ現象の経済的背景と支持基盤

報告者　立教大学　山縣　宏之

討論者　阪南大学　井上　博

アメリカ2017年減税・雇用法の企業課税，国際課税面の意義と課題

報告者　立命館大学　河音　琢郎

討論者　横浜国立大学　萩原　伸次郎

トランプ政権の通商政策～覇権の再編か，重商主義への回帰か

報告者　和歌山大学　藤木　剛康

討論者　立命館大学　中本　悟

第12分科会　貿易の実証分析2（会場：A32会議室）

座　長　青山学院大学　伊藤　萬里

The EU's Reform in Rules of Origin and International Trade: Evidence from Cambodia

報告者　日本貿易振興機構アジア経済研究所　田中　清泰

討論者　一橋大学　田中　万里

Promotion or Liberalization: The Effect of Targeted Investment Policies on FDI Inflows

報告者　宮崎公立大学　稲田　光朗　(E)

討論者　日本貿易振興機構アジア経済研究所　田中　清泰

知識集約型ビジネスサービス（KIBS）を利用した製造業の高付加価値化とその比較優位：実証的研究

報告者　立命館大学　藁谷　達至　(J)

推薦者　立命館大学　中本　悟

討論者　東北大学　佐藤　秀夫

第13分科会　移民・非経済的要因の分析（会場：A33会議室）

座　長　立命館大学　板木　雅彦

Economic and Non-economic Determinants of Attitudes towards Immigrants in Thailand

報告者　京都大学　河崎　レイチェル慧　(E)

推薦者　京都大学　岩本　武和

討論者　南山大学　平岩　恵里子

Drinking, Texting, or Getting Old: Which One is the Most Dangerous While Driving?

報告者　法政大学　武智　一貴　(E)

討論者　日本貿易振興機構アジア経済研究所　坪田　建明

教材開発:マクドゥーガル＝ケンプ・モデルでBrexitと仏EU残留を説明する～伝統モデルを教育で使う意義～

報告者　専修大学　小川　健

討論者　日本大学　井尻　直彦

第14分科会　環境（会場：C21会議室）

座　長　上智大学　蓬田　守弘

Gravity Analysis of Environmental Goods Focusing on Bilateral Tariff Rates

報告者　東京国際大学　松村　敦子

討論者　拓殖大学　服部　哲也

Skill Formation and the Production of Environmental Goods: The Role of Public Education

報告者　尚美学園大学　荘　発盛　(E)

討論者　京都産業大学　大川　良文

Trade and the Environment with a Continuum of Goods

報告者　東洋大学　李　綱

討論者　南山大学　寳多　康弘

【日本国際経済学会第10回春季大会】

日本国際経済学会第10回春季大会は，2020年6月6日（土）に弘前大学で開催される予定でしたが，新型コロナウイルス蔓延の影響により，本年度の開催は中止となりました。

【会員総会の議決と決定】

会員総会（第78回全国大会第2日）

日本国際経済学会第78回全国大会の会員総会は，2019年9月29日（日）13時20～13時50分，幕張国際研修センター2階「レセプションホール渚」において，当日開催された理事会の提案議事に従い古沢泰治会長（東京大学）を議長として開催され，以下の議題を討議・承認・発表しました。

1.　2018年度事業報告について

標記について，古沢泰治会長（東京大学）より，以下の諸点に関する報告が行われた。

（1）　第8回春季大会開催（2018年6月16日　北海道大学）

（2）　第77回全国大会開催（2018年10月13～14日　関西学院大学）

（3）　機関誌『国際経済（日本国際経済学会研究年報）』第69巻発行

（4）　機関誌『The International Economy』Vol.21発行

（5）　第13回小島清賞各賞及び第8回特定領域研究奨励賞（小田賞）の授賞

（6）　韓国国際経済学会への研究者派遣

2.　2018年度一般会計決算について

標記について溝口佳宏常任幹事（帝京大学）より説明が行われ，審議の結果これを承

認した。【「日本国際経済学会ニュース」2019年9月9日，3ページ参照】

3. 2018年度小島清基金決算（案）

標記について溝口佳宏常任幹事（帝京大学）より説明が行われ，審議の結果これを承認した。【「日本国際経済学会ニュース」2019年9月9日，4ページ参照】

4. 2018年度特別事業活動基金決算（案）

標記について溝口佳宏常任幹事（帝京大学）より説明が行われ，審議の結果これを承認した。【「日本国際経済学会ニュース」2019年9月9日，4ページ参照】

5. 2019年度事業案について

標記について，古沢泰治会長（東京大学）より，以下の諸点に関する報告が行われ，審議の結果これを承認した。

（1） 第9回春季大会開催（2019年6月15日　高知県立大学／高知短期大学）
（2） 第78回全国大会開催（2019年9月28～29日　ジェトロ・アジア経済研究所）
（3） 機関誌『国際経済（日本国際経済学会研究年報）』第70巻発行予定
（4） 機関誌『The International Economy』Vol.22発行予定
（5） 第14回小島清賞各賞及び第9回特定研究領域奨励賞（小田賞）の授賞
（6） 韓国国際経済学会への研究者派遣

6. 2019年度一般会計予算（案）について

標記について溝口佳宏常任幹事（帝京大学）より説明が行われ，審議の結果これを承認した。【「日本国際経済学会ニュース」2019年9月9日，5ページ参照】

7. 2019年度小島清基金予算（案）について

標記について溝口佳宏常任幹事（帝京大学）より説明が行われ，審議の結果これを承認した。また，古沢泰治会長（東京大学）から，来年度から小島清賞の副賞について，研究奨励賞については30万円に減額し，優秀論文賞に関しては副賞を授与しないことが報告された。【「日本国際経済学会ニュース」2019年9月9日，6ページ参照】

8. 2019年度特別事業活動基金予算（案）について

標記について溝口佳宏常任幹事（帝京大学）より説明が行われ，審議の結果これを承認した。【「日本国際経済学会ニュース」2019年9月9日，6ページ参照】

9. 新入会員の発表について

標記について，古沢泰治会長（東京大学）より9月29日（日）に開催された理事会において8名の新入会員の入会が承認されたことが報告された。

10. 第10回（2020年度）春季大会・第79回（2020年度）全国大会の開催機関について

標記について，古沢泰治会長（東京大学）より，2020年6月6日（土）弘前大学にて開催予定であること，併せて大会準備委員長の細矢浩志氏（弘前大学）を特命理事に指名したとの発表が行われた。また，古沢泰治会長（東京大学）より，第79回（2020年度）全国大会は九州大学において，石田修理事（九州大学）を大会準備委員長として開催予定であるとの発表が行われた。

11. 第79回（2018年度）全国大会「プログラム委員会」の委員長について

標記について，古沢泰治会長（東京大学）より，立石剛幹事（西南学院大学）をプログラム委員会委員長として指名したとの発表が行われた。なお，プログラム委員会メンバーは後日，会員ニュースレターでお知らせするとの補足説明があった。

12. 会則の改正について

標記について，椋寛常任理事（学習院大学）より，10月以降の入会方法の変更に関連して，会則の変更が提案され【会員総会資料「議題12資料」参照】，承認された。

13. 内規の改正について

標記について，椋寛常任理事（学習院大学）より，10月以降の入会方法の変更に関連して，「会員資格」内規の改正が6月15日（土）の理事会において承認されことが報告された【「日本国際経済学会ニュース」2019年9月9日，8ページ参照】。

14. その他

（1）謝辞

古沢泰治会長（東京大学）より，第79回（2019年度）全国大会開催機関の平野克己準備委員長（日本貿易振興機構アジア経済研究所），および準備委員会メンバーに対して謝辞が述べられた。

（2）大会開催校からの挨拶

2020年度春季大会の開催機関である弘前大学の細矢浩志特命理事より，また2020年度全国大会の開催予定機関である九州大学の石田修理事より挨拶がなされた。

監事（若干名）

太田代（唐澤）幸雄（南山大学）
小川　英治（一橋大学）
柴田　　孝（大阪商業大学）

幹事（定員約20名）

【関東支部】

井尻　直彦（日本大学）
乾　　友彦（学習院大学）
川野　祐司（東洋大学）
佐藤　仁志（アジア経済研究所）
黒川　義教（筑波大学）
松浦　寿幸（慶應義塾大学）
溝口　佳宏（帝京大学）※
※常任幹事

【中部支部】

川端　　康（名古屋市立大学）
寶多　康弘（南山大学）
柳原　光芳（名古屋大学）

【関西支部】

井上　　博（阪南大学）
斉藤　宗之（奈良県立大学）
新宅　公志（広島修道大学）
広瀬　憲三（関西学院大学）
福井　太郎（近畿大学）
立石　　剛（西南学院大学）
松永　　達（福岡大学）
丸山佐和子（近畿大学）

顧問（就任順）

渡辺福太郎（学習院大学名誉教授）
本山　美彦（国際経済労働研究所理事長・所長）
井川　一宏（神戸大学名誉教授）
関下　　稔（立命館大学名誉教授）
田中　素香（中央大学）
阿部　顕三（中央大学）
木村　福成（慶應義塾大学）
岩本　武和（京都大学）
石川　城太（一橋大学）
中西　訓嗣（神戸大学）

出版委員会

委員長　　神事　直人（京都大学）
副委員長　蓬田　守弘（上智大学）

委員　　板木　雅彦（立命館大学）　　伊藤　恵子（中央大学）
　　　　北野　重人（神戸大学）　　清田　耕造（慶應義塾大学）
　　　　田中　綾一（駒澤大学）　　西山　博幸（兵庫県立大学）
　　　　蓮見　　雄（立教大学）　　濱田　弘潤（新潟大学）
　　　　柳瀬　明彦（名古屋大学）　　山本　和博（大阪大学）

小島清基金運営委員会

委員長　　中西　訓嗣（神戸大学）
委員　　青木　浩治（甲南大学）＜事務局長＞
　　　　阿部　顕三（中央大学）　　板木　雅彦（立命館大学）
　　　　近藤　健児（中京大学）　　戸堂　康之（早稲田大学）
　　　　冨浦　英一（一橋大学）

特定領域研究奨励賞（小田賞）審査委員会

委員長　　古沢　泰治（東京大学）
委員　　清田　耕造（慶應義塾大学）　　内藤　　巧（早稲田大学）
　　　　東田　啓作（関西学院大学）

その他日本国際経済学会関係者

日本経済学会連合評議員
　　　　乾　　友彦（学習院大学）　　戸堂　康之（早稲田大学）

【役員の業務分担】（◎印は責任者）

	【関東支部】	【中部支部】	【関西支部】
本部関係			
〈総務担当〉			
常任理事	◎椋　　寛	近藤　健児	神事　直人
	冨浦　英一		
幹事			井上　　博
ニュース			
常任理事			◎大川　良文
理事	伊藤　萬里	柳瀬　明彦	井出　文紀

	佐野　聖香		
幹事		川端　　康	松永　　達
HP			
常任理事	◎櫻井　公人		大川　良文
理事	小森谷徳純	竹野　忠弘	福重　元嗣
	小林　尚朗		
幹事			立石　　剛
会員名簿			
常任理事		◎近藤　健児	
理事	妹尾　裕彦	伊澤　俊泰	石田　　修
	古川　純子		西山　博幸
	増田　正人		
幹事		柳原　光芳	新宅　公志
〈財務担当〉			
常任理事	◎遠藤　正寛		板木　雅彦
理事		竹野　忠弘	市野　泰和
幹事	溝口　佳宏		
	（常任幹事）		
〈編集・出版担当〉			
常任理事	蓬田　守弘		◎神事　直人
			板木　雅彦
理事	伊藤　恵子	柳瀬　明彦	北野　重人
	清田　耕造		西山　博幸
	田中　綾一		
	蓮見　　雄		
幹事	黒川　義教		丸山　佐和子
〈企画・渉外担当〉			
常任理事			◎東田　啓作
理事	伊藤　恵子	柳瀬　明彦	市野　泰和
	齋藤　哲哉		高橋　信弘
	戸堂　康之		
	鳴瀬　成洋		趙　　来勲

特命理事	柴山　千里		細居　俊明
	平野　克己		
	細矢　浩志		
幹事	乾　　友彦		斉藤　宗之
	川野　祐司		
	佐藤　仁志		
〈監査〉			
監事	◎小川　英治	太田代（唐澤）幸雄	柴田　　孝
支部関係			
常任理事	冨浦　英一	近藤　健児	神事　直人
理事			石田　　修
幹事	井尻　直彦	寳多　康弘	井上　　博
			福井　太郎
	松浦　寿幸		広瀬　憲三

《各支部の活動報告》

本年度も全国大会に加え，各支部において活発な研究会・シンポジウム活動等が行われました。以下は，2019年8月～2020年7月の一年間における各支部の活動報告です。

【関東支部】

◎日韓経済関係フォーラム，Forum on the Economic Relationship between Korea and Japan

日時　2019年11月17日（土）午後2時～5時

会場　日本大学経済学部　7号館2階 ホール

Opening Remark

Taiji Furusawa (President of JSIE, University of Tokyo)

Byung-il Choi (President of KIEA, Ewha Womans University)

Keynote Speech I

Yunjong Wang (Kyunghee University)

Keynote Speech II

Yukiko Fukagawa (Waseda University)

Panel Discussion

Moderator: Fukunari Kimura (Keio University)

Panelist: Seok-Young Choi (Former Korean Ambassador to the Geneva Mission)
Jee-Hyeong Park (Seoul National University)
Yunjong Wang (Kyunghee University)
Tomoyoshi Nakajima (Economic Research Institute for Northeast Asia)
Satoru Okuda (Asia University)
Yukiko Fukagawa (Waseda University)

◎定例研究会

日時　2019年12月21日（土）午後2時～5時

会場　日本大学経済学部　7号館4階　7041教室

報告1：The Determinants of Participation in Global Value Chains: A Cross-Country Firm-Level Analysis

白映旻（早稲田大学）

報告2："Endogenous Product Differentiation and Profit Shifting"（Presentation in English）

大越裕史（ミュンヘン大学大学院）

◎新春特別シンポジウム『世界経済の潮流を探る』

日時　2020年1月11日（土）

会場　日本大学　経済学部7号館　講堂

座長：遠藤正寛（慶應義塾大学）

第1報告　国際通貨体制・基軸通貨の行方

小川英治（一橋大学）

第2報告　デジタル新興国論～中国の事例とその拡張～

伊藤亜聖（東京大学）

第3報告　誰が保護主義を支持しているのか～ミクロデータからの考察～

冨浦英一（一橋大学）

◎定例研究会

日時　2020年5月16日（土）午後2時～3時

会場　Zoomによるオンライン開催

報告論題　WTOにおける日米デジタル貿易協定の位置づけと行方

岩田伸人（青山学院大学）報告

◎定例研究会

日時　2020年5月23日（土）　午後2時～3時

会場　Zoomによるオンライン開催

論題論題　FDI, Ownership Structure, and Productivity　田中鮎夢（中央大学）

◎定例研究会

日時　2020年6月27日（土）午後2時～3時

会場　Zoomによるオンライン開催

報告論題　Agri-tourism, Unemployment and Urban-Rural Migration

倉田洋（東北学院大学）

◎チュートリアルセッション「混迷を深めるWTO貿易体制」

日時　2020年7月18日（土）午後2時から3時30分

会場　Zoomによるオンライン開催

報告論題

前半　The WTO Trading System at a Crossroads

後半　What the Covid-19 Pandemic Means for the WTO Trading System

深作喜一郎（元GATT，元OECD，元慶應義塾大学特任教授）

◎定例研究会

日時　2020年7月25日（土）　午後2時から3時15分

会場　Zoomによるオンライン開催

報告論題　Greenfield or Brownfield? Firm FDI Choice and Intangible Capital

高山遥（Ph.D. candidate, University of Virginia）

【中部支部】

◎冬季大会

日時　2019年12月14日（土）　午後1時40分～午後18時00分

会場　南山大学　J棟　J54教室

報告　13:40-14:40

Is Environmental Tax Harmonization Desirable in Global Value Chains?

報告者　加藤　隼人 氏（大阪大学）

Haitao Cheng 氏（一橋大学）
小橋　文子 氏（青山学院大学）

報告　14:40-15:40

China's Life Expectancy Catch-Up and its U-Shaped Impact on the U.S. External Deficit

報告者　稲垣　一之 氏（南山大学）

講演　16:30-18:00

Issue Linkage in Trade Agreements

報告者　Ngo Van Long 氏（McGill University and Hitotsubashi Institute for Advanced Study）

＊2020年7月18日（土）に関西支部・中部支部合同研究会（第2回）が開催されましたが，それについては，以下の関西支部の活動報告を参照

【関西支部】

◎2019年度関西支部公開シンポジウム『日本の外国人労働者の受け入れ―その制度と実態―』

（後援：一般財団法人 アジア太平洋研究所（APIR））

日時　2019年11月9日土曜日　午後2時30分～5時30分

会場　キャンパスプラザ京都第4講義室

基調報告

外国人労働者政策の展開と2018年入管法改正の歴史的意味

報告者　明石純一（筑波大学大学社会・国際学群社会学類）

外国人労働者の受け入れと活用における現状と課題―その制度と矛盾―

報告者　守屋貴司（立命館大学経営学部）

基調報告者を交えたパネルディスカッション

討論者　岩佐和幸（高知大学人文社会科学部）
近藤健児（中京大学経済学部）
村井広宣（株式会社プログレスト／関西留学生国際交流支援連絡会）

◎2019年度第2回研究会

日時　2019年12月21日土曜日　午後3時00分～5時00分

会場　関西学院大学大阪梅田キャンパス1005教室（アプローズタワー10階）

第1報告　The Impact of International Trade and Finance through Education

報告者　浅海達也（神戸大学大学院経済学研究科博士課程後期）
討論者　Colin Davis（同志社大学国際教育インスティチュート）

第 2 報告　Is the first comer always efficient?

報告者　東田啓作（関西学院大学経済学部）
討論者　川越吉孝（京都産業大学経済学部）

◎ 2019 年度第 3 回研究会

日時　2020 年 1 月 25 日土曜日　午後 3 時 00 分～5 時 00 分

会場　谷岡学園梅田サテライトオフィス（グランフロント大阪タワー A（南館）16 階）

第 1 報告　A note on a Melitz model in asymmetric two-country world

報告者　新宅公志（広島修道大学経済科学部）
討論者　森田忠士（近畿大学経済学部）

第 2 報告　米中ハイテク摩擦を巡る一考察—米国の対内投資規制および輸出規制の視点から

報告者　松村博行（岡山理科大学経営学部）
討論者　藤木剛康（和歌山大学経済学部）

◎ 2019 年度第 4 回研究会

日時　2020 年 3 月 14 日土曜日　午後 3 時 00 分～4 時 00 分

会場　関西学院大学大阪梅田キャンパス 1406 教室（アプローズタワー 14 階）

第 1 報告　Trade Liberalization and Wage Inequality: Evidence from Chile

報告者　村上善道（神戸大学経済経営研究所）
討論者　古田学（愛知学院大学経済学部）

◎ 2020 年度第 1 回研究会

日時　2020 年 6 月 20 日土曜日 午後 3 時 00 分～5 時 10 分（オンライン開催）

第 1 報告　Fair Trade: Product Differentiation and Warm Glow Effect

報告者　Olga Strelchenko（大阪大学経済学研究科博士後期課程）
討論者　東田啓作（関西学院大学経済学部）

第 2 報告　幸福の価値観：アジア 7 カ国の主観的幸福度を用いた実証分析

報告者　滝本香菜子（同志社大学総合政策科学研究科博士後期課程）
討論者　鶴見哲也（南山大学総合政策学部）

◎2020年度関西支部・中部支部合同研究会

日時　2020年7月18日土曜日　午後3時45分～5時55分（オンライン開催）

第1報告　国際貿易における比較優位の産業別推計

報告者　岩本朋大（名古屋市立大学大学院経済学研究科博士後期課程）

討論者　丸山佐和子（近畿大学経済学部）

第2報告　Effects of eliminating internal tariffs by PTA members

報告者　田所篤（大阪大学大学院経済学研究科博士後期課程）

討論者　柳瀬明彦（名古屋大学大学院経済学研究科）

【九州・山口地区研究会】

◎2019年度　第1回研究会

日時　2019年9月7日土曜日　午後2：00～4：30

場所　西南コミュニティセンター（西南学院大学東キャンパス）2階会議室

第1報告　Vernonは多国籍企業の行動に関する仮説をどのように立てたのか，またなぜ彼の仮説は現代でも重要なのか

報告者　西村直人氏（九州大学経済学部研究員）

第2報告　寡占的一般均衡下において公企業行動が賃金・経済厚生に与える影響

報告者　亀井慶太氏（西南学院大学経済学部）

◎2019年度　第2回研究会

日時　2019年12月21日土曜日　午後3：30～5：30

場所　西南コミュニティセンター（西南学院大学東キャンパス）2階 プロジェクトルーム

報告　日本のマクロ経済政策と民主主義

報告者　熊倉正修氏（明治学院大学）

討論者　山本一哉氏（鹿児島大学）

なお，2019年度第3回研究会は，2020年3月21日に開催予定で案内を通知していたが，新型コロナウイルス感染拡大に伴い，延期となった。

【本部・各支部事務局所在地】

【本　　部】 日本国際経済学会　本部事務局
〒162-0041　東京都新宿区早稲田鶴巻町 518　司ビル 3F
国際ビジネス研究センター内
Tel：03-5273-0473　Fax：03-3203-5964
E-mail：jsie@ibi-japan.co.jp

日本国際経済学会　本部事務局総務
〒171-8588　東京都豊島区目白 1-5-1
学習院大学経済学部　椋寛研究室気付
Tel：03-5992-1275（研究室直通）　Fax: 03-5992-1275（研究室直通）
E-mail: head-office@jsie.jp

【関東支部】 日本国際経済学会　関東支部事務局
〒108-8345　東京都港区三田 2-15-45
慶應義塾大学産業研究所　松浦寿幸研究室気付
Tel: 03-5427-1479（研究室直通）　Fax: 03-5427-1640（事務室）
E-mail: matsuura@sanken.keio.ac.jp

【中部支部】 日本国際経済学会　中部支部事務局
〒466-8673 名古屋市昭和区山里町 18
南山大学　経済学部　寳多康弘研究室気付
Tel: 052-832-3110（内線 3839）
E-mail: jsie.chubu@gmail.com

【関西支部】 日本国際経済学会　関西支部事務局
〒630-8258　奈良県奈良市船橋町 10 番地
奈良県立大学　地域創造学部　斉藤宗之研究室 気付
Tel: 0742-22-4978（研究室直通）
Fax: 0742-22-4991（経済学部事務室）
E-mail: jsie-west@narapu.ac.jp

【日本国際経済学会ホームページ】 https://www.jsie.jp/

日本国際経済学会　会則

［1950年6月2日制定，略，1994年10月16日改正，2000年10月22日改正，2001年10月20日改正，2003年10月5日改正，2008年10月11日改正，2010年10月16日改正，2019年9月29日改正］

（名称）

第1条　本会は日本国際経済学会 The Japan Society of International Economics と称する。

（目的）

第2条　本会は国際経済の理論，政策，実情に関する研究およびその普及をはかることを目的とする。

（事業）

第3条　本会は研究報告会，シンポジウム等の開催，機関誌および出版物の刊行，内外学会の連絡，その他本会の目的を達成するために適当と認められる諸事業を行う。

（会員）

第4条　本会に入会しようとする者は，本会の目的とする研究に従事する者（大学院博士課程または同後期課程在籍者を含む）で，会員1名の推薦により所定の手順に従って理事会に申込み，その承認を得なければならない。

2　会員は所定の会費を納入しなければならない。

3　会員は研究報告会，シンポジウム等に出席し，また機関誌の配布を受け，これに投稿することができる。

（維持会員）

第5条　本会の目的に賛同し事業の達成を援助するため，所定の維持会費を納入する法人を維持会員とする。

2　維持会員は本会出版物の配布を受け，維持会員の法人に所属する者は，本会の研究報告会，シンポジウム等に出席できる。

（会費）

第6条　本会の会費は次の通りとする。

正会員	年九千円
学生会員	年五千円
法人維持会員	年一口（三万円）以上

2　継続して3年間会費の払込みがない場合，会員資格を失うものとする。

（役員）

第7条　本会の会務執行のため理事若干名，会計監査のため監事若干名を置く。

2　本会を代表するため会長1名を置く。会長は理事会において構成員の互選により選任される。

3　会長の職務を補佐するため副会長1名を置く。副会長は理事会において構成員の互選により選任される。

4　常務執行のため常任理事若干名を置く。常任理事は理事の中から会長が委嘱する。

5　理事会は，研究報告会等の開催，機関誌の編集発行，会員名簿の整備，会計等の日常会務を補助するため会員の中から幹事若干名を委嘱し，その中の1名を本部常任幹事とする。

6　本会に顧問を置く。理事長または会長の経験者を顧問とする。

7　理事として選出理事と特命理事を置く。選出理事の選出は，会員による直接選挙をもって行う。その選出方法の詳細は別に定める内規に準拠する。特命理事は，会長が若干名指名する。

選出理事，特命理事の任期は1期2カ年とする。重任を妨げない。ただし，会長および副会長の任期は2期を超えないものとし，原則として1期とする。

8　監事の選任は，会長が候補者を選考し，会員総会において決定する。

監事の任期は1期2カ年とする。重任を妨げない。

（理事会）

第8条　理事および監事を理事会構成員とする。

2　会長は，理事会を主催する。

3　理事会は，本会の事業および運営に関する事柄を企画立案して会員総会に諮り，または報告しなければならない。

4　理事会は，原則として毎年1回開催する。ただし，必要に応じて，会長は年複数回の理事会を招集することができる。

5　理事会は，理事会構成員の過半数の出席（委任状を含む）により成立する。

6　理事会の決定は，出席者の過半数の同意があったときとする。賛否同数のときは，会長が決定する。

7　本会の事務執行に必要な細目は理事会がこれを定める。

8　理事会が特に必要とする場合には，幹事は意見を述べることができる。

9　顧問は理事会に出席し，求めに応じて意見を述べることができる。

10　日本国際経済学会から推薦された日本経済学会連合評議員が日本国際経済学会の理事会構成員でない場合には，日本経済学会連合に関する活動報告および関連する問題の討議のため，理事会への出席を要請する。

（会員総会）

第9条　本会は毎年1回会員総会を開く。理事会が必要と認めたときは，臨時会員総会を開くことができる。

2　会員総会の議長は，その都度会員の中から選出する。

3　会員総会は，本会の事業活動の決定，決算・予算の審議確定，監事の選任等を行うとともに，担当理事および監事から会務について報告を受ける。

4　会員総会における決定は，出席会員の過半数の同意があったときとする。可否同数の場合は議長の決定に従う。

（地方支部および地方支部役員会）

第10条　各地方支部は，その支部に属する理事，監事，幹事，顧問をもって構成する支部役員会を置き，支部の諸事業活動を行う。

2　新たに支部を設けるときには，支部規約を添付して理事会に申し出，承認をえなければならない。

（経費）

第11条　本会の経費は，会費，維持会費，補助金，寄付等により支弁する。

（会則の変更）

第12条　本会会則の変更は理事会で決定の上，会員総会の決議による。

（その他）

第13条　本会の事務所は理事会が定める。

2　本会の名誉を毀損する行為があると認知された場合，理事会の決定により当該会員を除名することがある。

3　学会本部および各地方支部はプライバシー保護のため，会員に関する記録は厳重に保管し，原則として会員名簿の貸出はしない。

日本国際経済学会機関誌　投稿規定

1. 日本国際経済学会の機関誌（『国際経済』と THE INTERNATIONAL ECONOMY）は，学会の会員だけでなく非会員からの投稿も受け付ける。ただし，『国際経済』に非会員の投稿論文が掲載される際には，投稿者は学会に入会しなければならない。
2. 投稿論文は原著論文で，本誌以外に投稿されていないもの，また本誌以外での出版予定のないものに限る。
3. 『国際経済』の使用言語は日本語，THE INTERNATIONAL ECONOMY の使用言語は英語とする。
4. 投稿論文の長さは，『国際経済』では，図・表，参考文献，注を含め 20,000 字以内とする。THE INTERNATIONAL ECONOMY では，ダブルスペース A4 で図・表，参考文献，注を含め 35 枚以内とする。
5. 投稿論文はワープロ原稿とし，原則として，PDF 形式にして e-mail で送付することとする。また，原稿（3 部）や電子媒体物（CD-ROM，USB メモリスティック等）の郵送も受け付ける。ただし，電子ファイルの破損等による不具合が生じても，日本国際経済学会はいっさいの責任を負わない。
6. 投稿は，日本国際経済学会機関誌投稿受付係にて，随時受け付ける。
7. 論文の掲載の可否については，匿名の審査委員による審査に基づき，出版委員会が決定する。
8. 投稿者による論文原稿の手直しは，審査責任者からの改訂要求日から 1 年に限り有効とする。
9. 投稿論文の審査料は不要とする。また，論文の掲載が決定した場合の掲載料も不要とする。
10. 投稿論文は，掲載の可否にかかわらず返却しない。
11. 機関誌に掲載された論文は，独立行政法人科学技術振興機構（JST）の電子ジャーナルプラットフォーム J-STAGE（https://www.jstage.jst.go.jp/browse/-char/ja/）の電子ジャーナル『国際経済』と THE INTERNATIONAL ECONOMY に登載される。
12. 機関誌に掲載された論文の著作権（複製権，公衆送信権を含む）は，日本国際経済学会に帰属する。

日本国際経済学会機関誌投稿受付係
電子メール：jsie-journal @ jsie.jp

ハードコピー原稿や電子媒体物等での投稿の場合は，本部事務局宛にご郵送ください。最新の本部事務局連絡先は，学会ホームページ http://www.jsie.jp にてご確認いただけます。

日 本 国 際 経 済 学 会

【本　　部】 日本国際経済学会　本部事務局
〒 162-0041　東京都新宿区早稲田鶴巻町 518
司ビル 3F
国際ビジネス研究センター内
Tel: 03-5273-0473　Fax: 03-3203-5964
E-mail: jsie@ibi-japan.co.jp

【本部事務局 総務】
〒 171-8588　東京都豊島区目白 1-5-1
学習院大学経済学部　椋寛研究室気付
Tel: 03-5992-1275（研究室直通）
Fax: 03-5992-1275（研究室直通）
E-mail: head-office@jsie.jp

【日本国際経済学会ホームページ】 https://www.jsie.jp/

連鎖する世界経済における開発
―貿易・労働・金融の諸側面から―

国際経済　第71巻（日本国際経済学会研究年報）

令和2年10月31日　発　行

編集兼発行所　日本国際経済学会
〒162-0041　東京都新宿区早稲田鶴巻町518　司ビル3F
国際ビジネス研究センター内
日本国際経済学会本部事務局

印刷・製本　中西印刷株式会社
〒602-8048　京都市上京区下立売通小川東入ル
電話 075-441-3155　FAX 075-417-2050
発売　中西印刷株式会社出版部　松香堂書店
ISBN 978-4-87974-758-7